# MÉTAWARS

## SE BATTRE POUR L'AVENIR

TOME 1

# MÉTAWARS

## SE BATTRE POUR L'AVENIR

TOME 1

JEFF NORTON

Traduit de l'anglais par
Mathieu Fleury

Éditeur : François Doucet
Traduction : Mathieu Fleury
Révision linguistique : Marie Louise Héroux
Correction d'épreuves : Nancy Coulombe, Katherine Lacombe
Conception de la couverture : Matthieu Fortin
Photo de la couverture : © Thinkstock
Mise en pages : Sébastien Michaud
ISBN papier 978-2-89733-022-4
ISBN PDF numérique 978-2-89733-125-2
ISBN ePub 978-2-89733-126-9
Première impression : 2013
Dépôt légal : 2013
Bibliothèque et Archives nationales du Québec
Bibliothèque Nationale du Canada

**Éditions AdA Inc.**
1385, boul. Lionel-Boulet
Varennes, Québec, Canada, J3X 1P7
Téléphone : 450-929-0296
Télécopieur : 450-929-0220
**www.ada-inc.com**
**info@ada-inc.com**

**Diffusion**

| | |
|---|---|
| Canada : | Éditions AdA Inc. |
| France : | D.G. Diffusion<br>Z.I. des Bogues<br>31750 Escalquens — France<br>Téléphone : 05.61.00.09.99 |
| Suisse : | Transat — 23.42.77.40 |
| Belgique : | D.G. Diffusion — 05.61.00.09.99 |

**Imprimé au Canada**

Participation de la SODEC.
Nous reconnaissons l'aide financière du gouvernement du Canada par l'entremise du Fonds du livre du Canada (FLC) pour nos activités d'édition.
Gouvernement du Québec — Programme de crédit d'impôt pour l'édition de livres — Gestion SODEC.

**Catalogage avant publication de Bibliothèque et Archives nationales du Québec et Bibliothèque et Archives Canada**

Norton, Jeff

[Fight for the Future. Français]
Se battre pour l'avenir
(Metawars ; 1)
Traduction de : Fight for the future.
Pour les jeunes de 13 ans et plus.
ISBN 978-2-89733-022-4
I. Fleury, Mathieu. II. Titre. III. Titre : Fight for the Future. Français.

PS8627.O785F5314 2013 jC813'.6 C2013-940960-2
PS9627.O785F5314 2013

À Sidonie. Pour avoir cru en moi.

# 1

La course était engagée.

Jonah Delacroix donnait de grands coups de patin sur le sol et se propulsait en avant, se détachant enfin du peloton. La course de ce soir, sous le couvert de l'obscurité et en totale violation du couvre-feu national, avait attiré plus d'une centaine de coureurs des banlieues sud de Londres. Cette course de roller derby où tous les coups étaient permis couronnerait un vainqueur payé en métadollars. En fait, le prix de cette course, c'était l'équivalent de six mois de loyer, et d'autant en nourriture, pour Jonah et sa mère. Autrement dit, il fallait que Jonah gagne.

Jonah était petit et mince à côté des autres coureurs. On l'aurait sans doute mis en charpie s'il ne s'était pas détaché du peloton. Il força l'allure pour maintenir une distance entre lui et les quelque 20 patineurs qui le suivaient depuis le coup d'envoi. À chaque coup de patin donné, les roues marquaient l'asphalte. Sa posture, son équilibre, son rythme, tout était parfait. Les entrepôts décrépis qui s'alignaient de chaque côté de la route de desserte désaffectée filaient sur son passage à une vitesse ahurissante. Il aurait presque cru voler.

Presque.

En fait, c'était ce que Jonah pouvait éprouver de plus près de cette sensation dans le monde réel. Quand il courait, quand le vent fouettait ses cheveux, il aurait presque pu croire qu'il échappait à la réalité, qu'il n'était plus un citoyen d'un pays raté qu'on avait jadis appelé un empire. Il avait l'impression d'être de retour dans la métasphère, de retour dans le monde virtuel qui lui semblait tellement plus vrai que ce circuit, que cette nuit, que cette course.

— Concentre-toi, se chuchota-t-il à lui-même.

Jonah savait que s'il pensait trop, s'il laissait vagabonder sa pensée, il chuterait dans le premier nid-de-poule venu.

Il avait trois fois déjà pris part à cette course, et à deux reprises frisé la première place. Mais dans ce derby, on ne couronnait qu'un vainqueur. Jonah s'était exercé chaque nuit depuis deux mois. Il connaissait chaque virage, tous les lacets, la moindre bosse et chaque nid-de-poule du parcours. Il savait où tous les lampadaires tombés et toutes les machines à recyclage débordantes qui lui barreraient la voie se trouvaient.

Il aperçut l'arrêt d'autobus qui marquait la mi-parcours, et s'efforça de ne pas rire de le voir encore là, comme le vestige d'une autre époque.

Cette fois, il pouvait gagner. Il fallait qu'il gagne. Il avait engagé presque tous ses métadollars pour entrer dans la course, mais le jeu en valait largement la chandelle. Avec le montant qu'il encaisserait, Jonah et sa mère mangeraient à leur faim et pourraient même louer un appartement pendant six mois, si les deux faisaient attention à ce qu'ils mangeaient. Ce serait leur premier coup de chance depuis des années.

Jonah était à quatre patineurs de la première place, et il les talonnait de près. En fait, il n'avait jamais aussi bien patiné. Mais soudain, en tentant un dépassement, Jonah vit du métal scintiller sur la veste de cuir du coureur devant lui. Des fils barbelés !

Le coureur s'attaqua furieusement à Jonah, abattant sur lui son bras droit et des lames tranchantes comme des rasoirs. Jonah croisa les patins et s'accroupit. Le bras meurtrier passa au-dessus de sa tête et Jonah s'écarta à gauche d'un puissant coup de patin.

*Je ne peux pas perdre ce soir.*

Il fonça plus encore, distançant le coureur avec le rouleau de barbelés autour du bras.

Droit devant, il vit la grande enseigne lessivée d'un magasin-entrepôt « FVM », une quincaillerie « Faites-le vous-même » aux volets de fer fermés. C'était le dernier droit de la course. Jonah gardait un souvenir clair mais lointain d'être entré dans ce commerce avec son père. Il se souvenait avoir été debout dans un panier, filant au-dessus du plancher ciré tandis que son père le poussait dans l'allée principale, entre les rangées de cuvettes et d'outils divers. Il s'était senti voler.

Quand Jonah atteignit l'enseigne, blanchie et craquelée par le temps, il trouva à s'encourager de son slogan : « Menez tous vos projets à bien ! »

Il poussa plus fort encore sur ses jambes endolories. Il suffisait d'un dernier sprint et la victoire était à sa portée. Il négocia un virage particulièrement serré et arriva derrière les trois meneurs, réduisant toujours l'écart.

Pour la première fois depuis très longtemps, Jonah pouvait espérer.

*Mène ce projet à bien !*

Ne sachant rien de la course de patins de rue qui s'apprêtait à passer par là, deux personnes rôdaient furtivement à l'extérieur du magasin condamné.

Sam, la plus jeune et la plus petite des 2, une fille de 17 ans aux cheveux roux et courts, ne savait pas ce que « FVM » voulait dire, mais trouva une manière d'encouragement dans le slogan que l'enseigne défraîchie arborait : « Menez tous vos projets à bien ! » C'est ce qu'elle comptait faire, malgré l'illégalité et les dangers du projet qui l'amenait ici.

Vêtue d'une combinaison moulante noire, un sac anthracite sur le dos, Sam se fondait dans les ténèbres en faisant le guet sur le côté de la rue déserte.

À quelques pas derrière Sam, un homme plus âgé malmenait la porte de l'entrepôt avec un pied-de-biche : un outil de la vieille école pour un bon vieux travail de casse. L'homme avait des cheveux grisonnants, une barbe hirsute et le regard intense. Il portait une combinaison noire, comme Sam. Il s'appelait Axel, mais pour Sam, il portait un autre nom. Pour elle, Axel, c'était « papa ».

Dans un bruit de planche éclatée, la porte s'ouvrit toute grande. Axel fit signe à Sam de le suivre à l'intérieur. Elle tira une lampe torche de l'une de ses multiples poches et on entendit un petit déclic quand elle l'alluma.

En mettant le pied dans l'entrepôt sombre, elle sentit l'air froid peser sur ses épaules.

Des grandes formes anguleuses se dressaient devant Sam, des rangées et des rangées de ces formes. Dans la lumière de sa torche, elle pouvait voir leurs surfaces grises et ternes, la monotonie qu'elles avaient. De gros ordinateurs. Des unités centrales. Tout était vieux, datant des dizaines d'années passées, mais pourtant toujours fonctionnel. C'était étrange d'entendre tous ces ordinateurs bourdonner et cliqueter tout seuls.

Sam n'avait pas anticipé une telle chute de température. Un courant d'air froid lui glaçait le cou. L'air venait de la bouche des climatiseurs accrochés au mur. Malgré la fraîcheur de l'endroit, le magasin était lourd de poussière et le nez lui piquait sans qu'elle n'y puisse rien faire.

Dans un coin au plafond, elle avait repéré un voyant rouge qui clignotait. Elle prit Axel par le bras, dirigeant son regard vers l'objet. Il hocha la tête.

— Des détecteurs de mouvements, dit-il tout bas, et ils nous ont déjà repérés. Mais nous nous y attendions.

— Quand bien même, dit Sam, nous ferions bien de nous y mettre.

Elle s'empressa d'ôter son sac à dos et dans sa hâte, elle se prit dans les bretelles.

— Il n'y a pas le feu, petite, dit Axel. La police est à l'autre bout de la ville, occupée par la diversion de Bradbury. Nous aurons tout fini avant qu'ils n'envoient leurs motos jusqu'ici.

— C'est ce que tu espères, répondit Sam, mais s'ils n'ont pas mordu à l'hameçon ? Et s'ils avaient laissé une patrouille dans les environs ?

Parfois, elle avait l'impression de devoir jouer les adultes avec Axel, comme si son père n'avait jamais quitté l'adolescence. Le père de Sam était impulsif et fonçait tête baissée. Aux yeux de Sam, ne pas réfléchir, c'était dangereux, surtout dans leur domaine d'activité. Cependant, elle devait admettre qu'Axel avait de bons instincts.

Elle sortit le premier explosif de son sac à dos et le lui donna. C'était du plastic, blanc cassé, de la grosseur et de la forme des briques dont on fait les maisons. Axel commença à le placer dans l'entrepôt tandis que Sam déroulait le fil du détonateur.

Ses mains tremblaient. En usant de volonté, elle réussit à arrêter les tremblements. Tout irait bien, pourvu qu'elle garde son sang-froid. De toute manière, même si elle l'avait voulu, il était trop tard pour revenir en arrière.

Sam et Axel étaient des Gardiens. Pour plusieurs, cela signifiait qu'ils étaient des terroristes — ou des « insurgés de l'Internet » — mais Sam connaissait la vérité. Elle savait que les Gardiens luttaient pour la liberté de tous. Et Sam croyait en cette cause pour laquelle elle se battait.

Mais était-elle prête à mourir pour ses idées ?

# 2

La terre trembla sous les patins de Jonah, un bruit d'explosion lui fit tinter les oreilles et une vague de chaleur vint s'abattre sur lui depuis la gauche.

Jonah perdit l'équilibre. Il tenta d'éviter la chute, mais son corps le trahit. Ses bras et ses jambes se soulevèrent en avant dans une gesticulation maladroite. Ses patins l'envoyèrent culbuter cul par-dessus tête. Jonah atterrit sur le dos. L'impact lui avait coupé le souffle.

Il leva les yeux sur le magasin en flammes, un grand panache de fumée s'élevant en tourbillons qui obscurcissaient la lune. L'enseigne géante soufflait des étincelles, se boursouflant jusqu'à ce que les mots d'encouragement soient à jamais perdus. Le hurlement d'une sirène d'alarme perçait la nuit. Jonah ne savait pas si l'explosion était le fruit d'un accident ou le travail de terroristes, mais en ce moment, c'était le cadet de ses soucis.

D'autres coureurs avaient été arrêtés dans leur course — le grand costaud avec les fils barbelés saignait là où ses décorations mortelles s'enfonçaient dans sa veste — mais les trois meneurs filaient encore en tête. Tant bien que mal, Jonah se leva sur ses patins et reprit de la vitesse en y mettant toutes ses forces. Il ne pouvait pas abandonner.

Se dessinant contre la lueur orangée de l'immeuble en feu, Jonah aperçut du coin de l'œil la fuite de deux silhouettes. Elles s'échappèrent en courant dans la rue, directement devant lui.

Il brusqua un croisement de patins pour éviter la collision, mais cogna plutôt un grand coureur costaud qui le repoussa aussitôt droit sur l'une des silhouettes. C'était une fille.

Jonah la heurta au corps et s'agrippa à elle pour ne pas tomber. Il remarqua ses cheveux roux et courts et ses yeux verts qui s'écarquillaient d'inquiétude. Elle était belle, pensa-t-il – mais elle était aussi dans son chemin.

La deuxième silhouette – un homme en combinaison noire – apparut et tira la fille vers lui. Ils se précipitèrent de l'autre côté de la rue pour disparaître dans le noir.

Jonah reporta son attention sur la course, mais c'était trop tard. Il pouvait voir le premier des coureurs, patinant devant la rangée de machines à recyclage qui marquaient la ligne d'arrivée. C'était terminé. Jonah avait perdu. Encore.

Il patina jusqu'aux organisateurs – une clique de quatre adolescents à l'air menaçant, pas beaucoup plus vieux que lui – pour protester.

– Vous allez tout de même demander qu'on recommence la course ?

Ils secouèrent la tête pour l'écarter. Le vainqueur, une grosse brute de garçon, qui, à en juger par ses patins à six roues neufs, n'avait pas besoin d'argent, s'esclaffa au visage de Jonah en glissant sa carte bancaire dans le petit terminal portable. Des milliers de métadollars furent instantanément virés sur son compte.

— Mais l'explosion ! s'écria Jonah. Ce n'est pas juste ! J'étais sûr... J'aurais pu gagner ! Si vous saviez au moins combien j'avais besoin de...

Sa voix s'évanouit peu à peu. Personne n'écoutait. Les joues de Jonah brûlaient de l'absolue injustice qu'il endurait, mais il ne pouvait rien y faire.

Les coureurs se dispersaient déjà, allant se perdre dans les ombres nocturnes, et un garçon plus âgé vint en roulant derrière Jonah et lui suggéra d'en faire autant.

— C'est probablement une autre attaque terroriste, dit le garçon, alors tu te doutes que la police se ramènera d'une minute à l'autre. Tu devrais retourner chez toi avant de te faire pincer.

Il avait raison, bien sûr. La dernière chose dont Jonah avait besoin en ce moment, par-dessus tous ses malheurs, c'était d'être pris à enfreindre le couvre-feu.

Sam fonça en laissant derrière elle le garçon énervé sur ses patins à roulettes. Elle jeta un seul regard par-dessus son épaule pour voir si elle était suivie, mais le garçon était parti. *Et s'il donnait ma description à la police ?* pensa-t-elle.

L'explosion avait été bien plus grosse que prévue. Ils avaient utilisé trop de plastic. Sam l'avait pourtant dit, mais Axel croyait qu'il valait mieux en faire trop que pas assez. L'important, c'était que les serveurs aient été totalement détruits.

Dans une allée adjacente, ils s'arrêtèrent pour évaluer les dégâts. À la lumière vacillante du feu, Sam s'examina avant d'en faire autant pour son père, à la recherche de coupures ou d'éraflures. Ils s'en étaient tous les deux sortis indemnes — ce qui était un miracle en soi. Axel n'avait pas l'air de se soucier qu'ils aient pu avoir été gravement blessés. En fait, il était plus probable qu'il n'y ait même pas pensé.

Nerveuse, Sam tira sur sa manche.

— La police est déjà en route, lui rappela-t-elle, avec toute la cavalerie.

Axel acquiesça à l'avertissement et ils se mirent à courir vers leurs bicyclettes.

Ils pédalèrent une bonne dizaine de pâtés de maisons avant d'entendre les premières sirènes approcher.

— Nous aurions pu nous faire tuer ce soir, dit Sam tout en guidant son père dans une série de rues sombres qu'elle avait au préalable choisies en planifiant leur chemin de fuite. Est-ce que ça valait le coup, tous ces risques ?

— Nous avons frappé les Millénaires là où ça fait mal, dit Axel. Dans le portefeuille. Ces serveurs stockaient le détail de centaines de milliers d'opérations de leur cybercommerce.

— Quand même, dit Sam, ça reste une goutte d'eau dans l'océan !

— Attends, sois patiente, petite, dit Axel. Tu verras. Nous venons de coûter aux Millénaires quelques millions de métadollars, et ce n'est que la pointe de l'iceberg. Le plus important, c'est que demain la métasphère fera son pain et son beurre de la nouvelle. C'est une déclaration que nous avons faite ce soir, un dur coup porté. Au nom des Gardiens. Pour la liberté.

— J'imagine que oui, dit Sam qui n'était pas convaincue outre mesure.

Elle savait qu'à chaque site des Millénaires que les Gardiens détruisaient, ils érodaient également leur propre réputation et polarisaient encore plus l'opinion publique. En silence, elle se demandait souvent s'il n'y avait pas un meilleur moyen d'atteindre leurs buts.

– Ne t'inquiète pas, petite, dit Axel qui voyait l'angoisse de sa fille, nous quittons l'Angleterre après-demain. Quand nous aurons trouvé les Quatre Coins, nous aurons enfin l'avantage dans cette guerre.

Le moral de Jonah défaillit plus encore tandis qu'il arrivait devant les 500 bus rouges qui, garés en rangs compacts, formaient ce qui s'appelait autrefois la commune de Clapham. Aujourd'hui, c'était devenu pour Jonah son chez-soi.

En grandissant, Jonah ne s'était jamais imaginé qu'il finirait par vivre dans un coin pareil ; et jamais il n'aurait cru que bientôt sa mère et lui ne pourraient même plus se payer cet endroit, l'appartement improvisé à l'étage d'un bus rouge.

Les dernières et rares lumières à énergie solaire clignotaient, illuminant la banlieue de bus cordés qui s'étendait devant lui. L'entrée en grillage pendait ouverte, comme c'était souvent le cas, et le cadenas manquait, personne n'ayant l'idée ou ne voulant se donner la peine de le remplacer. Sa mère s'en plaignait constamment. Elle disait qu'un jour, un voleur s'y glisserait, pas inquiété le moins du monde, et viendrait forcer la porte du bus, leur prenant tout. Jonah n'était pas d'accord. Tout le monde à Londres savait que les résidants de cette étrange banlieue n'avaient rien de valeur à voler.

Le père de Jonah lui avait une fois dit qu'il y avait jadis ici des pelouses et des arbres et qu'il venait y jouer au soccer durant les fins de semaine. Jonah n'avait jamais vraiment su si son père le faisait marcher ou non.

En fait, à en croire son père, tout était différent dans son temps. Et cette époque dont il parlait, c'était avant que la population mondiale n'atteigne le plafond critique de ce qu'on a appelé « le Grand Dix », soit 10 milliards. C'était du temps où le pétrole ne manquait pas, où l'eau coulait partout, librement, et où le réchauffement planétaire n'était qu'une théorie controversée et non une réalité quotidienne. C'était quand les écoles et les soins médicaux étaient offerts à tous, pas seulement à quelques privilégiés.

Pendant que Jonah se faufilait dans le labyrinthe de métal rouge, évitant les mares d'eau de pluie et le verre brisé, il eut l'idée que l'Angleterre que son père décrivait sortait tout droit d'un conte de fées. Il arrivait encore à Jonah de se perdre dans cette banlieue de bus rouges, mais il finissait toujours par retrouver le numéro du sien, le 137, avec le nom de son ancienne destination affiché en lettrage blanc sur la devanture : Marble Arch.

Son père était parti désormais. C'était depuis sa mort – depuis qu'il s'était fait tuer trois ans auparavant – que la situation avait basculé pour le pire pour la famille de Jonah. Sa mère n'avait pas été capable de continuer à payer le loyer de leur petit appartement dans Brockley. Elle avait amené Jonah vivre dans l'ancienne centrale électrique de Battersea qu'on avait transformée en abri pour les pauvres. Après quelques mois, elle leur avait enfin déniché un appartement au niveau supérieur d'un bus à deux étages, de ceux qu'on appelait aussi bus à Boris[1].

1. N.d.T. : Du nom du maire de Londres, Boris Johnson, à l'époque de leur réhabilitation en vue des Jeux olympiques de 2012.

Le bus de Jonah était plongé dans le noir, à la fois l'étage du haut et du bas. Il était soulagé que sa mère dorme encore, et que ses voisins du dessous, M. et Mme Collins, en fassent autant, eux qui transformaient le jour leur logement en métapub ouvert au public. Il déchaussa ses patins, força la porte arrière du bus et se glissa sans faire de bruit dans l'escalier en colimaçon. Il avait hâte d'attraper quelques heures de sommeil avant de se connecter à l'école le lendemain.

Il cacha tout doucement ses patins sous une pile de vêtements sales dans laquelle sa mère n'oserait jamais fouiller et alla vers son hamac.

Et c'est alors que Jonah sut qu'il s'était fait pincer.

— Jonah Benedict Delacroix, vint résonner la voix de sa mère.

Quand elle utilisait son nom en entier, Jonah savait qu'il allait y goûter.

# 3

À quelque 8000 kilomètres du bus où Jonah et sa mère logeaient, un homme riche se réveilla dans une cellule tout aussi exiguë.

Matthew Granger pouvait entendre des coups de feu et des explosions à l'extérieur — le bruit, pensa-t-il avec satisfaction, d'un gouvernement qui tombe. Il regarda à nouveau sa montre. S'il avait tout bien chronométré, ses partisans viendraient à lui dans les 10 prochaines minutes. Il sortirait de cette prison dans les 20 minutes, et serait déjà loin de la Californie dans l'heure.

Granger entendit des pas dehors, des pas de course. La trappe dans la porte de sa cellule s'ouvrit violemment et une toute jeune paire d'yeux bleus regarda à l'intérieur, s'illuminant à la vue du prisonnier.

— Vous voudrez sans doute vous tenir loin de la porte, monsieur, conseilla la jeune personne.

Ce que fit Granger, s'aplatissant contre le mur de béton blanc au fond de sa cellule. Une petite explosion arracha la porte de ses gonds, et ses sauveteurs — au nombre de trois, tous jeunes, tous sanglés dans leur treillis militaire — apparurent dans l'embrasure de la porte : les fidèles partisans de Granger, ses Millénaires. Il arrangea ses habits et se redressa sur le pitoyable grabat qui lui servait de lit et s'adressa à eux comme du haut d'un trône.

— Vous avez un avion prêt à décoller ? dit-il.

C'était une supposition et non une question.

— Oui, monsieur.

— Et mes jambes ?

Les jeunes Millénaires firent rouler devant lui une large boîte d'aluminium qu'ils ouvrirent pour révéler les deux prothèses cybercinétiques. La direction de la prison avait interdit qu'il porte ces jambes de métal de peur qu'elles ne cachent du matériel de guerre — ce qui, bien sûr, était le cas.

— Et vous n'avez pas oublié de mettre un vieux millésime 2012 *cuvée de prestige** sur la glace ?

Granger souriait — ce sourire charmant et jovial dont il avait perfectionné chaque détail et qui lui avait ouvert plusieurs portes depuis l'accident. Il n'avait pas encore 40 ans, mais savait paraître beaucoup plus jeune, avec ses cheveux mêlés d'un blond foncé et ses traits de chérubin.

— Vous ne pouvez pas savoir à quel point il est difficile de trouver un bon champagne dans le coin.

— C'est un honneur de vous rencontrer, Monsieur Granger.

— Je n'en doute pas. Je peux compter sur votre soutien ?

Trois Millénaires parlèrent tous en même temps en s'enterrant, jurant leur loyauté à leur chef.

— Vous voyez, mes amis, dit Granger, aujourd'hui est un grand jour, un moment glorieux pour le futur de la métasphère. Nous l'avons laissée languir trop longtemps

---

* N.d.T. : En français dans le texte original, comme, dans les pages à venir, tout caractère en italique suivi d'un astérisque.

entre des mains incompétentes. Le temps est venu de reprendre le monde que j'ai créé.

– Il y a... Certaines personnes ont dit, bredouilla la fille, qu'une fois libéré, vous prendriez les commandes des Quatre... des Quatre Coins. Est-ce vrai ?

Granger fixa ses jambes artificielles sur ses moignons et eut un autre sourire.

– En effet, déclara-t-il. Et personne ne m'en empêchera.

Jonah plissa les yeux quand les tubes fluorescents grésillèrent, puis jetèrent leur lumière crue. Sa mère, Miriam, avait allumé l'interrupteur et s'était levée dans son lit à l'avant du bus. Elle regardait vers Jonah de ses yeux tristes et, durant un long moment, elle ne dit rien.

Jonah détestait ces silences, qui étaient de plus en plus longs et fréquents, comme quand ils s'assoyaient pour manger, devant un sachet de Nutri-Pro, et qu'elle restait sans rien dire, son regard perdu dans l'espace entre leurs deux assiettes. Mais ce ne serait pas le cas maintenant.

Sa mère dévisageait Jonah depuis son lit. Il devina dans son expression un mélange de colère et de déception.

– J'ai vraiment cru que je pouvais gagner, expliqua-t-il dans le vain espoir que cela ferait une différence.

– C'est plein de dangers dehors, Jonah, finit-elle par dire. J'ai entendu une explosion, et tu n'étais plus dans ton hamac, ajouta-t-elle en essuyant ses larmes sur la manche de sa robe de chambre. Je ne peux pas te perdre, pas toi aussi.

Jonah ne savait pas quoi dire. Il se sentait paralysé devant la tristesse de sa mère.

— Sans compter que tu aurais pu te faire prendre après le couvre-feu ! dit-elle dans un murmure aigu. Peut-être qu'en te retirant des privilèges de la métasphère...

— Ça n'a rien d'un privilège, c'est un droit ! répliqua Jonah, son ton plus dur qu'il n'aurait voulu.

Déjà par le passé, sa mère avait menacé de lui interdire la connexion. Mais même si elle était aujourd'hui une métaphobe, et qu'elle n'allait plus en ligne, sa mère savait que tout le monde de Jonah se trouvait sur Internet : son école, leur boutique de cadeaux numériques et le dernier parent « vivant » qu'il lui restait : sa grand-mère. Elle n'allait jamais mettre sa menace à exécution ; du moins, c'est ce qu'il croyait.

— Je m'excuse, dit Jonah. Mais je croyais vraiment que j'allais la gagner, et qu'après on aurait assez d'argent...

— Je gagne suffisamment à la banque, dit sa mère sur la défensive.

— Je sais, je sais, maman, mais tu pourrais tellement mieux gagner ta vie dans la métasphère. Les boulots du monde réel, c'est pour...

Jonah s'arrêta avant que ses mots ne dépassent sa pensée.

Mais Miriam savait ce que Jonah pensait, même s'il ne le disait pas tout haut. Elle rejeta en arrière ses longs cheveux noirs et expira longuement, secouant la tête.

— C'est pour les perdants ? demanda-t-elle. C'est ce que tu penses de moi, n'est-ce pas ?

— Bien sûr que non, plaida Jonah. C'est seulement... C'est seulement que je crois que tu serais, eh bien... beaucoup plus heureuse en ligne.

— Tu ne trouveras pas d'échappatoire au vrai monde dans le virtuel.

Jonah était enfin d'accord avec sa mère sur un point : le monde virtuel n'était pas une échappatoire parfaite. Ce n'était encore qu'une réalité de remplacement. Mais une réalité en tout point meilleure que l'autre. Jonah souhaitait ne plus jamais avoir à vivre dans le vrai monde.

— Il faut que tu mettes la boutique en vente, dit-elle d'un ton définitif. Tu sais que nous avons besoin d'argent.

— Je peux nous en trouver, lui assura Jonah. Je peux faire d'autres courses et...

— C'est non ! Nous n'aurons plus cette discussion. Tu dois vendre la boutique, un point c'est tout. Il n'y a pas d'autres solutions.

Jonah savait que ce moment viendrait. Il avait espéré que, en gagnant la course, il éviterait la vente ou la reporterait à tout le moins à plus tard. Mais voilà, sa mère avait décidé. Il était temps de vendre la boutique de cadeaux virtuelle, ce petit commerce que la mère et le père de Jonah, Jason, avaient créé et mis en ligne quand ils s'étaient mariés. C'était le dernier souvenir dans la métasphère qui rappelait à Jonah son père, et il allait perdre ce souvenir.

# 4

Le matin était venu trop vite. La mère de Jonah avait dû le réveiller deux fois avant qu'il n'arrive enfin à sortir de son hamac, les yeux troubles de fatigue.

Il y avait ce matin le petit déjeuner classique : un Nutri-Pro aux fraises, une pâte protéinée qu'on vendait sur le marché en sachets. Encore épuisé de sa nuit mouvementée, Jonah s'affala à la table à manger, une mince plaquette de bois qui partait du mur devant deux sièges en plastique. Il aspira le Nutri-Pro à même l'emballage. C'était graveleux et on devinait au goût qu'il n'y avait pas de fraises dans le mélange, mais les vrais aliments n'étaient plus abordables depuis longtemps.

Sa mère approcha un moniteur portable près du coude de Jonah et pianota les coordonnées de sa chaîne de nouvelles préféré. Sur l'écran, un flamant rose et un rhinocéros que ni Jonah ni sa mère ne connaissaient livraient les grands titres de l'actualité. *Ça doit être le jour de congé du papillon,* songea Jonah.

— Nous pouvons aujourd'hui confirmer la chute du gouvernement américain suite à sa faillite historique, expliqua le flamant dans une voix féminine et calme.

— Et étant donné que les autres gouvernements occidentaux sont au bord de la ruine, ajouta le rhino, dans une voix agitée et bourrue, il est à craindre que le monde virtuel, jadis considéré comme l'ultime refuge contre la volatilité du monde réel, ne soit sur le point de devenir le théâtre des hostilités entre les Gardiens et les Millénaires.

*Les Gardiens et les Millénaires !*

Ces derniers temps, ces deux groupes étaient sur toutes les lèvres, et tout un chacun choisissait son camp et se targuait d'avoir raison. Comme si c'était un choix de prendre pour les terroristes. Jonah ne comprenait pas comment quiconque pouvait soutenir les Gardiens. Surtout après ce qu'ils avaient fait à sa famille.

— Je pensais qu'ils auraient parlé de l'explosion d'hier, dit sa mère.

— Ça devait être un autre coup de ces lâches de Gardiens, argua Jonah. Quelqu'un doit les arrêter.

La mère de Jonah éteignit l'appareil d'un geste du doigt sur l'écran et mit son manteau.

— Il faut que j'aille travailler, et toi, tu dois te mettre à tes études. N'oublie pas d'inscrire la boutique aux enchères après l'école. Et cette fois, pas d'excuse !

— Pourquoi ne pas attendre encore quelques mois ?

— Attendre, mais attendre quoi ? Que nous crevions de faim ?

— Mais papa aurait voulu que nous…

— Ton père n'est plus avec nous, le coupa-t-elle. Et il ne reviendra pas. Il faut tourner la page et continuer à vivre. Tu sais tout ça, Jonah.

Elle l'embrassa sur le front et disparut en bas des escaliers en colimaçon. Jonah l'entendit dire à Mme Collins qu'il mettrait la boutique en vente après l'école.

Jonah écrasa le sachet de Nutri-Pro, avalant ce qui restait de la bouillie à saveur de fraise, et lança le contenant vide dans le conteneur à recyclage. Les jambes lourdes, il descendit les escaliers du bus. À l'étage inférieur, Mme Collins le salua, jeta un œil à sa montre et secoua la tête dans une amicale réprimande.

Jonah allait être en retard pour l'école.

Cette fois encore.

Durant le jour, M. et Mme Collins exploitaient un commerce dans leur appartement – l'étage inférieur du bus de Jonah –, un métapub. Ils avaient conservé la plupart des vieux sièges en vinyle, de sorte que leurs clients branchés étaient assis deux par deux.

Jonah bâilla et se glissa à sa place habituelle vers l'avant du bus et chercha à tâtons le câble Ethernet sur le côté du siège.

– Cette explosion t'a gardé éveillé, toi aussi ? demanda M. Collins. Je mettrais ma main au feu que c'était ces fichus Gardiens. Des combattants pour la liberté, des guérilleros, mes fesses ! Plutôt des terroristes, oui !

Il continua à marmonner dans sa barbe à propos de l'état du monde et donna à Jonah l'emballage stérile d'un adaptateur Internet Direct. Jonah déchira l'enveloppe en aluminium avec ses dents. Il brancha l'adaptateur en forme de canule au bout du câble Ethernet. Ensuite, il passa la main dans le bas de son dos, soulevant son t-shirt et cherchant un instant l'anneau en plastique qui protégeait l'ouverture vers l'épine dorsale.

Pour Jonah, c'était tout naturel. Comme la plupart des gens de son âge, on lui avait installé à la naissance cette Interface Directe ou ID, comme on l'appelait le plus souvent. Cette prise faisait partie de lui.

Jonah Delacroix n'avait jamais connu le monde d'avant la métasphère.

L'Angleterre, comme beaucoup de pays, avait épuisé ses stocks de pétrole. Le rationnement du charbon rendait les déplacements coûteux et difficiles, voire impossibles. De toute manière, qui voulait voir davantage du monde réel ? Le monde réel était chaud, surpeuplé et violent. Mais à l'intérieur, dans la métasphère, tout était différent.

Dans la métasphère, Jonah pouvait voler. Il pouvait aller où bon lui semblait – en dehors des heures d'école, il va sans dire.

– Je vais finir un peu plus tard aujourd'hui. Il faut que je mette en vente la boutique après l'école, dit-il, en partie pour se plaindre, mais aussi pour s'expliquer.

– Je sais, mon chéri. Ta mère m'a dit. Comme c'est dommage.

M^me^ Collins entra les mots « ACADÉMIE CHANG » dans la tablette numérique branchée au moniteur de Jonah. Elle lui présenta le petit écran où Jonah put lire les coordonnées du point d'origine. Il n'avait plus qu'à valider son point d'entrée.

– Nous vous achèterions cette boutique si nous avions les métadollars, mais nous ne les avons pas. C'est comme ça.

Jonah guida soigneusement la canule dans l'anneau de plastique. Il avait fait le geste un millier de fois déjà, mais le froid de l'adaptateur lui donnait encore le frisson à chaque fois. Il l'inséra en tournant un peu.

*Clic.* Le premier sillon de la fiche s'inséra avec un petit bruit sec. Jonah poussa l'adaptateur encore plus à l'intérieur jusqu'à ce que la canule entre en contact avec le liquide rachidien.

*Clic.* L'adaptateur transmettait à présent les données à son système nerveux central ; la métasphère était en interface directe avec son cerveau.

— Tout est beau, vérifia M^me^ Collins. Maintenant, arrange-toi pour apprendre quelque chose là-dedans.

Elle tapota sur l'écran du gestionnaire de données pour confirmer son entrée dans la métasphère. D'un seul tapotement du doigt, la vague nauséeuse familière balaya le vrai monde et plongea Jonah dans un vertige noir.

Chacun des cinq sens de Jonah l'abandonnait tandis que ses ondes cérébrales s'intégraient au réseau informatique. Il faudrait à son cerveau un moment pour s'adapter à sa nouvelle réalité, une réalité virtuelle. Il ferma ses yeux aveugles, et eut vaguement conscience que son corps dans le monde réel s'affaissait dans son siège. De toute manière, là où Jonah allait, il n'en aurait pas besoin.

# 5

Jonah retrouva l'usage de ses sens, en commençant par la vue. Un lumineux paysage numérique tridimensionnel s'étala autour de lui — autour de son moi numérique.

Il se trouvait debout dans un parc envahit par le lierre, devant l'imposante façade d'une des meilleures, et des plus onéreuses, écoles publiques franchisées dans le monde en ligne : l'Académie Chang pour jeunes surdoués.

Jonah était pile à l'heure, mais les portes principales fermaient déjà. Il bondit vers le ciel, laissant flotter derrière un géant anneau doré, son halo de sortie, son portail personnel entre les mondes. Il sentait l'air frais et doux de la métasphère sur son visage et un frisson de joie familier à l'estomac. Ici, il se sentait chez lui.

Jonah guida son vol avec précision, en maîtrise de chacun des muscles de son corps virtuel. Il vola par les portes de l'école, à travers le balayage du scanneur qui ficha son arrivée et l'heure de celle-ci.

« Jonah Benedict Delacroix », annonça l'appareil automatisé avec une voix métallique tandis que les portes se fermaient derrière dans un cliquettement. Une icône montrant un cadenas apparut sur les portes, pour enfermer les élèves à l'intérieur et garder les écornifleurs dehors.

Jonah avait déjà fréquenté une école du monde réel, mais elle avait fermé faute d'élèves et l'autre école la plus proche se trouvait à plus de six kilomètres de marche. De toute manière, il avait détesté son passage dans ce genre d'école. Il s'était retrouvé trop souvent du mauvais côté dans une bataille dans la cour d'école. Son père l'avait inscrit à un concours pour une bourse d'études à l'Académie Chang. Il n'aurait jamais pu se payer une éducation d'aussi haut niveau autrement.

Il atterrit élégamment au milieu du vestibule ; voler dans les corridors allait à l'encontre du règlement de l'école. Une fenêtre de dialogue rouge apparut à côté de Jonah. On l'avisait que sa présence à l'école avait été enregistrée et qu'un démérite serait porté à son dossier en raison de son arrivée tardive. Il la fit disparaître d'une légère pression de la main et s'empressa de se rendre en classe, s'assurant que ses pieds touchent bien au sol à chaque pas.

Il croisa un centaure argenté, qui le regarda d'un air désapprobateur.

— Encore à la dernière minute, Monsieur Delacroix ? dit l'animal avec une voix flûtée de femme.

— Oui, mademoiselle, répondit Jonah. Désolé, mademoiselle.

Le reste de la classe de Jonah était déjà assis derrière les pupitres. Il s'excusa auprès de son professeur, un phénix doré de Chine appelé M. Peng, puis se dépêcha d'aller s'asseoir à sa place habituelle, à l'arrière de la classe.

— Content que tu sois là, humatar, rigola Harry qui avait son pupitre à côté de celui de Jonah.

Harry était un coq plutôt agité.

En fait, Jonah était entouré de toutes sortes de créatures : des chats et des chiens, une panthère, une vache jaune et même un robot de 2 mètres 10 de haut. Dans la métasphère, chaque personne était représentée par un avatar unique, et certains plus bizarres que d'autres.

L'avatar de Jonah, toutefois, était de forme humaine – un « humatar » –, le sosie numérique de son corps dans le vrai monde. Il présentait les mêmes joues avec des taches de rousseur, la même touffe de cheveux foncés qu'il ne semblait jamais capable de dompter. Il était un brin plus grand que le vrai Jonah – qu'on disait petit pour son âge – mais tout de même moins grand que la majorité des bêtes qu'il côtoyait. Devant la fatalité, il s'était résigné à attendre d'avoir une de ces fameuses poussées de croissance.

Jonah était le seul humatar de son école, et c'était d'ailleurs à son grand embarras. Il haïssait le fait d'assumer une apparence aussi ordinaire. Il ne pouvait cependant rien y changer. Personne ne choisissait l'apparence de son avatar. Chaque avatar naissait spontanément dans les lointains retranchements du subconscient de la personne qu'il représentait.

D'une légère torsion du poignet, Jonah fit apparaître une icône que lui seul pouvait voir – un petit coffre-fort en fer. C'était son espace de stockage, un casier de rangement privé pour ses documents, ses photos et ses applications. Jonah y mit la main et en sortit sa tablette virtuelle. Celle-ci téléchargea automatiquement les notes de la leçon d'aujourd'hui.

Le cours débuta par une discussion de groupe et celle-ci abordait le sujet que tout le monde avait en tête : la chute du gouvernement des États-Unis.

— Mon père dit que c'est une bonne chose, la chute des gouvernements, dit une panthère à l'autre bout de la classe.

Son nom était Mike Sawyer, et il était le seul autre élève britannique de la classe.

— Il dit que plus vite nous nous débarrasserons du nôtre, mieux ce sera.

— Les gouvernements veulent seulement mettre leur nez dans nos affaires et diriger nos vies, acquiesça une coccinelle géante appelée Angela. Tout ce qui les intéresse, c'est de taxer nos métadollars.

— Toute la métasphère est plus lente depuis que le gouvernement a pris les commandes, argua Mike.

Monsieur Peng leva une aile pour obtenir le silence.

— Beaucoup de gens partagent ce sentiment, reconnut-il. Ils croient que le vrai monde et le monde virtuel devraient demeurer entièrement séparés. Il n'empêche que les événements ayant lieu dans un monde peuvent avoir et ont souvent des répercussions sur l'autre monde.

Jonah se renfrogna. Il n'était pas venu ici pour penser au vrai monde.

— Ainsi, poursuivit M. Peng, si la métasphère ne doit plus être régie par les gouvernements du vrai monde, qui, selon vous, devrait en obtenir la mainmise ?

— Il devrait revenir à Matthew Granger et aux Millénaires, affirma Mike.

Quelques voix murmurées ajoutèrent leur accord à cette proposition, tandis que d'autres s'élevaient pour huer leur opposition.

— Pourquoi devrait-elle être sous la direction d'une seule personne ? se questionna Kylie Ellis.

Son avatar était un carré violet flottant, parfaitement plat, qui palpitait en rythme avec ses mots, mais que personne ne savait vraiment interpréter.

— La métasphère appartient à ses utilisateurs, argua-t-elle, reprenant un point de vue qui faisait penser à celui des Gardiens. Elle est à nous tous !

La classe se lança dans un débat vif et passionné que Jonah essaya de ne pas porter trop attention :

— On ne peut pas tout simplement laisser les gens faire ce qu'ils veulent. Ce serait le chaos !

— Nous sommes tout à fait capables de décider de ce qui est bon pour nous. Nous n'avons pas besoin que d'autres le fassent à notre place.

— Mais que fait-on des crimes comme l'usurpation d'avatar ? Comment allez-vous vous y prendre…

Tout le monde criait et on ne s'entendait plus, chacun étant décidé à faire valoir son point de vue. C'était l'un des aspects de la politique que Jonah détestait : personne ne s'écoutait, tout le monde parlait pour son camp.

— Les Gardiens disent qu'ils mettront sur pied des communautés qui s'autoréguleront…

— …et qui les surveillera, les Gardiens ?

— …donnez à n'importe qui ce genre de pouvoir, et on se réveille un jour en s'apercevant qu'on nous cache des choses, qu'on décide ce qui est bon ou non à savoir.

— Matthew Granger ne ferait jamais ça, dit Mike. Il ne censurerait pas le contenu comme les gouvernements le font. Il…

— …on l'a envoyé en prison pour évasion fiscale, non ? Il ne vaut pas mieux que…

Jonah ne supportait plus d'en écouter davantage.

La classe devint soudain silencieuse quand il bondit debout, les poings serrés, les épaules tressautant.

– Si ce n'avait été de Matthew Granger, dit-il d'une voix fâchée mais basse, la métasphère n'existerait même pas.

– Tu dis ça juste parce que ton père travaillait pour lui, dit Davey Biggs, un hippopotame assis derrière Jonah.

– Pas du tout, protesta Jonah. Je le dis parce qu'il se trouve que c'est la vérité. Monsieur Granger a créé la métasphère, et il faisait du très bon travail à sa tête avant qu'on la lui vole.

– Hé ! Savez-vous ce que j'ai entendu ? dit Mike d'un air vantard. J'ai entendu dire que Matthew Granger s'est évadé de prison la nuit dernière. Il va revenir !

L'icône carrée de Kylie eut un frémissement et Jonah s'imagina qu'elle secouait la tête.

– Il ne peut pas tout bonnement se rebrancher et espérer reprendre les choses en main. Les Gardiens ne le permettraient pas.

– Qu'est-ce qu'on en a à faire de ce que les Gardiens pensent ? cracha Jonah. Ce sont des terroristes !

– Ils se battent pour nous tous, insista Kylie.

– Une bande de casseurs et de tueurs ! répliqua Jonah.

– La métasphère ne devrait pas être dirigée par un dictateur, cria Kylie, et ça n'arrivera pas ! Je crois que les Gardiens la rendront gratuite et accessible à tous, quoi qu'il en coûte.

– Et ce coût, il inclut les meurtres ? Il inclut celui des victimes d'attentats à la bombe ?

Jonah lançait des regards furieux à ses camarades de classe, les dévisageant tour à tour, les défiant de ne pas être du même avis que lui. La plupart d'entre eux baissaient les yeux sur leur pupitre, leur malaise évident, et Kylie Ellis sembla prendre une teinte de violet légèrement plus rouge.

— Oui, vous le savez, mon père était le pilote de Matthew Granger, dit Jonah.

Il sentait les larmes monter en lui, se rappelant cette journée où, trois ans plus tôt, des bombes avaient explosé dans l'aéroport, ce jour où son père n'était jamais revenu à la maison.

— Et vous savez tous ce qui lui est arrivé.

En une seule journée, 37 aéroports avaient été détruits, mais celui d'Heathrow à Londres, celui où le père de Jonah amenait lentement sur la piste le jet privé de Matthew Granger, avait été la cible principale des attaques.

— Il a été assassiné par les Gardiens !

M. Peng intervint pour calmer le jeu.

— Jonah, je suis persuadé que personne ici n'a délibérément voulu te blesser, balbutia-t-il. Passons, je vous prie, à la leçon d'aujourd'hui. S'il vous plaît.

Jonah n'arrivait pas à se concentrer sur l'exposé de son professeur. Il avait l'impression que les murs de la classe se refermaient sur lui, menaçant de l'écraser.

— Harry, chuchota-t-il, est-ce que tu l'as encore, ce virus de déconstruction ?

— Ouais, dit Harry le coq, mais je ne l'utiliserai plus. Ce serait le renvoi à coup sûr.

— Alors, tu me le donnes ? S'il te plaît ?

La direction de l'Académie Chang avait octroyé une bourse d'études à Harry en raison de son talent naturel pour la programmation informatique. Cependant, il semblait employer ce talent à la seule activité d'élaborer des farces aussi juvéniles que compliquées. D'ailleurs, on parlait encore dans toute l'école de cette fois où il avait supprimé la porte de la salle des professeurs.

Harry ouvrit son propre espace de rangement, invisible pour tous les autres, et en sortit une application sous la forme d'un biscuit qu'il déposa dans la main de Jonah. Jonah fourra le biscuit dans sa bouche, transférant ainsi les données du programme depuis le terminal informatique d'Harry — où que celui-ci pût être dans le vrai monde — vers le sien. Puis il se leva de sa chaise et alla flotter hors de la salle de cours. M. Peng le héla, inquiet, mais Jonah l'ignora.

Il parcourut les corridors de l'école en flottant, faisant fi du règlement, pour arriver une fois de plus devant les portes d'entrée cadenassées. Il appliqua les mains sur les portes et intégra au code de celles-ci le virus malicieux d'Harry. Les millions de pixels qui assuraient l'intégrité des portes se séparèrent, et les minuscules petits cubes implosèrent d'un coup dans un petit *pop*. Maintenant que les portes étaient complètement dépixélisées, Jonah s'avança dans l'ouverture pour émerger sur le terrain de l'école. Il tendit les bras et décolla.

L'Académie Chang se déroba sous ses pieds. Il sentit sa colère le quitter, comme sa frustration. C'était libérateur de voler ainsi.

En fait, voler, c'était ce que Jonah préférait par-dessus tout dans la métasphère. Il s'imaginait que son père devait y avoir pris goût, lui aussi, en pilotant ses avions dans le vrai monde.

Tout là-haut, Jonah était libre de la honte de son avatar aux formes humaines ; libre de ce sentiment de responsabilité qu'il avait, en tant que seul membre de sa famille dans ce monde en ligne. Et surtout, il était libre du vrai monde où son père ne revenait plus jamais à la maison.

Durant quelques moments précieux, Jonah volait et rien ne pouvait le faire redescendre.

# 6

L'Académie Chang s'était établie sur une île privée, au large du continent.

Jonah mit le cap vers les terres continentales. Il passa au-dessus d'un chapelet d'îles aux plages sablonneuses, avec des cocotiers se balançant dans le vent et des bars à cocktails. Il jeta un œil sur les avatars insouciants qui prenaient un bain de soleil et profitaient de leurs vacances virtuelles. En atteignant le continent, il survola une forêt hantée, où un énorme jeu de rôle à joueurs multiples grandeur nature battait son plein. Il repéra des pelotons d'avatars pourchassant des fantômes translucides avec des fusils et des filets électrifiés. Ce jeu, *Combat des revenants 3*, était populaire auprès de certains camarades de classe de Jonah, mais quand lui s'adonnait à ce genre de jeu multijoueur en ligne, il préférait chasser des *Zombies suceurs de cerveaux*.

Tandis qu'il prenait de l'altitude, le monde virtuel s'étendait sous Jonah comme une gigantesque courtepointe. Tout le monde pouvait acheter une parcelle de terre virtuelle dans la métasphère, et y construire ce qu'il voulait. Ces jours-ci, de grands promoteurs faisaient l'acquisition effrénée d'immenses lots adjacents pour créer de gigantesques zones à thème — mais pour le moment encore, le gros du paysage avait l'allure d'un fatras de constructions aux designs incompatibles et aux fonctions discordantes.

Jonah fit un virage incliné au-dessus des éclatantes couleurs primaires de Crétins Cravatés, un site de jeu populaire pour lequel Jonah avait passé l'âge depuis longtemps. Le barrage habituel de fenêtres publicitaires vint harceler Jonah, le bombardant de messages automatiques, mais il put facilement les distancer.

Le ciel tout autour était bondé d'avatars tous différents de forme et de taille : des animaux, des humatars et des formes géométriques. On y retrouvait en plus grand nombre des oiseaux et des insectes ailés, et Jonah crut même apercevoir un hélicoptère qui lui souriait. Il n'était pas nécessaire d'avoir des ailes ou des rotors pour voler dans la métasphère, mais ceux qui en étaient munis semblaient particulièrement aimer voler.

Jonah se posa dans le parc Vénus : un impeccable jardin de cerisiers en fleurs d'inspiration nipponne, où les avatars flottaient au-dessus des sentiers sinueux ou volaient entre les arbres, deux par deux.

Le parc était un endroit pour les amoureux. Souvent séparés par de grandes distances dans le vrai monde, les couples pouvaient profiter d'une promenade ici, sous les arbres en fleurs et sur les ponts joliment ornés au-dessus des étangs à poissons rouges. Jonah vit une girafe multicolore marcher aux côtés d'un losange flottant, et un mammouth laineux tenant un bouquet de fleurs virtuelles dans sa trompe, espérant impressionner un bourdon qui gloussait sans arrêt et volait tout près, mais pas assez au goût du grand pachyderme.

Jonah ne comprenait pas ces gens qui choisissaient d'appeler l'autre monde — cette place grise et morne — le « vrai » monde. À ses yeux, le monde le plus réel était celui de la métasphère, si vibrant et coloré. Le parc Vénus rappelait à Jonah des temps meilleurs. La boutique familiale avait pignon sur rue en bordure du parc. Jonah avait passé de nombreuses fins de semaine et les vacances scolaires heureux à travailler dans la boutique avec sa mère et son père, vendant des breloques et des babioles virtuelles aux couples vivant leur amour à distance dans le parc.

Tandis que Jonah regardait alentour, il vit le bourdon donner un baiser au mammouth puis le couple se séparer, plongeant respectivement dans leur halo de sortie et retournant à leurs vies dans le vrai monde.

Jonah se demandait souvent qui étaient les gens derrière ces avatars. Il essaya de mettre une image sur leurs corps du vrai monde, affalés comme le sien, en métatranse quelque part, tandis que leurs esprits volaient librement dans le monde virtuel. Jonah voyait comme une injustice le fait que les avatars déguisaient la véritable apparence des gens dans le vrai monde. Le père de Jonah, dont l'avatar avait été un dragon rouge élancé, disait pourtant qu'il devrait être fier que ses moi virtuel et réel se ressemblent autant. Cela voulait dire que Jonah n'avait rien à cacher.

Il aperçut un groupe de protestataires faisant les cent pas devant les portes du parc avec à leur tête une hyène galeuse en colère.

— Les Millénaires ne toucheront plus à nos libertés ! jappait la hyène.

Les avatars manifestants acclamaient et applaudissaient ses paroles. Cela mettait Jonah hors de lui que des gens puissent être aussi ignorants.

Dans un soupir, il se dirigea vers la boutique familiale. Il ne voulait pas la vendre. Mais sa mère avait raison ; il ne fallait pas non plus mourir de faim.

Les fenêtres de la boutique étaient condamnées avec des planches, sur lesquelles des agents immobiliers et des encanteurs avaient épinglé des affiches virtuelles ; ils proposaient leurs services pour vendre la propriété. Jonah arracha un prospectus où on promettait une « vente rapide à frais minimums », et la porte verrouillée s'ouvrit pour lui après un scan rapide de son avatar.

À l'intérieur, les tablettes étaient presque vides. Il ne restait plus qu'une poignée de gâteaux en forme de cœur, quelques ballons et des oursons en peluche. La boutique n'avait plus ouvert ses portes depuis deux ans. Sa mère avait blâmé la bureaucratie tatillonne du gouvernement, mais Jonah savait qu'il y avait plus sous cette histoire qu'un simple problème de paperasserie. Les affaires ne marchaient plus comme avant, les cadeaux virtuels en magasin et les applications offertes n'étaient plus à la mode. Dans une journée normale, il était rare de voir plus d'un ou deux clients passer la porte. C'était devenu trop lourd pour la mère de Jonah. Elle trouvait ses journées pénibles dans la boutique, toute seule derrière son comptoir.

Elle avait arraché son connecteur ID pour rejoindre les métaphobes et les réfractaires à la technologie qui ne quittaient plus le vrai monde. Jonah ne pouvait pas supporter que sa mère se soit coupée de la métasphère, la seule réalité qui avait de l'importance à ses yeux ; et qui plus est, elle l'avait décidé juste au moment où Jonah avait le plus besoin d'elle. Il s'était efforcé de respecter sa décision, mais il ne l'avait jamais comprise.

Jonah passa le reste de la matinée à nettoyer la boutique. Il voulait qu'elle soit impeccable pour en tirer la meilleure offre possible aux enchères. Il ramassa les babioles et les oursons invendus, les fourra dans une boîte qu'il identifia d'un code pour en obtenir des crédits au recyclage.

Il tapa du doigt le prospectus, duquel surgit brusquement une boîte de dialogue lui demandant de confirmer la mise aux enchères. Il appuya sur « OUI » et chassa la fenêtre d'un geste de la main. Ensuite, il attendit.

Le prospectus clignota et numérisa la propriété, générant un plan en 3D de la boutique, lequel se mit à tourner lentement au-dessus du prospectus. Une autre fenêtre apparut, indiquant à Jonah un prix de vente estimé à 207 métadollars. *Ça vaut à peine le dérangement,* pensa-t-il.

Alors qu'il allait accepter la mise aux enchères, une autre fenêtre apparut, celle-ci clignotant en rouge : « MISE EN GARDE – APPLICATION INCONNUE DÉCOUVERTE ». Et en petits caractères, on pouvait lire :

« Une application a été découverte dans
ce bien de propriété. Ceci peut constituer une
menace virale. Veuillez supprimer cette application
avant de procéder vers les enchères. »

Jonah balaya la boutique vide du regard et n'y vit aucune application. Cela dit, il n'avait pas le cœur à fouiller partout. Et d'ailleurs, l'application inconnue lui donnait une excuse pour retarder la vente de la boutique.

C'est sur cette idée qu'il remarqua quelque chose d'étrange à propos du modèle en trois dimensions. Il montrait un niveau sous celui où Jonah se trouvait : la boutique avait une cave secrète.

Jonah poussa les étagères vides contre les murs et examina chaque centimètre carré du plancher de lattes virtuelles, avant de déplacer chaque armoire vitrée pour voir ce qu'il y avait dessous. Et là, en plein milieu de la boutique, sous une armoire, se trouvait une trappe avec un anneau de métal en guise de poignée.

Jonah avait grandi dans cette boutique. Il croyait l'avoir explorée de fond en comble. Il lui semblait avoir fourré son nez partout, dans chaque recoin, dans chaque lézarde. Comment pouvait-il y avoir ici quelque chose qu'il n'avait pas vu auparavant ?

Le cœur de Jonah se mit à battre fort tandis qu'il s'accroupissait et posait la main sur la poignée. Il la tira et souleva la porte. Il fut accueilli par une forte odeur de renfermé et, en baissant les yeux, il put discerner deux murs de briques se rejoignant dans un coin. La cave était aussi large que la boutique elle-même.

*Est-ce que maman et papa étaient au courant de cet endroit ?*

Il faisait noir au sous-sol, et Jonah regretta de ne pas avoir de lampe de poche. Il pouvait y avoir n'importe quoi dans le noir. Des objets de valeur, espérait-il – quelque chose laissé par les anciens propriétaires qui pourrait régler tous les problèmes des Delacroix. Il secoua la tête ; c'était enfantin de penser comme ça. Quand même…

Il n'y avait pas d'échelle ; Jonah se laissa tomber dans la cave secrète. Il resta sans bouger durant un long moment, clignant des yeux en espérant que ceux-ci s'habituent à l'obscurité. Il remarqua quelque chose. Quelque chose de renversant.

Il n'était pas seul. Il y avait quelqu'un – ou quelque chose – dans la cave avec lui.

Une silhouette, accroupie dans un coin. Une forme qu'il n'aurait jamais cru revoir.

C'était un énorme dragon rouge, ses ailes repliées dans son dos. Ses yeux jaunes et féroces lui renvoyaient son regard. Jonah fit deux pas en arrière, s'éloignant de la créature, puis il s'arrêta net, et décida plutôt de s'en approcher.

Il connaissait cet avatar, le connaissait presque aussi bien que le sien, mais… Mais c'était impossible, non ?

– Papa ?

# 7

Le dragon ne répondit pas. Jonah fit un autre pas vers lui, le regardant de plus près. Sa poitrine s'était serrée au point où il pouvait à peine parler, à peine respirer, mais il fallait qu'il sache.

— Papa... Est-ce que c'est toi ?

— Jonah... fit le dragon, de la voix basse de son père.

Jonah avait presque oublié combien cette voix était apaisante. Son père se cachait-il depuis tout ce temps dans cette cave ?

— Papa, pourquoi as-tu... commença Jonah, d'abord soulagé, voire heureux mais aussi fâché de découvrir que son père s'était caché du monde et de lui, son propre fils.

Mais en voyant que le dragon parlait en même temps que lui, Jonah eut le cœur brisé, comprenant qu'il avait devant lui une copie de l'avatar de son père, que le dragon récitait un message enregistré.

— ...si tu as trouvé cet avatar, c'est que j'ai disparu. Et j'en suis désolé. Je n'ai pas le temps de tout t'expliquer pour le moment, mais sache que tu ne sais pas tout de ma vie. Si je ne t'ai pas tout dit, c'était pour ta propre protection, Jonah. Mais si tu regardes présentement cet enregistrement, c'est que je ne peux plus te protéger. Je suis désolé de ne pas être là pour te voir grandir. Tu es un jeune homme plein de talents, Jonah, et tu feras de grandes choses, même si tu ne prends pas encore conscience de la force que tu as en toi. D'autres gens verront ce talent que tu as et tu deviendras un gardien de l'espoir dans ces temps troubles, dans ces mondes de confusion.

Le père de Jonah ne lui avait jamais parlé ainsi du temps où il était vivant, et Jonah se surprit à tendre les bras pour toucher l'avatar, comme si d'un toucher il pourrait ramener son père auprès de lui.

— Mais écoute-moi, Jonah. Tu dois faire quelque chose pour moi, et pour la grande cause. Je te demande de filtrer mon avatar. Va trouver mon ami Axel ; il saura quoi faire ensuite. J'aimerais pouvoir t'en dire plus, mais moins tu en sauras, plus vous serez en sûreté, Miriam et toi. S'il te plaît, fais-le pour moi, Jonah. Je t'aime, mon garçon.

Le programme s'arrêta et le dragon tendit ses deux pattes griffues pour que Jonah les prenne. Il savait qu'en le faisant, il autoriserait le processus de filtration, assimilant l'avatar de son père au sien, un geste tout à fait illégal.

Jonah n'avait jamais pris de décision aussi dangereuse.

Matthew Granger s'était installé dans les appartements les plus chers et les plus luxueux d'un grand hôtel parisien. L'argent n'était pas un problème pour lui. Son propre gouvernement, celui qui venait de connaître la chute, avait cru saisir tous ses actifs, mais n'avait découvert dans les faits que le dixième de ses comptes en ligne.

Le *directeur d'hôtel** l'avait reconnu dès son arrivée dans l'établissement, mais il n'ébruiterait pas la présence de son célèbre hôte, qui payait grassement cette faveur.

Les Millénaires de Granger avaient équipé la suite adjacente des ordinateurs les plus avancés sur le marché. *Ses* ordinateurs. Certes, on avait mis Granger à l'ombre durant quelques années, mais ses compétiteurs ne l'avaient pas encore rattrapé en matière de technologie.

Il avait fait venir dans sa suite les meilleurs programmeurs, ceux qui lui étaient restés loyaux durant son emprisonnement. Aucun d'eux n'avait plus de 25 ans. Ils tapotaient frénétiquement sur leurs tablettes, observant la métasphère de l'extérieur, passant au crible des téraoctets d'informations.

C'était bon d'être sorti de prison, mais Granger ne se sentait pas libre, pas encore du moins. Il savait que ce sentiment lui échapperait jusqu'à ce qu'il retrouve sa place au pouvoir.

À l'âge de six ans, le monde de Matthew Granger avait basculé et la vie lui avait tout pris. Ses deux parents étaient morts dans un accident de voiture dans le comté de Marin. Il était resté coincé dans la carcasse tordue durant plus de deux heures, convaincu de mourir lui aussi.

Les médecins avaient dû amputer ses deux jambes à la hauteur des quadriceps. Les spécialistes lui avaient dit qu'il était chanceux d'être en vie. Granger n'avait pas compris en quoi il était chanceux.

L'oncle qui l'avait pris en charge n'était peut-être pas doué avec les enfants, mais c'était l'un des plus brillants informaticiens de son temps. Sous sa garde, Granger avait appris comment bâtir un *nouveau* monde. Un monde dans lequel il pouvait s'échapper. Un monde dans lequel il pouvait marcher, et bien d'autres choses encore.

Un monde dans lequel il savait voler.

Son invention, le Web 4.0, avait fait de lui un homme riche : un milliardaire à l'âge de 26 ans. Il avait eu assez d'argent, enfin, pour commander à la NASA la construction d'une des premières choses qu'il ait conçues : son système de prothèses cybercinétiques pour la marche. Matthew Granger avait passé 20 années de sa vie confiné à une prison sur roue. C'était fini.

Quelle frustration ce fut alors pour lui d'avoir à troquer une prison pour une autre !

De manière officielle, on l'avait accusé d'évasion fiscale. Granger savait cependant le véritable pourquoi de son emprisonnement. Les grands gouvernements du monde étaient en difficulté depuis un bon moment déjà. Avec l'augmentation des affaires traitées en ligne, ils peinaient à collecter assez de revenus en taxes pour soutenir leurs opérations. Granger, d'un autre côté, réussissait fort bien merci, avec sa modeste quote-part sur chaque transaction opérée dans la métasphère qu'il avait construite.

Les gouvernements lorgnaient cet argent et cherchaient à le lui prendre. Granger avait refusé de leur donner quoi que ce soit. En état de panique, ils avaient invoqué une résolution obscure des Nations unies, travestissant son sens et déformant ses mots pour arriver à leurs fins. Ils avaient ainsi nationalisé la métasphère, s'étaient partagé sa gestion entre eux, tandis que Granger était arrêté pour des crimes inventés de toutes pièces. Enfermé, il ne risquait plus de les importuner.

Il avait été pris par surprise, vendu par un traître à l'intérieur de son organisation, l'un de ceux qu'il n'avait pas su démasquer. Les fédéraux s'étaient jetés sur lui et l'avaient pavané devant les médias comme un vulgaire criminel, devant autant de caméras qu'on pouvait en faire entrer dans une salle d'audience. Oui, il avait été pris par surprise, mais pas au dépourvu. Matthew Granger avait toujours un plan en cas d'imprévu.

— C'est confirmé, monsieur, rapporta un des programmeurs de Granger, une femme jeune et petite dont il ne s'était jamais soucié d'apprendre le nom.

— Monsieur, dit-elle, le nom sur la liste de surveillance correspond. C'est lui.

Granger se pencha par-dessus son épaule, examinant les données sur l'écran tactile.

— Ainsi, souffla-t-il, il est vivant.

— Il a fait de son mieux pour rester caché, dit la programmeuse. Son avatar n'a été scanné par aucun système depuis trois ans, deux mois et…

— Comment l'avez-vous trouvé ? l'interrompit Granger.

— La séquence de code de son avatar a été repérée dans un relevé d'erreur. Je ne comprends pas, monsieur. Pourquoi refaire surface maintenant, après tout ce temps ?

— Il a dû apprendre que j'étais libre à nouveau, dit Granger, qui avait toujours eu foi en sa propre importance. Il a dû paniquer, et cela l'aura rendu imprudent. Il pourrait être un problème. Il a travaillé pour moi comme pilote durant presque une décennie. Il m'a fait voler vers chacun des Quatre Coins. Il est le seul homme en vie — à part moi — à connaître leur emplacement.

— Vous croyez qu'il pourrait représenter une menace, monsieur ?

— J'ai toujours eu des soupçons. La dernière fois que je l'ai vu, il courait vers un bâtiment en flammes. Ils n'ont jamais retrouvé son corps. Pourquoi se cacher de moi ?

Pourquoi, sinon qu'il m'ait trahi ? Je crois que nous avons affaire à un agent d'une cellule dormante des Gardiens.

– Que faisons-nous, monsieur ? demanda la programmeuse.

– Retracez la source de ce relevé d'erreur, ordonna Granger. Trouvez Jason Delacroix, dans le vrai monde cette fois, et tuez-le !

# 8

Jonah ressentit à la tête un afflux d'informations qui lui leva le cœur.

Des images venaient en éclairs derrière ses paupières, des flashs trop rapides pour qu'il puisse en comprendre quoi que ce soit. Il avait l'étourdissante sensation de tomber, et durant un instant il eut peur d'être arraché complètement à la métasphère.

Il essaya de lâcher prise, mais ses mains s'agrippaient, sans qu'il ne puisse rien y changer, aux pattes de l'avatar. Le dragon se dépixélisa de la tête aux pieds dans une vague rouge déferlant sur lui. Chaque pixel s'enfonçait dans Jonah comme un minuscule fragment de verre.

La douleur se calma et Jonah revint à lui dans la cave secrète de la boutique de cadeaux. Il était à genoux, tremblant et le visage rougi, réprimant l'envie de vomir. Il se trouvait maintenant dans le corps du dragon rouge. Dans le corps virtuel de son père.

Il pouvait sentir les ailes dans son dos, comme une paire de bras supplémentaire. Il fléchit les épaules, déploya ses ailes, les ouvrit grandes jusqu'à ce qu'elles touchent en leur extrémité les murs de la cave. Il porta ses mains — ses mains griffues, devrait-il dire dorénavant — à son visage, tâta la forme de son museau et toucha avec précaution ses dents acérées.

Il se sentait malade, étourdi, et le monde était étrangement plus petit – bien que Jonah sût évidemment que c'était lui qui avait grandi.

Jonah ne voyait pas son propre avatar, son humatar.

Anxieux, Jonah pivota pour regarder derrière lui. Il se sentait *trop* gros, incapable de retourner son cou grand comme un tronc d'arbre, et à peine capable de remuer dans cet espace confiné. Son avatar n'était plus là. Il avait disparu.

Jonah sentit la panique le gagner.

Comment avait-il pu être aussi stupide? Tout le monde savait la peine qu'encouraient ceux qui se rendaient coupables de filtrage, c'est-à-dire de l'action de s'approprier l'avatar d'un autre. La peine, c'était l'exil. L'ADN de Jonah serait fiché sur la liste noire, son accès à la métasphère serait bloqué à jamais. On le forcerait à vivre le reste de sa vie dans le vrai monde. Il ne reverrait jamais ses amis parce qu'il ignorait où les trouver dans le monde réel, et même à quoi ils pouvaient ressembler.

Ce serait comme mourir. Non, ce serait pire encore que la mort. *Si je mourais, au moins,* pensa-t-il, *on pourrait me téléverser.*

Jonah devait sortir de là – quitter la métasphère – avant que quelqu'un comprenne ce qu'il avait fait. Il vola hors de la cave, sortit par la porte de la boutique et partit vers son point d'origine. Dans son vol, ses nouvelles ailes lui donnaient plus de puissance et plus de portance qu'il n'en avait jamais possédées sous la forme d'un humatar. Il fila vers son école, terrifié à l'idée de croiser quelqu'un qu'il connaissait – ou pire encore, quelqu'un qui avait connu son père.

Son halo de sortie flottait au-dessus du terrain de l'Académie Chang, là où il l'avait laissé. Il y avait plusieurs de ces anneaux dorés, mais celui de Jonah se mit à scintiller à son approche, comme pour le guider.

*Il me reconnaît encore,* pensa Jonah dans un soupir de soulagement. Le halo était sa seule porte de sortie de la métasphère, la seule façon pour sa conscience de réintégrer son corps inconscient. Sans lui, l'avatar de Jonah serait à jamais coincé dans la métasphère, tandis que son corps physique dépérirait lentement dans le vrai monde.

Il plongea dans l'anneau de lumière.

Jonah était de retour dans le bus, dans le métapub. Il se retrouvait à nouveau pris au piège dans son corps malcommode – mais, pour une fois, il s'estimait heureux de le retrouver.

Il fut quelque peu alarmé de découvrir M. Collins accroupi à côté de lui, fronçant les sourcils sur sa tablette informatique.

– Est-ce que tout s'est bien passé là-dedans, fiston? demanda-t-il.

Jonah n'osa pas lui répondre. Il hocha seulement la tête.

– J'ai bien peur que nous ayons un pépin avec le logiciel, expliqua M. Collins. Pendant un tout petit instant, le système affichait deux avatars sur ce terminal-ci, ce qui, bien sûr, est impossible. J'ai fait un rapport d'erreur, mais je vais devoir lancer d'autres scans. On ne peut pas se permettre de laisser courir un virus dans nos systèmes.

M^me^ Collins vint vers eux accompagnée du clic-clac de ses talons hauts, l'air soucieuse. Elle demanda à Jonah pourquoi il n'était pas en classe, et il lui répondit ne pas se sentir bien. Ce n'était même pas un mensonge, se rendit-il compte en le disant. Il pensait que, de retour dans le vrai monde, sa nausée aurait cessé. Pas de chance.

M^me^ Collins semblait trouver son état préoccupant.

— Il faudrait peut-être que tu appelles ta mère, suggéra-t-elle.

— Ce n'est pas la peine, dit-il prestement, vraiment. J'ai juste besoin de monter m'allonger un peu. Ne vous inquiétez pas.

— Monsieur, nous l'avons trouvé! cria la programmeuse.

— Où? demanda Granger.

— Londres, monsieur.

Sur l'écran de la programmeuse, une image aérienne opérait un zoom sur une région qu'on appelait jadis la commune de Clapham, la mise au point montrant un terrain enclavé, ceint d'une clôture en fils de fer et rempli de vieux bus rouges londoniens. L'image fut agrandie et cibla un bus en particulier.

— Avons-nous des agents dans le secteur? demanda Granger.

La programmeuse hocha la tête, ses doigts s'agitant à une vitesse telle sur la tablette qu'ils en devenaient flous.

— Oui, monsieur. Je les envoie immédiatement. Avons-nous une description de monsieur Delacroix à leur donner?

— Il a sûrement changé son apparence depuis le temps, dit Granger. Nous ne pouvons pas nous permettre de prendre de chance. Tuez tout le monde à bord de ce bus!

À la minute où Jonah ferma les yeux, les images lui revinrent comme sous un stroboscope : des gens et des endroits qu'il ne reconnaissait pas, des souvenirs qui n'étaient pas les siens. Il n'était pas sûr de savoir s'il était éveillé ou endormi – mais il entendait un grondement terrible, et lentement il en vint à comprendre que ce son, lui, était bien réel. Le grondement provenait de quelque part tout près de l'appartement.

Il sauta de son hamac et alla voir à la fenêtre. Tout d'abord, il ne vit rien de spécial, mais le bruit devenait de plus en plus fort, et se rapprochait vite.

Soudain, deux motocyclettes avec des moteurs à essence – les premières qu'il voyait depuis des années – passèrent en trombe, se faufilant entre les bus alentour. Elles freinèrent en dérapant sous la vitre de Jonah, à l'extérieur de *son* bus, et leurs conducteurs mirent pied à terre. Ils portaient des treillis de combat, et des casques à visière teintée qui cachaient leurs visages.

Ils étaient armés aussi.

Jonah regarda, bouche bée, tandis que les deux hommes s'engouffraient dans le bus par les portes arrière. Il entendit crier à l'étage inférieur, quelque part sous ses pieds. On aurait dit M^me^ Collins.

Jonah se précipita vers l'escalier, et il n'avait descendu que deux marches quand un autre bruit très fort le figea sur place : une rafale de mitrailleuse.

Ce son sembla durer une éternité, partant d'un premier claquement pour devenir un rugissement de tonnerre avant d'abruptement se taire et de laisser place à un silence oppressant, presque irréel.

Jonah ne pouvait pas y croire, son cerveau comme incapable de traiter les informations que ses sens lui transmettaient. Il savait qu'il ne rêvait pas, mais il avait l'impression d'être plongé dans la fenêtre immersive d'un jeu dans la métasphère. À une exception près, cependant : les événements qu'il vivait étaient bel et bien réels — et se déroulaient ici, dans la banlieue de bus rouges. Dans le vrai monde.

Ce qui signifiait que Jonah n'avait aucune protection. Et c'est ce dont il se rendait compte à l'instant avec un effroi qui lui glaçait le sang : contrairement à son avatar, son vrai corps pouvait subir de graves blessures, et même mourir.

Aussi lentement et silencieusement que possible, il recula vers le haut de l'escalier et attrapa ses patins à roues alignées. Les ayant enfilés, il arracha le sceau en caoutchouc de l'issue de secours, une fenêtre à l'arrière du bus dans ce cas-ci, et poussa sur la vitre. Elle alla s'écraser par terre dehors et Jonah entendit des bruits de pas, à l'étage du bas.

On montait dans l'escalier pour l'attraper.

Il sortit par la fenêtre et se hissa sur le toit du bus. Se relevant à la hâte, il s'élança sur ses patins.

Une explosion de balles déchira le métal derrière lui. Il ne pouvait plus y avoir de doute : les hommes à moto essayaient de le tuer. M. et M^me^ Collins étaient sûrement déjà morts, tout comme leurs clients à bord du bus.

Ces clients, s'ils étaient connectés à la métasphère, n'avaient pas pu voir la mort venir. Et, moins d'une heure auparavant, Jonah aurait été du nombre.

Il atteignit l'extrémité avant du toit, et s'élança au-dessus du vide qui le séparait du bus voisin. L'atterrissage fut brutal, mais il ne s'arrêta pas et continua à sauter de toit en toit, aussi vite qu'il en était capable. Il entendit un grondement derrière, puis un autre : les moteurs des deux motocyclettes qui démarraient. Ces gens partaient à ses trousses.

Jonah perdit pied sur un toit d'acier glissant et alla basculer dans le vide. Après un instant de vol, il s'écrasa dans les grilles d'aération du bus adjacent. Il toucha le sol dans un bruit sourd et ressentit le choc dans tous ses os. Heureusement, il avait réussi à atterrir sur ses pieds.

Il entendit clairement les vrombissements des deux motocyclettes ; les hommes en noir le rattrapaient.

Il patina à toute allure dans le labyrinthe de bus garés, sans destination en tête, dans une course désespérée pour semer ses poursuivants. Quelques rares visages se montraient aux fenêtres, intrigués par le bruit. Il faut dire qu'à ce moment de la journée, la plupart des gens étaient branchés, travaillant quelque part dans la métasphère et donc inconscients des événements dans le vrai monde. Cela dit, les motocyclistes ne semblaient pas gênés le moins du monde d'être vus par les badauds. C'était Jonah qu'ils voulaient. Mais bien qu'il se donnât corps et âme, quel que fût le nombre de tournants et de feintes, Jonah semblait ne jamais pouvoir se débarrasser d'eux.

Il vira derrière le bus numéro 23, et se figea de peur en découvrant les motocyclettes droit devant, fonçant sur lui.

Jonah se précipita à droite, puis tourna à gauche, à droite, à gauche encore dans une succession rapide de virages serrés. Les motocyclettes étaient plus rapides que lui, mais elles ne manœuvraient pas aussi bien ; Jonah était le plus agile. Il s'était réhabitué à ses jambes du vrai monde et il gagnait en confiance. Toutes ces heures passées à s'entraîner sur ses patins ne lui avaient pas permis de remporter les courses de nuit, mais elles pourraient peut-être lui sauver la vie.

Cela dit, Jonah n'arriverait pas à semer éternellement les motocyclettes.

Elles s'étaient d'ailleurs séparées — il pouvait entendre les rugissements de leurs moteurs venant maintenant de chaque côté. Elles essayaient de le prendre en souricière et, si Jonah restait enfermé dans le stationnement résidentiel, elles arriveraient certainement à leur fin.

Il fit le tour d'un autre bus et aperçut la porte toujours ouverte, pendant sur ses gonds. La sortie était là, et il prit sa décision en une fraction de seconde.

Jonah s'élança vers la porte grillagée.

# 9

Jonah savait qu'il avait commis une erreur grave.

Les rues autour de son étrange banlieue n'étaient pas les mêmes le jour. Le soleil exposait toute la crasse et les détritus, les graffitis et les fenêtres éclatées.

Elles étaient également bondées, pleines de conducteurs de pousse-pousse, de cyclistes et d'autres patineurs, tous plaqués par la gravité, tous pris au sol, jouant des coudes pour une place dans ce monde de limites implacables.

Il n'était pas sorti dehors le jour depuis deux ans. Jonah avait oublié combien ces rues pouvaient être décourageantes, hors des heures soumises au couvre-feu.

En positivant les choses, Jonah constata que la foule le cacherait de ses poursuivants : les hommes à moto. Cependant, elle le ralentissait aussi, jusqu'à l'exaspération. Il avait l'impression qu'on aurait pu le rattraper en rampant.

Et s'il y avait d'autres assassins l'attendant ici, cachés dans la foule ?

Jonah soupçonnait tous les gens qui venaient vers lui, tous ceux qui lui accrochaient l'épaule en passant leur chemin en patins. Il fut accosté par des mendiants qui voyaient que ses vêtements étaient en meilleur état que leurs loques. Jonah eut peur qu'ils ne le croient pas lorsqu'il leur dit n'avoir pas un sou. Il avait entendu des histoires d'horreur à propos de gens massacrés pour une poignée de monnaie, à peine l'argent pour surfer en ligne une heure ou deux.

Il entendit le moteur d'une moto, tout près semblait-il.

Ses poursuivants devaient s'être séparés pour le chercher. Jonah s'imagina qu'ils fonçaient vers lui, écrasant tous ceux qui ne s'ôtaient pas de leur chemin. Il ne fallait pas qu'ils le voient, sinon c'en serait fait de lui. Il savait qu'il n'aurait pas une seconde chance de leur échapper.

Il vit une benne en plastique vert sur le bord de la rue : une machine à recyclage. Elle arrivait à la poitrine de Jonah. Il ne s'arrêta pas pour y penser.

Il se hissa sous le couvercle du conteneur ouvert, chuta dans un tas de papiers, de boîtes en métal, de bouteilles brisées et de quelque chose de froid et de gluant dont il préférait ne rien savoir. Il s'enfouit du mieux qu'il put, puis resta sans bouger, écoutant le souffle rauque de sa propre respiration et son cœur battant à tout rompre dans sa poitrine.

Mais il y eut bientôt un autre son : le grondement approchant d'un moteur de moto.

La motocyclette semblait toujours plus près. Elle se trouvait maintenant juste à côté de la machine à recyclage. Elle s'était arrêtée là. Jonah retint son souffle, repensant à tous ces gens — aux tonnes de gens — qui l'avaient vu sauter dans la benne, et qui pourraient le dénoncer. Il parut s'égrener des minutes — de longues et terrifiantes minutes — avant que la motocyclette ne reparte enfin, le bruit du moteur s'évanouissant au loin.

Malgré son soulagement, Jonah resta là encore un bon moment. Il se sentait incapable de bouger le moindre muscle. Ce qui l'attendait dehors l'effrayait trop.

Il ne pouvait pas rentrer à la maison. On pouvait avoir posté quelqu'un là-bas qui attendait son retour. De toute manière, le bus de Jonah était une scène de crime à présent. Il ne pourrait *jamais* y retourner. Pas plus que sa mère d'ailleurs. En pensant à elle, Jonah se dit qu'il fallait qu'elle sache ce qui était arrivé.

Mais comment expliquer ce qu'il ne comprenait pas lui-même ? Sans savoir pourquoi, Jonah se sentait responsable de la tuerie. Cela ne pouvait pas être une simple coïncidence que son bus ait été attaqué après qu'il eût assimilé l'avatar de son père. Était-il responsable de la mort des Collins ?

Il entendit le grand *bang* d'un moteur qui démarre, puis sentit que les déchets commençaient à bouger tout autour. Jonah se rendit compte, presque trop tard, que la machine à recyclage s'était automatiquement activée. Il grimpa tant bien que mal hors de la benne, juste avant d'être aspiré vers le bas et déchiqueté dans les lames du broyeur.

Il n'avait plus le choix désormais. Il ne pouvait plus rester caché.

Gardant la tête baissée, levant les yeux juste quand il le fallait, Jonah se dirigea au nord-est. Il se faufila dans des foules, reprenant confiance alors que la manière dont le vrai monde fonctionnait lui revenait. Il passa devant la centrale électrique Tate Modern, là où les ordures de Londres étaient brûlées pour générer du courant. Il traversa en quelques coups de patins le pont du millénaire, et obtint le droit de passage au contrôle de Saint-Paul par quelques fanfaronnades.

Jonah se trouvait à présent dans la Cité, le quartier des affaires de Londres : 1 mille carré – soit quelque 2,6 kilomètres carrés – de quiétude et de prospérité relative qui tranchait avec les rues en décrépitude tout autour. Il vit la Tour de la Cité se dresser devant lui et se rappela la dernière fois où il était entré dans cette tour : sa mère l'avait traîné dans la Cité il y a trois ans de cela, quand elle cherchait du travail.

Jonah freina en entrant dans le vestibule, s'arrêtant sous la sphère blanche accrochée au plafond qui l'analysa et lui permit l'accès, n'ayant détecté aucune trace d'explosif sur lui. Le voyant rouge tourna au vert et Jonah roula jusqu'à l'accueil.

– Je viens voir ma mère, dit-il, le souffle court.

L'agent de sécurité se détourna de l'écran où il regardait une partie de soccer virtuelle pour consulter le registre. Cette interruption semblait l'agacer.

– Miriam Delacroix, dit Jonah. Elle travaille au 61e étage.

Le visage de l'agent s'éclaircit.

– Ah d'accord, la dame qui change les couches, ricana-t-il. Tu viens te faire langer, petit ?

Jonah s'efforça d'ignorer la pique, mais il sentait ses joues rougir. C'était au-dessus de ses forces : il avait honte du travail de sa mère. Mais il y avait si peu de travail disponible pour les métaphobes, pour ces gens qui vivaient hors ligne.

Il pressa le pouce sur le numériseur, signant ainsi le registre des visiteurs de l'immeuble. Se jurant de ne plus croiser le regard amusé de l'agent, il partit en roulant vers les ascenseurs.

C'était un long voyage que de monter jusqu'au 61e étage.

Jonah se regardait dans le miroir de l'ascenseur. Il se payait une mine désolante et échevelée. L'idée qui lui vint ensuite à l'esprit le fit paniquer. Il se sentait soudain claustrophobe. Comment allait-il expliquer à sa mère qu'ils avaient perdu leur maison ?

Les portes s'ouvrirent dans un glissement sur un vaste espace ouvert et blanc où une centaine de jeunes corps inconscients se balançaient dans des hamacs pendus au plafond.

Le travail de Miriam Delacroix consistait à s'occuper de ces corps : ces négociateurs en pyjama, balancés dans leurs cocons, leurs esprits occupés quelque part ailleurs. Elle s'occupait de leurs besoins physiques, afin qu'ils n'aient pas à quitter la métasphère et ses marchés virtuels où ils restaient des heures et même des journées entières. Le temps, c'était encore et toujours de l'argent, après tout.

— Maman ? Où es-tu ? appela Jonah.

Elle était la seule personne débranchée sur l'étage. Elle laissa tomber une sonde gastrique pour le gavage quand elle aperçut son fils et accourut à sa rencontre.

— Jonah ! Qu'est-ce que tu fais ici ?

— Je... C'est que... Il est arrivé quelque chose, bredouilla-t-il. Quelque chose de vraiment mauvais.

Il hésita, puis les mots surgirent de lui tels un torrent.

— J'ai trouvé l'avatar de papa et je l'ai filtré et ces hommes sont venus dans notre bus et ils ont abattu tout le monde, mais je suis monté sur le toit et j'ai patiné...

— Parle moins vite, Jonah ! dit sa mère en posant les mains sur ses épaules, y appliquant du poids pour le calmer et l'empêcher d'hyperventiler. Respire, mon garçon.

Elle posa un baiser sur son front et le regarda dans les yeux d'un regard grave. Jonah savait qu'il rendait sa mère triste quand il parlait de son père et regretta d'en avoir parlé. Mais il sentit aussi qu'il y avait autre chose.

— J'ai tant attendu ce jour, soupira-t-elle. Mais tu es si jeune encore.

— Je ne comprends pas, avoua Jonah. Tu attendais… quoi au juste ?

— Ton père m'a tout raconté, Jonah.

— Tu savais à propos de l'avatar ? Tu savais qu'il en avait fait une copie ?

— Il a fait plus que ça. Il a copié bien davantage qu'un avatar.

— Sais-tu comment je peux m'en défaire ? Peux-tu me dire comment redevenir moi-même ?

Sa mère secoua la tête.

— Ton père savait que sa vie était en danger. Il a laissé l'avatar pour que tu le trouves, au cas où le pire arriverait. Comme j'aimerais que tu ne l'aies pas trouvé, Jonah. C'est trop tôt !

— Je pense qu'il a fait… Je pense que l'avatar m'a fait quelque chose à la tête, maman.

Sa mère lui fit signe que oui.

— Tu parles sans doute des souvenirs de ton père, Jonah. Il en a fait une copie. De tous ses souvenirs. Je ne sais pas… Je ne sais pas comment il a fait, sans se rendre à l'île, mais il l'a fait. Et ses souvenirs sont à toi désormais.

Jonah clignait nerveusement des yeux. Il se rappela le flot d'images qui l'avait submergé lors de l'assimilation de l'avatar du dragon, ces étranges rêves qui n'étaient pas les siens, mais peut-être ceux de son père. Comment était-ce même possible ?

— Oh, Jonah ! soupira sa mère. Il y a tant de choses que nous t'avons cachées. Tant de choses que j'aurais dû te dire avant, mais je pensais… Je ne voulais pas te forcer à grandir trop vite, mais maintenant… Maintenant, il nous reste si peu de temps.

Elle le brusqua vers l'un des hamacs et plaqua un adaptateur stérile dans ses mains. Elle baissa la voix, comme si les corps pendants tout autour avaient pu surprendre ses mots.

— Je ne peux pas te protéger, Jonah, dit-elle tout bas, mais je connais une personne qui le peut.

— Axel ?

Sa mère eut l'air surpris que Jonah connaisse le nom.

— C'est ça, oui. Il y a cet homme qui se nomme Axel Kavanaugh. Il était le meilleur ami de Jason, ton père. Ils se sont connus à l'école de pilotage. Il faut que tu ailles le trouver dans la métasphère. Il pourra ensuite te trouver dans le vrai monde.

— Mais comment ? demanda Jonah. Et où ?

— L'Icare, répondit sa mère. Axel garde toujours un œil à cet endroit. Te souviens-tu de l'endroit ?

Jonah se le rappelait. L'Icare était un bar fréquenté par les pilotes, à quelques pas de la boutique de cadeaux. C'était l'établissement préféré de son père.

— Maman, qui sont ces hommes ? demanda Jonah. Ceux qui veulent me tuer ?

— Ce sont des Millénaires, Jonah.

— Mais ça n'a aucun sens ! Papa était un Millénaire. Il a travaillé des années pour monsieur Granger. Pourquoi s'en prendraient-ils à...

— Ton père savait des choses, Jonah, répondit sa mère.

Elle déroula un câble Ethernet et aida Jonah à se connecter au terminal.

— Des secrets que personne d'autre au monde ne sait, hormis Matthew Granger lui-même... Et maintenant, tu connais ces secrets.

— Mais non, je ne sais rien, protesta Jonah. Je le jure, je ne sais rien du tout !

Elle lui prit la tête avec affection, puis lui sourit tristement.

— Tout est inscrit là, dans ta tête, Jonah. Tu n'as qu'à trouver le moyen d'accéder aux informations.

— Je n'en veux pas, dit Jonah. Si je pouvais seulement me débarrasser de l'avatar de papa...

— C'est trop tard, chuchota sa mère. Il reste une dernière chose que tu dois savoir. Ton père n'était pas un Millénaire. C'était seulement une couverture pour s'approcher de Matthew Granger. Ton père était un agent double, Jonah. Ton père était un *Gardien*.

Jonah ouvrit la bouche pour parler. Il avait mille questions, et tout se bousculait dans sa tête. Toutefois, sa connexion au terminal de la métasphère était maintenant opérante, et il sentit son estomac lui monter à la gorge tandis qu'il plongeait dans les ténèbres.

# 10

Ce fut d'abord l'odeur qui frappa Jonah : une odeur rance d'épices et de cuir.

Un vaste marché, comme un *souk* marocain qu'il avait vu une fois dans un film, se matérialisait autour de lui. L'endroit était bondé d'avatars, criant et marchandant divers produits.

Le terminal de la Tour de la Cité l'avait automatiquement envoyé dans ce lieu de commerce virtuel. Plusieurs des avatars qui achetaient et vendaient ici devaient être ceux des jeunes corps dont la mère de Jonah s'occupait dans le vrai monde.

Jonah évoluait encore dans l'avatar de dragon de son père.

Déployant ses immenses ailes, Jonah s'envola dans le ciel. Il examina le souk depuis ce point de vue en altitude et prit note de l'emplacement de son halo de sortie. C'était chose commune de se perdre dans des secteurs peu familiers de la métasphère.

Il sentit son corps tout entier se gonfler d'énergie tandis qu'il battait des ailes. Jonah se sentait fort, puissant, et une part de lui ne pouvait qu'aimer cette nouvelle sensation.

Toutefois, il ressentait aussi de la peur et une certaine confusion – voire peut-être de la colère. En fait, il était fâché contre lui-même. Il s'en voulait d'avoir filtré l'avatar du dragon. Et il était en colère contre ses parents qui lui avaient caché tant de choses.

Il s'escrimait encore à engranger toutes ces informations, tout ce que sa mère avait dit. Son père... un Gardien ? Comment était-ce possible ? Les Gardiens avaient tué son père. C'était du moins ce qu'il avait toujours cru. Et qu'est-ce que Jason Delacroix avait bien pu savoir pour qu'on veuille le tuer ?

En planant dans l'air virtuel, Jonah laissa échapper un cri de frustration. Son souffle se changea en une rivière de feu, et les flammes revinrent lécher son corps rouge et écailleux.

Jonah survola le parc Vénus, passa au-dessus de la boutique familiale, puis vira à gauche. Il volait à présent au-dessus d'une des plus vieilles zones du monde virtuel et un quartier qu'on appelait « Les Miroirs ». Les immeubles ici était codés sous une résolution plus faible que la norme actuelle et donnaient l'impression d'être plats, presque en deux dimensions. Il leur manquait cette texture réaliste qu'avait la métasphère moderne. Sous lui, Jonah reconnut la rue MétaOx, une copie de la véritable rue Oxford de Londres. Aux premiers jours de son existence, on programmait la métasphère pour qu'elle reproduise les lieux du monde réel. Jonah n'aurait su dire pourquoi.

Une file de bus rouges numériques avançaient à pas de tortue le long de la promenade commerciale animée, et Jonah trouva la scène désespérante. Les véhicules portaient tous le numéro 137. Celui de son bus. Sa maison… perdue à jamais.

Le bar Icare se trouvait dans un large immeuble conique. Une enseigne au néon montrait un homme aux pieds ailés au centre d'un brillant cercle orange. L'entrée se trouvait au troisième étage ; les clients n'avaient d'autre choix que de voler pour y entrer. Le père de Jonah avait souvent fait la remarque que c'était fort à propos pour un repaire de pilotes.

Jonah atterrit sur un perchoir et ramena ses ailes. Il avait souvent attendu son père à l'extérieur du bar. Aujourd'hui, pour la première fois, il allait passer la porte.

À l'intérieur du bar, on se serait cru dans une immense cage à oiseaux. L'endroit était ouvert sur au moins six étages – l'entrée se trouvant au niveau central – et il y avait des avatars partout, des oiseaux pour la plupart, mais également d'autres créatures ailées, tous occupés à bavarder, à boire, racontant la vie au gré de leurs souvenirs. Ils se tenaient sur de longs perchoirs qui saillaient à tous les niveaux de la cage, ou sur des balançoires qui pendaient du haut plafond grillagé en forme de dôme.

– Jason Benedict Delacroix, annonça une voix métallique. Jonah venait d'être scanné et son avatar, identifié comme celui de son père.

Soudainement, la clameur des bavardages qui avait rempli l'Icare cessa. Tous les oiseaux se retournèrent pour regarder le nouveau venu. À voir l'air qu'ils affichaient, on aurait dit qu'ils avaient aperçu un fantôme. Et ce n'était pas loin de la vérité, comme le constata Jonah.

Il eut envie de tourner les talons et de s'envoler pour ne jamais revenir. La dernière chose qu'il voulait, c'était d'éveiller l'attention. Mais s'il fuyait maintenant, il ne trouverait jamais Axel Kavanaugh, le vieil ami de son père. Axel était son seul espoir de réparer le gâchis qu'il avait créé.

Jonah flotta timidement vers l'un des trois comptoirs et se posa sur le perchoir. Il sentait des centaines de paires d'yeux dans son dos.

Il fut soulagé quand un carouge à épaulettes voltigea vers lui pour se poser sur le comptoir.

— Jason, c'est vraiment toi ? demanda l'oiseau.

— Axel ? lui demanda Jonah.

— Ça fait trois ans qu'on ne t'a plus vu. On a tous cru que tu étais mort ce jour-là.

Jonah ne savait pas quoi dire. Il supposa qu'il valait mieux avouer ne pas être celui qu'on croyait, expliquer qu'il avait seulement l'apparence de son père — mais le carouge était si excité de le voir qu'il ne lui laissa pas le temps de dire un mot.

— Alors, dis-moi, tu te caches où depuis tout ce temps ? Je veux tout savoir. Et nous devrions nous rencontrer, face à face. Où es-tu en ce moment ?

— Je suis à Londres, dans la Tour de la Cité, répondit Jonah, mais...

Avant qu'il n'ait pu terminer sa phrase, l'oiseau fut violemment tassé par une aile d'aigle géante. Quelques rares plumes flottaient encore dans les airs à l'endroit où il était posé l'instant d'avant.

— Hé ! s'écria Jonah, qui déploya ses propres ailes, prêt à voler au secours du passereau assommé, cependant que deux énormes pattes l'agrippaient par-derrière.

— Un petit moment, Monsieur le fantôme des Noëls passés, grogna une voix dans l'oreille de Jonah.

— Qui êtes-vous ? cria Jonah. Qu'est-ce que vous faites ?

— C'est moi, espèce de dragon sans cervelle, siffla la voix. C'est moi, Axel... Et si tu veux le savoir, je sauve tes fesses pleines d'écailles !

— Bien joué, papa. Il est à moi maintenant !

Cette voix, c'était celle d'une licorne qui passait en volant au-dessus de Jonah pour foncer, corne baissée, sur l'oiseau noir. L'oiseau avait cependant repris ses esprits, suffisamment du moins pour plonger et éviter la corne. La licorne s'écrasa tête première contre le mur de la cage, faisant trembler l'endroit sous l'impact. Le merle jeta un œil derrière vers Jonah et se mit à rire avant de disparaître dans un halo de sortie.

— Ça va, petite? demanda la brute qui avait ôté ses pattes de sur Jonah pour rejoindre la licorne.

Jonah pouvait maintenant voir l'animal : il avait le corps d'un lion, mais les ailes et la tête d'un aigle. C'était un griffon.

— Je l'ai raté, papa. Il s'est enfui, dit la licorne qui était visiblement sonnée mais déterminée à rester sur ses quatre pattes.

Le griffon s'en prit à Jonah :

— Mais veux-tu me dire ce qui t'a passé par la tête, nom du Dieu, Jason? Je te croyais plus intelligent. En fait, trop brillant pour te laisser prendre par un espion des Millénaires.

— Quoi... Qu'est-ce que vous voulez dire? bégaya Jonah.

— Qu'est-ce que tu lui as dit?

Jonah avait la gorge sèche. Le griffon avait raison. Il avait naïvement cru que le carouge était un ami… Ce pouvait être n'importe qui derrière l'avatar.

– Tu lui as donné ta LVM, pas vrai ? gronda le griffon, et Jonah ne trouva rien d'autre à faire que de hocher bêtement la tête, prenant conscience de la gravité de l'erreur commise.

Il avait révélé à l'oiseau noir sa « Localisation dans le Vrai Monde ».

– Il n'est pas très futé, monsieur, votre ami pilote, dit l'agent millénaire en adressant un grand sourire à son patron, tout en tirant sur le câble Ethernet qu'il avait dans le dos.

– Qu'est-il arrivé ? demanda Granger.

Il fixait la tablette numérique connectée au terminal de l'agent. Bien que l'utilisateur ait fermé sa session, l'écran montrait encore l'intérieur de l'Icare… et le dragon rouge, l'avatar d'un homme que Granger n'aurait jamais cru revoir.

– Cet abruti de dragon est tout bonnement entré en volant dans l'Icare et m'a donné sa LVM.

Granger prit un moment pour réfléchir à tout cela.

– Je me demande… dit-il d'un ton songeur. Ce n'est pas le style de l'homme de se montrer aussi imprudent. Vérifions quand même. Où dit-il être ?

– La Tour de la Cité de Londres.

– Envoyez deux drones terrestres. Videz-moi tout le bâtiment s'il le faut.

Le Millénaire se dirigea à la hâte vers une tablette pour exécuter ses ordres.

Granger fixait encore le moniteur, soupesant les différentes options qui s'offraient à lui.

Une fois déjà, Jason Delacroix avait échappé à ses assassins. Il pourrait fort bien répéter l'exploit. Cet homme était particulièrement doué pour se cacher dans le vrai monde. Mais son avatar… Son avatar se tenait juste là, sur l'écran de Granger.

Ç'aurait été une honte de laisser filer une telle occasion.

Granger prit une tablette des mains d'un programmeur interloqué, et commença à taper une série de commandes. Il fallut un certain temps aux autres programmeurs pour comprendre ce qu'il faisait. Puis, un à un, ils se tournèrent vers Granger, la bouche grande ouverte. Une fille voulut même protester, mais elle s'arrêta juste à temps.

Granger n'avait nul besoin de se justifier devant eux. S'il y avait une chose qu'il détestait par-dessus tout, c'était bien qu'on lui dise ce qu'il pouvait ou ne pouvait pas faire.

— Tu ferais mieux de déguerpir d'ici, Jason, dit le griffon. Retourne à ton halo et sors avant que…

— Non, non, attendez ! dit Jonah. Comment puis-je savoir qui vous êtes vraiment ? Pour ce que j'en sais, vous pourriez être des espions vous aussi.

Jonah était déterminé à ne pas commettre deux fois la même erreur.

Toutefois, avant que le griffon n'ait pu répondre, le toit s'effondra.

Les clients de l'Icare s'envolèrent dans le plus grand désordre cacophonique, battant des ailes pour éviter les débris de maçonnerie et le métal tordu qui tombait du ciel. Jonah crut entendre une sirène aiguë derrière la clameur des voix paniquées et, une seconde après, la pointe d'une énorme tête de foreuse perça à travers le plafond.

— Un recycleur ! cria la licorne. Mais qu'est-ce qu'il fout ici ?

— Rends-toi à ton halo, Sam, ordonna le griffon. Et toi aussi, mon gars ! dit-il en poussant Jonah de son grand bec tranchant.

Tandis qu'ils volaient vers la sortie, deux autres têtes de foreuse vinrent déchirer les barreaux de la cage à oiseaux, une de chaque côté du groupe.

Jonah crut qu'il n'allait pas s'en sortir. Il y avait une cohue devant la porte, et tout le monde essayait de forcer le passage.

Puis, soudainement, Jonas se retrouva dehors à la lumière du jour. Il regarda derrière lui et il les vit : des recycleurs, comme la licorne l'avait dit. Ces machines terribles ressemblaient à des oiseaux géants de métal. Elles se dressaient au-dessus de l'Icare avec leurs longues pattes, picorant l'édifice avec leurs « becs » en têtes de foreuses tournoyantes. Là où ils picoraient, l'immeuble se dépixélisait, s'effondrant sur lui-même jusqu'à ce qu'il n'y ait plus rien qu'un grand vide incolore.

Jonah avait déjà vu les recycleurs à l'œuvre, mais jamais de cette façon. La métasphère se reconfigurait continuellement en bâtissant sur la base de ce qui existait déjà. Les recycleurs servaient d'outils pour fouiller dans les vieux codes de programmation et supprimer les sous-routines devenues périmées tout en conservant et en réaffectant le reste. Quand un bâtiment ou un lot de terrain était désigné pour subir une réassignation des données, on envoyait les recycleurs. Mais ces machines devaient seulement recycler des immeubles numériques vides et des lotissements de terrains abandonnés.

Des avatars étaient restés pris dans l'Icare. Jonah espérait que plusieurs d'entre eux avaient gardé leur halo de sortie à proximité ; ceux-là auraient été en mesure de sortir à temps. Pour les autres…

Si un avatar mourait dans la métasphère – un événement rare mais pas impossible –, alors l'esprit de son utilisateur s'éteignait aussi, laissant à jamais le corps de cet utilisateur dans un profond état végétatif. Cela dit, Jonah n'avait pas le temps de s'éterniser à culpabiliser à ce sujet.

Maintenant que l'Icare n'existait plus, les recycleurs portaient leur attention sur la rue où Jonah flottait : la rue MetaOx. Ils se forèrent un chemin dans les bus virtuels, essaimant au vent d'innombrables pixels rouges – et quelques piétons furent surpris dans l'implacable avancée des machines, leurs vies éteintes à jamais.

Les recycleurs s'approchaient de Jonah.

Depuis le ciel, le griffon et la licorne vinrent de chaque côté de Jonah.

– C'est après nous trois qu'ils en ont, dit le griffon.

– Ils sont trois, nous sommes trois, dit la licorne. Ça en fait un pour chacun de nous.

– Ils tuent tout le monde, dit Jonah, et tout ça par ma faute.

Il était en état de choc, figé devant les gens qui criaient et couraient partout autour. Il sentit les pattes du griffon sur lui, sur ses épaules.

– Suis-moi, cria le griffon. Vole !

# 11

Jonah n'avait pas besoin qu'on lui dise deux fois.

Il ignorait encore s'il pouvait faire confiance à ces gens. Mais dans l'immédiat, ces personnes représentaient son seul espoir. Il s'envola avec eux, longeant les rues achalandées, filant au-dessus des foules paniquées. Il jeta un œil par-dessus son épaule et découvrit les recycleurs juste derrière, les talonnant de près. Ils avaient replié leurs pattes et pourchassaient leurs trois cibles comme des fusées.

— Nous devons les attirer loin des gens ! cria Jonah.

Les recycleurs digéraient tout — et chacun — sur leur passage.

Jonah pointa vers le haut avec son museau de dragon, et se mit à battre des ailes aussi fort qu'il le pouvait. Le griffon et la licorne suivirent son exemple, et les trois avatars s'élevèrent dans le ciel.

— Ils nous rattrapent ! cria la licorne.

Elle avait raison. Jonah sentit une aspiration dans son sillage : un effet de vortex causé par le mouvement en vrille des têtes foreuses menaçant de l'avaler.

Il vit une perruche ondulée se figer dans son chemin, et il l'esquiva en plongeant dessous. Il espérait avoir dévié assez tôt pour que les recycleurs l'évitent en suivant son plongeon.

Le griffon piqua pour rejoindre Jonah.

— Il faut se rendre à l'évidence, mon ami, grogna-t-il. La petite et moi, nous sommes cuits.

— Non !

— Nos halos de sortie sont restés à l'Icare, expliqua le griffon. Nous ne réussirons jamais à rebrousser chemin avec ces machines qui nous collent au train, pas la moindre chance !

— Mais c'est moi qu'ils veulent. Je peux les attirer loin de vous.

Le griffon secoua la tête.

— Il y en a un pour chacun de nous, tu te souviens ? Je ne sais pas ce qui t'a pris de venir ici, Jason. Le mieux que nous puissions faire, c'est de te ramener dans le vrai monde. Où se trouve ton halo de sortie ? Dis-moi que c'est quelque part près d'ici !

Jonah regarda la scène de destruction au sol. Une cicatrice immense de néant traversait le cœur du quartier des Miroirs. La rue MetaOx était détruite dans sa majeure partie, et Jonah crut un instant que son halo de sortie avait été recyclé avec tout le reste.

Puis il se rappela. Il s'était matérialisé dans le souk, et c'était là qu'il fallait retourner. Le sang de Jonah ne fit qu'un tour en constatant que c'était trop loin. Ils n'y arriveraient pas !

Il piqua plutôt vers le parc Vénus. Il plana au-dessus des têtes des couples qui se chantaient la pomme et de la marche des protestataires, puis il s'engouffra directement dans la boutique de cadeaux des Delacroix, la porte s'étant effacée à son approche. Le griffon et la licorne arrivaient juste derrière, et la trappe était encore ouverte sur la cave secrète.

Ils plongèrent un à un par la porte dérobée que Jonah referma brusquement derrière eux.

Le griffon clignait des yeux en découvrant la cave glauque.

— Alors, il est où ton halo de sortie ? demanda-t-il.

— Il n'est pas ici, dit Jonah. Mais j'ai eu une meilleure idée.

— Tu te fous de moi ou quoi ? cria le griffon.

— Nous ne pouvons pas nous cacher des recycleurs, dit la licorne. Ils vont tout dévorer, les murs y compris, puis ce sera…

— Je sais, dit Jonah. C'est exactement ce que je veux.

La cave commençait déjà à être secouée, tandis que la première tête foreuse s'y attaquait par le haut. Jonah prit une grande respiration, plaqua ses pattes griffues contre le mur, et lança l'exécution du virus que son camarade de classe Harry lui avait donné. Il ressentit les données traverser son corps virtuel — le corps virtuel de son père, en fait — et se transférer au code-source des murs de la cave, lesquels se mirent à se brouiller de violentes distorsions.

Au même instant, les recycleurs perçaient la cave. Dans leur destruction, ils passèrent à travers le plafond, fondant comme des oiseaux de proie. Jonah et les autres se pressèrent dans un coin ; ils n'iraient pas plus loin. Jonah enveloppa ses deux nouveaux amis de ses gigantesques ailes dans une tentative désespérée pour les protéger. La pointe acérée d'une tête foreuse perça des écailles dans son dos, et il cria de douleur et cracha presque un torrent de feu, qu'il ravala de peur de brûler quelqu'un.

Soudain, les têtes foreuses s'arrêtèrent de tourner. Les recycleurs crachotèrent, furent secoués de tremblements et se dépixélisèrent enfin pour disparaître complètement. Le plan audacieux de Jonah avait réussi.

— Où as-tu déniché un virus pareil ? demanda le griffon qui n'attendit pas la réponse. Tu as infecté la boutique toute entière, pas vrai ? Donc, quand les recycleurs ont bouffé les murs, ils ont été infectés eux aussi.

Jonah ne l'écoutait pas. Il pointa sa tête de dragon au niveau où le plancher de la boutique de cadeaux se trouvait l'instant d'avant. Il ne restait plus rien — rien de rien.

— Tout a disparu, chuchota-t-il.

— Je suis vraiment désolée, dit la licorne. Tu habitais ici ?

Jonah ne répondit pas. Il était abasourdi. Quelques avatars étaient venus du parc pour observer, incrédules, le nouveau trou qui s'ouvrait à la place de la boutique de cadeaux.

— Comment... Comment c'est arrivé ? bégaya Jonah. Qui a envoyé les recycleurs à nos trousses ?

— Sûrement l'oiseau noir, répondit la licorne.

— Oui, ce carouge surveillait l'Icare, dit le griffon, au cas où tu y apparaîtrais.

— Mon père et moi, nous sommes venus aussi vite que possible, expliqua la licorne, dès que nous avons reçu un message d'alerte disant que ton avatar avait été détecté au portique de l'Icare, mais...

— Écoute, mon ami, dit le griffon, je suis désolé moi aussi pour cet endroit. Je sais que c'était l'héritage que tu voulais laisser à ton fils, mais tu dois te remuer. Tu n'es pas sorti du bois, pas encore.

— Mon père a raison, dit la licorne. Les Millénaires connaissent ta LVM. Ils retrouveront ton corps dans le vrai monde. Tu dois absolument fermer ta session et te cacher.

— Mais comment vous retrouverai-je ? demanda Jonah.

— Nous quittons Londres demain à la première heure, annonça le griffon, et tu dois absolument venir avec nous. Rendez-vous à la Maison delta. Et n'oublie pas le serment que tu as fait aux Gardiens, car c'est le moment de le tenir. Maintenant, fais ce que tu as à faire !

— C'est quoi la Maison delta ? demanda Jonah.

Le griffon renversa sa tête d'aigle, éclatant de rire, et donna une grande tape sur l'aile de Jonah avec sa patte de lion.

— Ça fait du bien de voir que tu n'as pas perdu ton sens de l'humour ! Maintenant, pars !

Jonah ne savait pas ce qu'était la Maison delta, mais il lui faudrait le découvrir plus tard. Pour l'instant, il savait que la licorne — Sam, comme son père l'avait appelée — avait raison : il devait revenir au plus vite dans le vrai monde.

Le halo de sortie se trouvait exactement où Jonah l'avait laissé, dans le souk bondé.

Il fut soulagé de l'atteindre sans croiser d'autres recycleurs.

Il plongea dans le halo et retourna à son corps physique dans la Tour de la Cité. Il fallut un temps pour que ses yeux se réhabituent au vrai monde, comme s'il s'était soudain réveillé d'un sommeil profond. Tout ce qu'il venait de vivre — l'Icare, la course-poursuite, la destruction de la boutique – ne semblait pas plus réel qu'un rêve. Un cauchemar.

Jonah se frotta les yeux et jeta des regards affolés autour de lui. Il ne voyait sa mère nulle part.

Il arracha son connecteur, bascula hors du hamac et courut à travers l'étrange spectacle des négociateurs inanimés dans leurs hamacs, appelant sa mère d'une voix paniquée. Il fut attiré par un concert de crissements et de craquements et trouva sa mère en train d'enfoncer la porte d'un bureau, une hache de pompier dans les mains.

– Jonah, haleta Miriam Delacroix, viens ici tout de suite !

Elle balança une autre fois la hache contre la porte, réussissant cette fois à l'amputer de sa poignée, puis l'ouvrit d'un coup de pied. Elle entra en trombe dans une pièce meublée mais inoccupée, un bureau arrangé seulement pour la frime, pensa Jonah.

– Maman, qu'est-ce que tu fais ? cria-t-il. Tu me fais peur !

Il resta dans l'embrasure à regarder sa mère ouvrir d'un coup sec un classeur en métal dans un coin de la pièce. Elle en sortit une chose en aluminium et en toile blasonnée d'un Pégase, puis revint vite vers son fils. Elle la lui passa sur le dos et entreprit d'ajuster les sangles.

– Tu *devrais* avoir peur, dit-elle. Aide-moi à le mettre, Jonah. Il faut que tu partes.

– Mais, maman, je dois te dire…

– Je sais déjà, Jonah. Je te regardais sur le moniteur. J'ai vu les recycleurs. J'ai tout vu. Les Millénaires savent que tu es ici, dans cette tour.

— Alors, qu'est-ce qu'on attend ? Partons. J'appelle l'ascenseur et nous...

Sa mère posa les mains sur les épaules de Jonah et l'immobilisa avec son regard triste et rempli d'urgence.

— Nous n'avons plus le temps, mon chéri, dit-elle. Regarde !

Elle pointait vers la fenêtre. Jonah y jeta un coup d'œil et vit deux poids lourds noirs banalisés remontant à toute vitesse la rue de l'édifice. Il n'avait aucune idée de ce que cela signifiait, ni qui était au volant de ces mastodontes de la route. Chose certaine, ces camions terrifiaient sa mère. Elle serra les sangles à la taille, aux jambes, à la poitrine et aux bras de Jonah. Au bout d'un cordon pendant sur son ventre, il y avait un genre de poignée rouge et Jonah voulut aider sa mère en tirant dessus.

— Pas tout de suite, l'arrêta sa mère en tassant sa main de la poignée en plastique. Pas avant d'être sorti. Couvre tes yeux, mon chéri.

Elle souleva à nouveau la hache et l'abattit contre la fenêtre. Le verre se fracassa et des éclats volèrent dans les mains levées de Jonah, lui coupant les paumes. Il regarda le classeur en métal que sa mère avait éventré et remarqua pour la première fois les mots estampillés sur le tiroir : « PLANEUR DE SECOURS POUR CADRES SUPÉRIEURS ».

Un vent violent s'engouffra dans le bureau du 61e étage et Jonah plissa les yeux dans la bourrasque.

Sa mère poussa Jonah sans ménagement vers la fenêtre fracassée. Elle lui prit la main et la referma sur la poignée rouge de son harnais.

— Dès que tu seras à distance de l'édifice, lui dit-elle, tire sur cette poignée d'ouverture. Est-ce que tu m'entends, Jonah ? Tire la poignée d'ouverture !

Il regardait la rue tout en bas. Les camions noirs arrivaient. Trop vite pour s'arrêter.

Le premier poids lourd percuta la base de la Tour de la Cité et explosa. Un nuage de feu et de fumée s'éleva en champignon. On sentit l'immeuble trembler, et Jonah tomba dans les bras de sa mère, le poids dans son dos lui faisant perdre l'équilibre. Elle le repoussa aussitôt et, d'un geste ferme, le retint devant la fenêtre.

— Non, maman, ne fais pas ça ! cria-t-il.

— C'est la seule façon, insista-t-elle en le serrant une dernière fois, un trop bref moment. Je t'aime, Jonah. Ton père vit en toi à présent. Écoute sa voix mais surtout aussi ton propre cœur, et tu feras toujours les bons choix.

Elle lui donna ensuite une dernière poussée, par la fenêtre, et l'instant d'après, Jonah tombait. Il tombait vers le feu. Il se rappela les instructions de sa mère et tira de toutes ses forces sur la poignée rouge. Le sac dans son dos s'ouvrit instantanément. Deux ailes noires se déployèrent au-dessus de lui, et une série de tubes en aluminium s'emboutèrent pour former le cadre.

Pour la première fois, Jonah volait dans le vrai monde.

Il sentit le souffle d'une seconde explosion avant de la voir, son deltaplane s'élevant dans la soudaine vague d'air chaud. Il tourna la tête pour voir ce qui se passait derrière lui, mais ce faisant les ailes tournèrent aussi comme quand on tire la corde d'un cerf-volant et la courbe qu'il décrivit le ramena vite vers l'immeuble en flammes. Il braqua la tête et fixa son regard sur la vaste étendue urbaine du sud de

Londres, et le deltaplane réagit en conséquence, le propulsant loin de l'édifice qui s'effondrait sur lui-même.

Il n'osa pas regarder une autre fois. Jamais il n'en aurait eu la force. Sa mère était prisonnière du brasier, perdue dans les décombres. Il aurait dû refuser le deltaplane, l'attacher dans son dos à elle, mais il n'avait pas eu le temps de réfléchir. C'était injuste que sa mère se soit sacrifiée pour lui. C'était injuste qu'il eût à perdre sa mère.

Tandis qu'il survolait le fleuve, Jonah aperçut la banlieue de bus, un petit groupe compact de rectangles rouges. Il s'inclina sur la gauche, dirigeant le deltaplane loin de ce souvenir douloureux. Il n'y avait plus rien pour lui là-bas. En quelques heures à peine, il avait perdu sa maison dans le monde réel, la boutique dans le monde virtuel et il était devenu orphelin — tout cela à cause d'une stupide erreur de jugement.

Il n'arrivait pas à saisir tout ce qui lui arrivait. Il avait besoin de quelqu'un à qui parler, d'une personne qui lui dirait quoi faire, mais il était complètement seul au monde. Il n'avait plus personne. Du moins, personne d'encore vivant.

*Je peux encore me rendre à l'île des Téléversés*, pensa-t-il.

Sur ce, Jonah décida qu'il irait parler aux morts.

# 12

Jonah toucha violemment le sol.

Il avait plané sur presque huit kilomètres au sud-est de la Cité de Londres et s'était positionné pour atterrir sur un bout de rue droite près du refuge de Crystal Palace. Dans les airs, il avait eu l'impression d'avancer lentement, mais la rue animée à cette heure s'était approchée à une vitesse alarmante.

Jonah avait plié les genoux, et laissé les huit roues de caoutchouc qu'il avait encore aux pieds absorber le gros de l'impact.

Sa soudaine descente du ciel avait pris par surprise un bon nombre de cyclistes et de conducteurs de pousse-pousse. Jonah avait entendu leurs cris, mais gardait la tête baissée, ne leur laissant rien voir de son visage. N'importe lequel d'entre eux, pensait-il, pouvait espionner pour le compte des Millénaires.

Sans trop savoir comment, il avait réussi à rester debout et, par miracle, n'avait heurté personne. Si seulement il avait pu en dire autant la nuit dernière, pour la course. Si seulement!

À l'instant où il perdit de la vitesse, Jonah dégrafa son harnais et se débarrassa du deltaplane. C'était la dernière chose que sa mère lui avait donnée, et il ne supporterait pas la vue de l'objet. Jonah continua sur son élan, patinant aussi vite que possible. Il lui fallait s'éloigner encore plus de la Cité. Il patina jusqu'à ce que ses jambes lui fassent mal.

Son esprit s'emballait. Il avait des millions de questions, des questions qu'il aurait dû poser à sa mère quand il en avait encore la chance.

Il tomba sur un métapub ouvert et y entra en patinant. C'était un vieux pub de style anglais, avec des poutres de bois sombres et un plafond bas. Depuis son comptoir, un propriétaire obèse lança un regard noir sur les patins de Jonah.

— Va falloir ôter ces trucs, petit, grommela-t-il.

Ce que fit Jonah, prenant appui sur le repose-pied en laiton poli tandis qu'il détachait ses bottillons et prenait le pouls de la salle. Il y avait une douzaine de clients en métatranse devant leurs terminaux, assis ça et là dans le petit espace aux lumières tamisées.

Jonah regarda avec la faim au ventre les sachets de Nutri-Pro accrochés derrière le comptoir et demanda le prix exigé pour une connexion.

— C'est 80 métadollars de l'heure, petit, répondit le propriétaire. Et pour les protéines, c'est 30 le sachet.

Jonah n'avait pas d'argent pour s'offrir les deux — mais il fallait à tout prix qu'il aille dans la métasphère et son corps physique avait grand besoin de repos. La nourriture devrait attendre.

— Je prendrai seulement l'accès, dit-il en allant s'asseoir devant le dernier terminal ouvert. Et j'ai besoin d'un adaptateur.

Le tenancier attrapa un emballage d'aluminium sur un présentoir à agrafes, le lui lança de l'autre bout de la salle et observa Jonah qui inscrivait déjà les coordonnées de son point d'origine.

— On se paie une balade chez les canés, hein ? ricana le propriétaire. C'est ton droit, mais ne t'avise pas d'essayer de te téléverser. Je tiens un établissement respectable ici, pas un bar de suicidés.

Jonah ignora les bêtises de l'obèse. Il inséra l'adaptateur dans son épine dorsale et s'affala aussitôt, quittant le vrai monde.

L'avatar de Jonah, le grand dragon rouge, entra dans l'eau chaude dans une explosion d'éclaboussures. Il vit son halo de sortie qui dansait sur l'eau comme une bouée. Jonah n'avait jamais nagé avec ce corps auparavant et il comprit après un court moment qu'il ne resterait pas à flot en remuant seulement ses bras courtauds. Il devait se servir de ses ailes.

Une grande vague l'attrapa pour le recracher sur la berge. Il atterrit face première et avala une bonne quantité de sable. Une autre vague vint s'abattre sur lui tandis qu'il se levait sur ses pattes antérieures. Il cherchait encore son air quand il entendit un rire familier — et rassurant.

— J'espère que ce n'est pas comme ça que tu poses tes avions, mon fils.

C'était la grand-mère de Jonah. La trompe de son avatar, un grand éléphant gris, battait l'air tant elle était hilare d'avoir eu ce trait d'esprit.

Jonah avança sur la plage, un paradis de sable blanc qui s'étendait à perte de vue. Il s'enfonçait à chaque pas dans le sable mouillé. L'éléphant vint à sa rencontre d'un pas lourd et bruyant. Elle lui enveloppa les épaules de sa trompe grise et sèche, ramenant la tête du dragon dans le creux de son cou, comme elle le faisait avec l'humatar de Jonah, sauf que son étreinte ne l'enveloppa pas complètement cette fois. Mais à part cela, Jonah retrouva le même bonheur qu'il avait toujours ressenti dans l'étreinte de mamie. C'était bon et il ne voulait pas qu'elle arrête.

— Je suis contente de te voir, mon fils, dit-elle. Tu ne me rends plus beaucoup visite ces derniers temps.

Elle pensait que Jonah était Jason, et c'était à prévoir. Jonah eut l'idée de lui dire la vérité, mais décida que ce serait trop dur pour elle.

L'île des Téléversés était un endroit où les morts continuaient à vivre, ou plutôt à exister virtuellement. Des millions d'avatars occupaient leurs journées ici, se prélassant dans les rayons du soleil numérique, entre les visites de vieux amis ou de leur famille. La plupart des insulaires avaient été téléversés à un âge avancé depuis le vrai monde, ou sinon avant qu'une maladie incurable ne les emporte. La grand-mère de Jonah cumulait ces deux conditions.

Mais elle était parmi les chanceux.

Les parents de Jonah n'étaient pas ici. Aucun d'eux n'avait vu la mort venir. Ils n'avaient pas eu le temps de se préparer, de téléverser leurs avatars et leurs mémoires vers le fichier source de l'île.

— Comment va bébé Jonah ? demanda mamie.

Elle était arrivée sur l'île juste avant le premier anniversaire de Jonah ; elle ne gardait donc que le souvenir de lui étant tout jeune enfant.

— Eh bien, hésita Jonah, qui ne voulait pas lui mentir, il… Il a changé. Beaucoup changé même.

— À cet âge-là, tout change si vite. Surtout toi, Jason. C'était fascinant la vitesse à laquelle tu grandissais. Il y a un instant à peine, tu étais encore un petit garçon, et regarde-toi maintenant, tu as ta propre famille. Est-ce que Miriam est venue avec toi aujourd'hui ?

— Non, elle… Elle n'a pas pu se libérer.

— Dommage. Mais transmets-lui mes meilleurs sentiments, tu veux ?

— Bien sûr, répondit Jonah en ravalant ses larmes.

— Quelque chose te tracasse, n'est-ce pas ? dit mamie. Je l'ai toujours su quand tu filais un mauvais coton.

Jonah fit un choix prudent des mots qu'il s'apprêtait à dire.

— On m'a demandé de faire quelque chose, dit-il, mais je ne sais pas comment faire. Je ne sais pas ce que ça veut dire, ni où tout ça m'amènera.

— On dirait une aventure, dit mamie. Tu as toujours aimé les aventures, même les plus dangereuses. Je n'ai jamais été capable de te garder longtemps dans la maison, et ce n'est pas parce que je n'ai pas essayé — comme cette histoire farfelue de s'engager dans la RAF. Est-ce que c'est encore ça, Jason ? Dis-moi que tu ne penses pas encore à joindre les rangs de l'armée de l'air ?

L'esprit de mamie s'en était allé vagabonder dans une autre époque, du temps où Jonah n'était pas né encore. Cela lui arrivait souvent, et c'était un phénomène auquel Jonah s'était habitué. Les Téléversés conservaient les souvenirs de leur vie, mais l'accès à ces souvenirs restait souvent aléatoire. Il était déjà arrivé, durant des visites de Jonah sous sa forme habituelle, que sa grand-mère ne se souvienne pas de leurs précédentes rencontres. Parfois, il avait même dû lui expliquer qui il était.

Il enviait sa grand-mère, du moins parfois, pour cette capacité de vivre dans un lointain passé comme si c'était l'instant présent. Il avait souvent souhaité pouvoir faire de même : sauter dans son propre passé et s'y perdre, revivant en pensée des jours meilleurs.

— Pourquoi tu ne t'assagirais pas, suggéra mamie, pour peut-être fonder une famille ?

— Je le ferai, dit Jonah, jouant son rôle et voulant la réconforter. Je le ferai. Bientôt. C'est promis. Et je te donnerai même un petit-fils.

— Un petit-fils ?

À nouveau, son esprit s'en était allé ailleurs.

— Tu es bien trop jeune pour penser à ça. Tu as toute ta vie devant toi. Pourquoi ne vis-tu pas le moment présent ? Ta vie d'adolescent ?

Mamie le regardait avec des yeux sévères, et le cœur de Jonah bondit dans sa poitrine. À cet instant précis, il était certain que sa grand-mère pouvait voir à travers son masque de dragon, qu'elle s'adressait directement à lui — à Jonah. Mais c'était bien sûr impossible.

Comment pouvait-elle comprendre tout ce qui lui était arrivé ? Et comment Jonah pourrait-il expliquer à mamie que son fils et sa belle-fille étaient morts ?

Mamie ne comprenait pas la véritable nature de son existence, l'état dans lequel elle vivait ici, sur l'île.

C'était un tabou dont personne n'aimait parler, mais tout le monde savait que le processus de téléversement tuait l'utilisateur de l'avatar dans le vrai monde. En d'autres mots, tous ces gens sur cette plage ensoleillée s'étaient suicidés pour venir ici. Mais aucun d'eux ne gardait le souvenir de l'acte. La métasphère conservait cette information jugée dangereuse pour la santé mentale des Téléversés.

Aussi, tous ces gens ne savaient pas qu'ils étaient morts.

— Est-ce que je peux te poser une question ? demanda Jonah, qui tenait à en venir au but de sa visite.

— Bien entendu que tu peux, mon chéri, dit mamie. Pose-moi n'importe quelle question et j'y répondrai. Tu le sais.

— Est-ce que les mots « Maison delta » te disent quelque chose ?

Mamie se mit à rire tandis qu'elle quittait à nouveau vers d'autres souvenirs.

— Commandant Jason Delacroix, dit-elle. Chaque semaine. Je t'écris une lettre à chaque semaine.

— Une lettre ? s'étonna Jonah. Comme sur du *papier* ?

— Commandant Jonah Delacroix. Installé par la Royal Air Force sur la base de Dover. Ministère de la Défense. Maison delta.

Bien sûr ! C'était ça ! La section de son père à l'école militaire. Maintenant, tout s'expliquait. C'était là que son père avait rencontré Axel Kavanaugh. Et c'était à ce même endroit qu'Axel, le griffon, avait donné rendez-vous à Jonah.

— Merci, dit Jonah en embrassant sa grand-mère sur son front ridé.

— N'oublie pas de donner un gros bisou au petit Jonah pour moi, dit-elle. Je m'ennuie de lui.

Jonah lui tourna le dos, prit le temps de dégourdir ses ailes avec quelques battements qui soulevèrent le sable chaud de la plage. Il s'avança ensuite vers les vagues déferlantes. Une grande vague se brisa sur ses écailles tandis qu'il plongeait vers son halo de sortie. Il savait ce qu'il devait faire à présent.

Jonah devait se rendre à Dover — avant le lever du jour.

# 13

Jonah avait patiné toute la nuit.

Quel autre choix avait-il ? Dover se trouvait à 112 kilomètres de Londres, mais les trains ne roulaient plus qu'une fois par mois depuis la loi sur le rationnement du charbon. Et encore aurait-il fallu qu'il puisse se payer un billet.

Le soleil se levait quand Jonah découvrit les rues désertes de Dover. Il filait encore à fond de train, de peur d'arriver trop tard. Se dirigeant d'instinct et bourré d'adrénaline, il trouva la vieille base de la RAF dans l'est de la ville.

La base avait été fermée quelques années auparavant. En fait, il n'en restait guère plus que le tarmac : une seule piste d'atterrissage, avec une tour de contrôle penchant dangereusement et quelques bâtiments-dortoirs décrépis. Le tarmac était fissuré et couvert de végétations. Aucun avion ne réussirait à décoller ou à atterrir ici ; et d'ailleurs, il n'y avait plus d'avion qui volait à destination de l'Angleterre.

Un dirigeable flottait au-dessus de la piste en ruine. Jonah s'arrêta à la clôture de fer pour l'observer. L'appareil était massif, long comme au moins 10 bus. Il était couvert de panneaux solaires et donnait l'impression d'une gigantesque tortue noire et luisante.

Un homme barbu dans un harnais pendait sous le dirigeable. Il était mince, mais visiblement fort à la manière dont il se hissait facilement le long du ventre de l'appareil. Il portait une combinaison noire, avec toute sorte d'outils accrochés aux mousquetons de sa ceinture. Ses cheveux gris et ondulés étaient fouettés par le vent qui venait souffler depuis la non lointaine Manche. Il s'affairait à bricoler l'un des propulseurs sous le cockpit.

– Essaie-le maintenant, Sam ! cria-t-il en s'ôtant du chemin.

Les lames dans le propulseur commencèrent à tournoyer, et l'homme sembla satisfait de la réparation.

– Ça va, petite, nous sommes O.K. pour le décollage !

– Qu'est-ce qu'on attend alors, Axel.

Jonah porta les yeux en direction de cette nouvelle voix bourrue et découvrit un homme costaud sur le tarmac, qui tenait les cordes d'attache de l'homme suspendu. Il avait une moustache noire et noueuse, des cheveux foncés et portait un long trench-coat sur un bleu de travail. Cet homme ne disait rien qui vaille à Jonah.

Axel semblait hésitant.

– C'est l'aube encore, dit-il. Laissons-lui du temps.

– Nous ne pouvons plus attendre, insista le grand gaillard au sol. Nous sommes une cible facile ici.

– Tu ne connais pas Jason. Il viendra.

Cette annonce était opportune et Jonah y vit une bonne entrée en matière. Il se pencha pour passer la clôture brisée et traverser en patinant le tarmac raboteux. Tandis qu'il approchait du dirigeable, il ouvrit la bouche pour se présenter.

L'homme à la solide carrure devait l'avoir entendu venir, car dans un geste rapide qui faisait mentir sa corpulence, il fit volte-face, tira un fusil de chasse de son trench-coat et leva le canon sur Jonah.

— À terre ! cria-t-il. Les mains sur la tête ! Grouille !

Pris de court, Jonah fit ce qu'on lui disait. Il se laissa tomber à genoux — un geste qu'il était près de faire de toute manière, de simple épuisement. Toujours suspendu sous le dirigeable, Axel dégaina un plus petit pistolet et le pointa sur Jonah.

— Qui es-tu ? demanda-t-il. Comment nous as-tu trouvés ?

Jonah n'avait pas prévu pareil accueil. Il comprenait, bien sûr, que ces hommes s'attendaient à voir son père, pas un adolescent sur roulettes. Il savait qu'on le soupçonnerait. Mais il n'avait pas pensé qu'il y aurait des armes à feu. Qui plus est, ces deux hommes semblaient avoir la gâchette facile.

Son cœur battait fort. Il haletait sans pouvoir retrouver son souffle.

— Vous... Vous me l'avez dit vous-même, dit-il en balbutiant. D... Delta. La Maison delta.

Un air horrifié passa sur le visage d'Axel.

— C'était toi à l'intérieur de l'Icare ? s'écria-t-il. Toi, à l'intérieur du dragon ?

Le grand baraqué eut un air mauvais.

— Qu'est-ce que je t'avais dit, Axel ?

— Je sais, je sais. J'aurais dû vérifier son avatar, mais le temps nous manquait. Les recycleurs étaient après nous et...

— Jason Delacroix est mort il y a trois ans, dit le grand gaillard, et tu t'es laissé prendre dans un piège des Millénaires. Tu les as menés directement jusqu'à nous !

— Non ! haleta Jonah. Je… Je ne suis pas…

— On devrait lui trouer la peau, à ce petit mouchard, suggéra prestement le grand costaud.

— Non ! Non, attendez ! dit une autre voix, une voix féminine.

Jonah leva la tête, plein de sollicitude. Il vit une fille, pas beaucoup plus vieille que lui, passant la tête par la fenêtre du cockpit du dirigeable. Elle avait les cheveux roux et courts ; il pensa l'avoir déjà vue quelque part.

— Vous voyez bien qu'il a peur ? dit la fille. C'est un gamin, juste un gamin. Voulez-vous me dire pourquoi les Millénaires enverraient un enfant à nos trousses ?

— Ne te mêle pas de ça, Samantha ! ordonna Axel.

Ainsi, Sam, c'était elle, la licorne !

— Je dis ça comme ça, papa, mais, trouves-tu que ça a du sens, toi ?

— Écoutez-la, elle a raison, dit Jonah qui retrouvait enfin la voix. Je suis Jonah. Jonah Delacroix. Le fils de Jason. Hier, c'était moi. À l'Icare, dans la boutique de cadeaux. Je nous ai sauvés avec mon virus. Je sais, j'aurais dû vous dire qui j'étais… mais j'ai patiné toute la nuit pour venir ici. Mon père m'a dit de vous trouver.

— Je ne sais pas, dit Axel, méfiant. Qu'est-ce que t'en dis, Bradbury ?

La patience du grand costaud s'épuisait.

— Je crois quand même qu'il vaudrait mieux le flinguer !

— Mais s'il disait la vérité ? protesta Sam.

— Et s'il nous tournait en bourrique, argua l'homme appelé Bradbury. D'accord, il n'est peut-être pas un Millénaire, mais il n'est pas pour autant l'un des nôtres — et juste par sa présence, il compromet notre mission. Je l'ai dans ma mire, Axel. Tu n'as qu'un mot à dire et je lui règle son compte.

Alors là, Jonah avait l'impression de nager en plein délire ! Après tout ce qu'il venait de vivre, les attaques meurtrières auxquelles il avait survécu, il allait être tué par les gens mêmes auprès desquels il venait chercher de l'aide. Il ferma les yeux, attendant que le coup de feu vienne.

Exaspéré, Axel soupira.

— Non, Bradbury. Baisse ton arme. On ne flingue personne. Sam a raison. Il pourrait dire la vérité. Et regarde-le ! Bon Dieu, c'est le portrait craché de Jason !

Jonah n'avait jamais eu cette idée qu'il pouvait ressembler à son père, et il se demanda si Axel ne faisait pas seulement la remarque pour désamorcer la situation. Mais qu'importe l'intention, l'effet fut heureux pour Jonah. Bradbury abaissa le canon de son arme, quoiqu'à contrecœur, tandis qu'Axel descendait en rappel jusqu'au sol pour s'avancer vers Jonah, la main tendue.

Non sans difficulté, Jonah se leva sur ses patins et retrouva son équilibre. Tous les muscles de son corps lui faisaient mal. Il patina à la rencontre d'Axel, prenant soin d'éviter les regards hostiles de Bradbury, et ils purent enfin faire les présentations en bonne et due forme.

— Tu n'aurais pas dû venir ici, gamin, dit Axel. Je ne sais pas ce qu'on t'a dit, mais on ne fait pas dans le gardiennage, nous. Le travail que nous faisons est trop dangereux. Et si tu veux un conseil, je te dirais de repartir sur tes patins jusqu'à Londres – et de te débarrasser de cet avatar de dragon, presto !

– Mais je ne sais pas comment ! s'écria Jonah.

– Alors reste hors ligne jusqu'à ce que tu le saches. Ce n'est pas après toi que les Millénaires en ont. C'est ton père qu'ils veulent, mais aussi longtemps que tu porteras ses écailles…

En disant cela, les yeux d'Axel s'embrouillèrent et il tourna les talons. Jonah crut comprendre qu'Axel s'attendait à rencontrer plus qu'un allié ce matin. Il espérait retrouver l'un de ses plus vieux amis.

– Allons-y, Bradbury, dit Axel dans un soupir las. Go !

Et, à ce moment précis, Jonah entendit le vrombissement des moteurs derrière lui, et Sam cria :

– Papa, derrière toi ! Des drones !

Jonah fit volte-face et les vit lui aussi : deux gros camions noirs banalisés. Sous leurs roues, ils jetèrent par terre les clôtures rouillées, et vinrent sur le tarmac à tombeau ouvert. Jonah pouvait voir à travers leurs pare-brise les cabines sans conducteurs. Il était figé sur place, pleinement conscient de l'horreur qui les attendait, mais incapable de l'empêcher.

Il entendit la voix de Bradbury, haute et pleine d'urgence :

– Fais-nous décoller, Axel !

Jonah se retourna vers le dirigeable à temps pour voir Axel grimper en vitesse l'échelle et disparaître par une écoutille. Bradbury détachait une paire de cordes tendues aux ancrages en fer qui retenaient le monstre volant en place. Comme la deuxième corde le libérait, le dirigeable se mit à dériver. Bradbury s'élança pour saisir lui aussi l'échelle, l'attrapa, et se hissa vers l'engin volant.

— Attendez ! cria Jonah. Amenez-moi avec vous ! S'il vous plaît !

Le dirigeable prenait de l'altitude. L'échelle était déjà hors de portée. Jonah patina comme un forcené pour attraper les cordes d'amarre, mais rata son coup.

— Attrape le harnais de mon père ! lui cria Sam.

Avec toute l'énergie qu'il lui restait, Jonah donna de violents coups de patins croisés pour pourchasser le harnais qu'Axel avait laissé pendre derrière. L'équipement traînait au sol dans le sillage du dirigeable, dansant devant ses yeux comme pour railler Jonah. La fin de la piste arrivait vite, et Jonah vit avec effroi qu'il n'y avait rien après. C'était une falaise ! S'il ne freinait pas maintenant, il finirait sa course par un plongeon dans le vide ! Mais, derrière lui, les camions noirs le rattrapaient, toujours plus près et bourrés d'explosifs.

Jonah devait s'agripper au harnais, mais plus il approchait de la fin de la piste, plus le vent était fort, soufflant les sangles hors d'atteinte et balayant ses espoirs de survie. Il rassembla tout ce qu'il lui restait de force, pencha la tête en avant et s'élança contre le vent. Il tendit la main et attrapa enfin le harnais.

Jonah passa le bras autour d'un des cordages et fit deux tours, s'assurant une prise qui ne glisserait pas. Il garda son patin gauche sur le tarmac, tandis qu'il passait le pied droit dans le harnais. Il n'avait plus à patiner maintenant, seulement à laisser le dirigeable le traîner dans son vol.

Quand Jonah voulut passer la jambe gauche dans le harnais, son patin droit se prit dans un nid-de-poule. Il versa brusquement vers l'arrière et fut traîné sur le dos, incapable de se remettre debout. Le tarmac râpa, puis déchiqueta son gilet et lui brûla la peau. Jonah hurla de douleur, mais le vent emportait ses cris.

Puis le sol se déroba sous lui, et il plongea dans le vide.

La chute lui sembla éternelle, mais bientôt les cordages du harnais se tendirent et l'arrêtèrent. Bien accroché par une jambe et un bras, fouetté par un vent cinglant, Jonah s'agrippait aux sangles, sa dernière amarre entre la vie et la mort. Ses muscles étaient tétanisés de douleur. Derrière lui, les deux camions télécommandés firent une embardée, mais ne purent éviter le vide, volèrent un moment après la falaise puis piquèrent du nez vers les eaux agitées de la Manche tout en bas.

Le premier camion se trouvait juste sous Jonah quand il explosa. Jonah se recroquevilla, tenant bon dans l'attente de ce qu'il savait imminent.

La vague de chaleur se propagea violemment vers le haut, et projeta Jonah contre l'un des panneaux solaires du dirigeable. Il tendit les bras et s'accrocha à la structure de l'engin, et réussit à y rester accroché. Il leva les yeux pour voir Axel, Bradbury et Sam qui le regardaient d'en haut, depuis la fenêtre du cockpit. Sous ses pieds, le deuxième camion toucha l'eau et explosa sans faire de dommages.

En regardant vers la rive, Jonah vit les légendaires falaises blanches de Dover, la blancheur des parois maintenant souillée du noir des explosions. Elles se firent de plus en plus petites avec la distance. C'était là que son pays se terminait, sa dernière frontière.

Pour la première fois de sa vie, Jonah n'était plus en Angleterre.

Il empruntait un chemin de non-retour.

# 14

Jonah était resté sur le sentiment qu'il n'avait fermé les yeux qu'une minute.

Sam l'avait réveillé en le secouant.

— Aïe ! Fais attention, dit-il.

Il avait l'impression de s'être cassé tous les os. Il portait un nouveau sweat-shirt gris et se trouvait étendu sur une couchette dans une cabine sans fenêtre.

— Où suis-je ? grommela-t-il.

— Quelque part au-dessus de la France, répondit Sam. Tu t'es effondré dès que nous t'avons hissé à l'intérieur du dirigeable. Ce qui valait mieux, vu l'état de ton dos.

Jonah passa une main sous son gilet. Son dos était enveloppé de pansements, et il eut une pensée terrible que Sam devina sûrement, car elle le rassura aussitôt.

— Ne t'inquiète pas, ton ID n'est pas endommagée. Tu pourrais te brancher tout de suite si tu voulais.

Elle lui offrit un sachet de Nutri-Pro « à saveur de petit déjeuner anglais », qu'il accepta, reconnaissant. Il n'avait pas mangé depuis la veille au matin.

— Écoute, euh… Jonah, c'est ça ? dit Sam. Mon père et Bradbury, ils ont des questions qui ne peuvent pas attendre, et j'ai pensé que ce serait mieux que je te les pose, moi.

Jonah hocha la tête tout en mangeant. Il n'aurait certainement pas apprécié de se faire cuisiner par un type aussi peu avenant que Bradbury.

— Comment nous as-tu trouvés ?

Dans une voix calme, Jonah raconta à Sam tout ce qui lui était arrivé, depuis la découverte de l'avatar de son père jusqu'à sa visite à l'Icare. Il lui parla des événements de la Tour de la Cité dans le vrai monde, et des deux camions noirs qu'il avait vus, exactement comme ceux qui les avaient attaqués sur l'ancienne base aérienne. Il eut la gorge étranglée en relatant le sacrifice de sa mère. Sam lui serra la main, attendant qu'il ait retrouvé son calme, puis le laissa continuer. Elle ne dit rien, mais Jonah sentit qu'elle comprenait.

— Attends une seconde, dit Sam tandis que Jonah arrivait à la fin de son histoire. Quand tu t'es connecté pour voir ta grand-mère sur l'île... tu te trouvais dans un métapub ?

Jonah fit oui de la tête.

— Ça explique tout, dit Sam. Bradbury avait raison. Il pense que tu as peut-être mené les Millénaires jusqu'à nous, et c'est exactement ce que tu as fait.

— Mais non ! protesta Jonah. C'est faux. Jamais je n'aurais fait ça !

— C'est correct, gamin.

Elle l'avait appelé « gamin ». Comme Axel l'avait fait. Comme si *elle* était beaucoup plus vieille que lui.

— Je sais que tu ne voulais pas le faire. C'est juste que les terminaux publics ne sont pas très sûrs par les temps qui courent. Ta conversation avec ta grand-mère a sûrement été piratée.

— Oh, fit Jonah.

Il se sentait soudainement ridicule, embarrassé. Il n'avait jamais considéré que sa vie privée pouvait être menacée dans la métasphère, puisque inexistante. Pour Jonah, la vie privée sur Internet était une autre lubie de jeunesse de son père, une autre histoire de conte de fées.

— Je suis désolé. Je ne savais pas. Penses-tu que... Ton père va me croire, non ? Je ne suis pas un espion.

— Nos pères se connaissent depuis très longtemps, dit Sam. Ils pilotaient des avions de ligne ensemble, ils étaient tous deux de la RAF. C'est mon père qui a recruté le tien à la cause des Gardiens. Il te croira.

— Et Bradbury ?

Sam eut un sourire.

— Il ne faut pas s'en faire avec lui. Bradbury, il soupçonne la terre entière.

— Ça c'est vrai, vint une voix depuis la porte. C'est son travail d'être soupçonneux.

Axel entra dans la pièce. Jonah se demanda depuis quand il se tenait à la porte, à écouter leur conversation.

— Bradbury est en charge de la sécurité pour cette cellule, expliqua Axel, et il prend son rôle très au sérieux. Il s'avère aussi être l'un des plus brillants ingénieurs que je connaisse.

— Papa, dit Sam, je crois qu'il dit la vérité — Jonah, je veux dire. Il ne travaille pas pour les Millénaires, il est juste...

Axel hocha la tête. Il avait l'air fâché.

— Espion ou pas, Bradbury avait raison, le gamin est un boulet pour nous. Nous ne pouvons pas nous permettre de l'avoir dans les pattes.

— Mais c'est vous qui m'avez dit de venir ! s'écria Jonah.

— Ça, c'est quand je croyais avoir affaire à ton père, grommela Axel entre ses dents serrées. C'est ma propre faute, j'imagine. Je voulais tellement croire que Jason était encore vivant, soupira-t-il. Peut-être que nous pourrons le débarquer à Téhéran. Une fois là-bas, il pourra se trouver du travail en attendant...

— Mais je ne veux pas... Je veux dire que je peux vous aider ! Je peux... Mon père, il savait quelque chose, pas vrai ? C'est pour ça que ma mère m'a dit, avant de... Elle m'a dit que mon père savait des choses. Des secrets. Elle a dit que maintenant, je les savais moi aussi.

Axel plissa les yeux.

— Quels « secrets » ?

C'est Sam qui lui répondit. Elle répéta ce que Jonah lui avait raconté, parlant des images qu'il avait vues dans sa tête — et, tandis qu'elle parlait, Axel Kavanaugh vint lentement s'asseoir à côté de Jonah sur la couchette, avec dans les yeux un espoir timide mais retrouvé.

— Donc, c'est ça qu'il a fait, souffla Axel. J'aurais dû m'en douter... Jason prévoyait tout, même les pires embrouilles, et ça devait être son plan de secours. Il n'avait personne à qui révéler ses secrets, alors il a copié ses souvenirs en sachant que le gamin les trouverait.

— Je ne suis pas un gamin, protesta Jonah.

— Écoute, Jonah, dit Sam, c'est très important. As-tu déjà entendu parler des Quatre Coins ?

— Bien sûr, dit Jonah qui avait peut-être commis plusieurs erreurs dernièrement, mais n'était pas idiot pour autant.

— Qu'est-ce que tu sais ? demanda Axel.

— Ce sont les quatre parcs de serveurs informatiques qui font fonctionner la métasphère, dit Jonah, comme s'il répondait à une question de M. Peng. Mais seul Matthew Granger connaît leur emplacement exact. C'est lui qui les a construits, et il garde le secret sur la localisation de ces parcs.

— Ce n'est pas tout a fait juste, gamin, dit Axel. Dans l'immédiat, ces parcs de serveurs sont entre les mains de quatre gouvernements différents, ce qui est déjà une très mauvaise chose en soi. Et aucun de ces gouvernements ne veut dévoiler l'emplacement du parc qu'il gère.

— Tout ce qu'est la métasphère, dit Sam, tout ce qui arrive à l'intérieur, est défini par les Quatre Coins. Quiconque les découvre et utilise tous les quatre...

— ...peut dominer le monde, termina Axel. Le monde virtuel. Et toi et moi, nous savons très bien que c'est le seul monde qui compte de nos jours.

— Granger est sorti de prison, dit Sam. Nous pensons qu'il travaille avec ses Millénaires à reprendre ces parcs de serveurs.

La première idée de Jonah fut de répondre « Et alors ? ». Hier à peine, après tout, il croyait dur comme fer que Matthew Granger était le maître légitime de la métasphère.

Mais depuis, les Millénaires avaient tué sa mère. Ils avaient tenté de le tuer, lui. Et Jonah avait découvert que son père était un agent de leurs ennemis jurés : les Gardiens, des gens que Jonah avait passé sa vie entière à haïr.

— Un si grand pouvoir ne doit pas reposer entre les mains d'un seul homme, grogna Axel, répondant à la question inexprimée de Jonah. Mais nous ne pouvons pas arrêter

Granger à moins de découvrir nous-mêmes les Quatre Coins; et il n'y a jamais eu qu'un autre homme à savoir les trouver tous.

– Un homme avec qui Granger n'avait d'autre choix que de partager l'information, continua Sam.

– Son pilote privé, dit Axel. Ton père.

Jonah regarda Axel. Il regarda Sam.

– Tu dis avoir les souvenirs de ton père, reprit Sam. Si c'est vrai, tu sais où se trouvent les Quatre Coins et tu peux nous le dire.

Jonah ne savait pas quoi répondre. Il ne savait pas comment réagir.

– Je ne peux pas... bégaya-t-il. On m'a dit que j'avais ces souvenirs, et j'ai eu des visions, mais je ne sais pas... Je ne sais pas comment les rappeler.

– Essaie! le brusqua Axel.

– S'il te plaît, dit plus gentiment Sam.

Jonah tenta le coup. Il ferma les yeux et fit un grand effort de concentration. Il se concentra jusqu'à en avoir mal à la tête, mais cela ne donnait rien. Jonah avait ce sentiment qu'il *avait* su où se trouvaient les Quatre Coins, mais qu'il avait oublié.

– Nous perdons notre temps, grogna Axel, qui se leva pour quitter la petite cabine, mais s'arrêta aussitôt pour se retourner vers Jonah.

– Quand même, à quoi Jason a bien pu penser, en confiant tout ce qu'il savait au gamin? Comment est-il supposé se débrouiller avec deux séries de souvenirs sous son petit crâne? Personne n'y arriverait!

Les joues de Jonah lui chauffaient une fois de plus.

— J'ai fait de mon mieux, marmonna-t-il.

— Nous savons que oui, Jonah, lui assura Sam en laissant tomber un soupir de déception.

— D'une manière ou d'une autre, ça ne fait aucune différence, dit Axel. L'information dont nous avons besoin est sûrement perdue à jamais.

— Attends ! Je n'en suis pas si sûre, dit Sam. Jonah, raconte à mon père comment tu nous as trouvés — dans le vrai monde, je veux dire.

— Comme j'ai déjà dit, répondit Jonah, je suis allé visiter ma grand-mère sur l'île…

— …l'île des Téléversés, oui bon, et elle t'a parlé de la base de la RAF à Dover. Mais comment l'as-tu vraiment trouvée ? La base, je veux dire.

— J'imagine que j'ai suivi les indications sur de vieux panneaux de signalisation, répondit Jonah, jusqu'à Dover.

— Et ensuite ?

— Je ne comprends pas.

— Je crois que moi, si, dit Axel. Cette base est désaffectée depuis des années. Je doute qu'il y ait encore des panneaux debout qui indiquent le chemin jusqu'à la base.

— J'ai seulement… Je n'en sais rien, avoua Jonah. Je l'ai trouvée comme ça.

— Mais comment ? persista Sam. Tu n'y as jamais mis les pieds. Tu me l'as raconté, tout à l'heure. Tu n'étais jamais sorti de Londres avant hier. As-tu demandé des indications à quelqu'un ?

— Je ne sais pas, dit Jonah, désespéré. Je n'ai pas… Je ne me souviens pas.

Axel se tourna vers Sam.

— Est-ce que tu penses à ce que je pense, petite ?

— Je pense que tout est encore là, dit Sam, tout ce que Jason Delacroix savait. Et je crois que Jonah *peut* accéder à ces souvenirs ; c'est juste qu'il ne sait pas encore comment. *Pas encore.*

— Moi, je sais comment, dit Axel.

Les yeux verts de Sam s'ouvrirent grands d'inquiétude.

— Oh, non, papa, non.

— Il n'y a pas d'autre moyen, Samantha.

— Quel moyen ? demanda Jonah, apeuré par l'inquiétude grandissante qu'il voyait sur le visage de Sam.

— Il faut qu'il y ait un autre moyen, papa. Jonah a trouvé son chemin jusqu'à la base de l'Air Force. Il doit avoir accédé à la mémoire de son père sans le savoir. Nous devons simplement découvrir comment il a réussi, et alors nous pourrons…

— Nous n'avons pas le temps.

Axel se retourna vers Jonah qui avait suivi l'échange, son malaise comme un coup à l'estomac.

— Écoute, gamin, dit Axel, avant de se reprendre. *Jonah*, je veux dire. Je ne te demanderais jamais ça en temps normal, mais nous sommes pris à la gorge. Tu veux nous aider, n'est-ce pas ? C'est pour ça que tu es venu nous chercher. Tu vas nous aider à arrêter Granger et ses Millénaires, comme Jason l'aurait voulu.

— Alors, c'est vraiment vrai, releva Jonah, ce que ma mère a dit ? Que mon père était un… qu'il travaillait comme agent double ? Qu'en fait, il était un… un Gardien ?

— Tu ne savais pas ? dit Sam.

— Jonah était trop jeune, dit Axel. Jason ne voulait pas l'entraîner dans tout ça, dans notre guerre, avant qu'il soit prêt. Mais, ne t'y trompe pas, gamin, tout ce que Jason a fait, il l'a fait pour toi. Il voulait que tu grandisses dans un monde libre.

Jonah avait mal au cœur, comme si on l'avait transpercé. Il avait l'impression de n'avoir jamais vraiment connu son père, qu'il n'avait été qu'un étranger dans sa vie.

– Il faudrait lui dire, papa, dit Sam. Dis à Jonah ce que nous faisons. Il mérite et il a besoin de tout savoir avant de choisir…

Sa voix se tut peu à peu et elle laissa sa phrase inachevée.

– Qu'est-ce qu'il y a ? demanda nerveusement Jonah. Qu'est-ce que je dois savoir ? Et… Et c'est quoi ce truc que vous voulez que je fasse, à la fin ?

Mais Axel n'eut pas la chance de répondre à ses questions.

Jonah entendit le hurlement sourd des moteurs à réaction, et soudain le dirigeable fut violemment secoué. Axel évita la chute en s'accrochant à la porte, mais Jonah fut éjecté de sa couchette et tomba par-dessus Sam. Son regard rencontra ses yeux verts et il se rappela enfin où il l'avait déjà vue. C'était la fille qui lui avait coûté la victoire, la nuit de la course.

Un vieux haut-parleur dans un coin du plafond crachota, et la voix de Bradbury se fit entendre :

– Vaudrait mieux te dépêcher de remonter dans le cockpit, Axel. On a de la compagnie !

# 15

Le nez à tête d'aigle d'un avion de chasse fendait l'air, fonçant droit sur le dirigeable.

Jonah l'aperçut avec horreur. Il n'avait pas vu de vrais avions depuis des années et maintenant, voilà qu'un chasseur était sur le point d'entrer en collision avec l'appareil à bord duquel il se trouvait.

Bradbury se débattait avec les commandes du copilote, et Axel sauta dans le siège du pilote pour l'assister, mais il y avait bien peu de choses à faire. Leur vaisseau pataud et lourd était une proie facile pour l'avion furtif gris.

À la toute dernière seconde, l'avion de chasse vira sur l'aile et s'éloigna d'eux, les giflant du jet de ses réacteurs. Jonah suivit sa progression par la vitre de côté du cockpit et n'en crut pas ses yeux de le voir se braquer sur la droite pour revenir sur eux.

— Il joue avec nous, grogna Axel.

— Il ne jouera pas longtemps encore, dit Bradbury, les mâchoires serrées. Il a déjà tiré un coup de semonce. Il nous donne une dernière chance de transmettre les codes d'autorisation de vol.

— Je croyais qu'on les avait, dit Sam en se penchant entre les deux sièges.

— J'ai déjà essayé, dit Bradbury. Les codes ne sont pas valides, sûrement périmés.

— Ils ont dû les changer, dit Axel. Faites qu'il n'y ait personne à bord de cet avion, car dans le cas contraire, nous sommes morts. Mais ça se pourrait qu'il s'agisse d'un drone. Quelqu'un pourrait…

— J'y travaille, Axel, mais si on y arrive, ce sera par la peau des dents.

Se tenant dans le cadre de porte du cockpit, Jonah se sentait complètement impuissant. Il n'osait dire mot, ni même bouger, de peur de les déranger. Ce n'était pas comme si on l'avait invité. Il avait seulement suivi Sam.

Axel porta une main à son oreille, attentif à la voix dans son casque d'écoute.

— L'avion des Millénaires est prêt à faire feu, annonça-t-il, dans cinq… quatre… trois…

Bradbury pianotait comme un forcené sur une tablette encastrée dans le panneau de bord. L'avion à réaction fondait droit sur eux, et le dirigeable vibrait comme par anticipation. Cette fois, cependant, l'avion passa au-dessus d'eux pour poursuivre son chemin.

— Tu as réussi ! cria Sam.

Axel levait les poings en signe de victoire.

Jonah ne pouvait plus retenir sa langue et demanda :

— Quoi ? Qu'est-ce qu'il a fait ?

— Plutôt que d'envoyer les codes d'autorisation, expliqua Sam, Bradbury a téléversé un virus dans les systèmes du chasseur. Le programme a coupé le lien entre l'avion et l'opérateur au sol. Maintenant, c'est son pilote automatique d'urgence qui le fait voler.

— Je nous ai gagné du temps, dit Bradbury, en retirant brusquement son casque d'écoute pour ensuite se hisser difficilement hors du siège. Maintenant, il faut qu'on s'arrache de ce foutu dirigeable.

— Non, s'opposa Axel, pas encore.

— Mais es-tu devenu fou, Axel ? Les Millénaires vont reprendre les commandes de cet avion et il reviendra à la charge en moins de deux !

— J'ai parlé au gamin, Bradbury, à Jonah, se reprit-il. Il sait, du moins c'est ce que nous pensons, où se trouvent les Quatre Coins.

Bradbury lança un regard méfiant à Jonah.

— Raison de plus pour se pousser avant d'être abattus.

— Non, non, non. Tu ne comprends pas. Granger *sait* qu'il sait. C'est pour ça qu'il nous a envoyé les camions télécommandés à la base de la RAF, et c'est pourquoi il fait maintenant quadriller l'espace aérien pour nous retracer. Ce n'est pas nous que les Millénaires veulent tuer, Bradbury, c'est le gamin !

Bradbury dévisagea Jonah avec un mélange de colère et de mépris.

— Si je comprends bien, tu as mené l'ennemi droit sur nous ?

— Ils passeront la campagne française au peigne fin et nous trouverons avant même que nous ayons caché nos parachutes, dit Axel. Nous n'aurons aucune chance à pied, à moins que…

— À moins d'avoir l'aide de sympathisants locaux, dit Sam.

— Delphine, dit Bradbury.

Axel hocha la tête.

— Delphine connaît la région. Elle saura comment nous faire passer la frontière en évitant les patrouilles millénaires. Mais ce ne sera pas du gâteau de la trouver. Si nous voulons son aide, il faudra d'abord la contacter, histoire qu'elle vienne à nous.

— Je sais comment la trouver, annonça Sam, dans la métasphère. J'irai.

— Je viens avec toi, dit Jonah. Dépêchons-nous.

Il s'attendait à ce qu'Axel et Bradbury s'opposent à cette initiative, mais ni l'un ni l'autre n'émirent la moindre objection.

— L'important, c'est de faire vite, lança Bradbury en se tournant vers Sam. Nous avons peut-être encore 15 minutes devant nous, avant que le chasseur revienne... Et quand il reviendra, croyez-moi, son opérateur tirera avant et posera des questions ensuite.

Jonah et Sam se connectèrent à un terminal dans l'une des cabines vides.

Ils entrèrent dans la métasphère dans un champ de maïs ensoleillé. Les plants jaunes arrivaient au nez de Jonah et par-dessus la tête de Sam. Ils battirent des ailes et le dragon et la licorne s'envolèrent dans les airs.

— Es-tu certaine que c'est le bon endroit? demanda Jonah, qui s'étonnait que les champs de maïs s'étendent à perte de vue. Il n'y a personne à des kilomètres à la ronde.

— Ils sont ici, répondit Sam. Seulement, on ne peut pas encore les voir.

Elle s'orienta par rapport au soleil, puis guida Jonah vers le nord-est.

Jonah remarquait pour la première fois que l'avatar de Sam était magnifique. La licorne semblait petite en comparaison du dragon de Jonah, mais aurait été plus grande que son ancien humatar. Elle était d'un blanc nacré, et les plumes de ses ailes brillaient dans les rayons du soleil. La crinière de la licorne était rousse. Sa queue était également rousse, de la même teinte que les cheveux de Sam dans le vrai monde. Jonah aurait pu apprécier ce jour d'été, et l'aurait volontiers passé à survoler les champs de maïs avec elle, si ce n'avait été de l'urgence et de la crise dans le monde réel.

Soudain, en un clin d'œil, les champs disparurent.

Jonah se retrouva dans le préau d'un château médiéval – et il y avait un mur derrière lui, un mur oppressant.

Un groupe d'avatars était réuni devant lui, dont plusieurs gardes armés de masses cloutées. Ils s'avancèrent et se saisirent de lui.

Jonah se débattit, et fut une fois de plus surpris par la force de son avatar. Il envoya s'écraser au sol deux de ses soi-disant geôliers, mais d'autres venaient leur prêter main-forte. Ils plaquèrent les ailes de Jonah sur ses flancs.

– Tout va bien, Jonah, dit Sam. Ils sont nos amis.

– Tu as de drôles d'amis, dit Jonah, se débattant pour rouvrir ses ailes.

– Identifiez-vous! exigea un garde particulièrement musclé.

Sam donna le nom de Jonah et le sien, puis débita une série de lettres et de chiffres que Jonah prit pour un mot de passe.

– Nous devons voir Delphine, dit Sam.

— Il faut d'abord que je vérifie vos avatars, rétorqua le garde d'un ton bourru.

— Bien sûr, dit Sam, mais dépêchez-vous, s'il vous plaît. Nos vies sont en danger dans le vrai monde.

Le garde hocha la tête. Il fit un signe aux autres avatars, et Jonah fut poussé en avant, vers les lugubres tours grises du château.

Au-dessus des toits en cône de ses tours, des drapeaux noirs et verts flottaient dans une brise créée sur ordinateur.

Ils furent escortés sous une herse relevée, puis dans une vaste salle aux planchers de marbre, et enfin vers une petite pièce moquettée. La porte se referma derrière eux, et l'icône d'un cadenas jaune apparut sur le bois virtuel.

Jonah frappa sur la porte avec ses ailes.

— Hé ! cria-t-il. Vous n'avez pas entendu ce que Sam a dit ? C'est une urgence ! Vous ne pouvez pas nous enfermer ici !

— Ils ont entendu, lui assura Sam, et Delphine viendra. Bientôt.

Elle ne semblait pas si confiante — mais il n'y avait rien à faire. Sauf attendre.

Anxieux, Jonah flottait de haut en bas dans la pièce. Sam se servit de sa corne pour prendre une pomme dans le bol de fruit posé sur la table. Elle la balança dans sa gueule et l'avala goulûment. La nourriture dans la métasphère pouvait avoir un goût exquis si elle était programmée à cette fin, mais le mangeur devait se rappeler qu'elle ne sustenterait pas son corps physique.

— C'est qui au juste, cette Delphine ? demanda Jonah. Elle est membre des Gardiens ?

— Pas exactement, répondit Sam, mais le groupe auquel elle appartient, il…

Sam cherchait ses mots.

— En fait, nous partageons un certain nombre d'objectifs, de sorte qu'une alliance est possible en temps de crise.

— Et tu es absolument sûre qu'elle va nous aider ?

— Quand elle comprendra ce qui est en jeu, j'espère que oui, dit Sam.

Jonah réfléchissait encore à la question quand une fenêtre de dialogue apparut devant lui. « CINQ MINUTES », pouvait-on y lire. C'était un rappel venant de Bradbury, pas de doute.

Sam donna un coup de corne sur la porte.

— Ohé ? appela-t-elle. Il y a quelqu'un ? Il ne nous reste plus beaucoup de temps. Nous devons voir Delphine. Ohé !

Ils entendirent un léger déclic et l'icône du cadenas disparut. Jonah et Sam reculèrent d'un pas tandis que la porte s'ouvrait. Une chevalière dans une armure brillante d'argent vint flotter dans la pièce. Le personnage était flanqué de deux gardes.

— Delphine ? supposa Jonah.

La chevalière acquiesça d'une brève révérence. Sa visière était baissée et on ne voyait pas son visage. Son casque était décoré d'une unique plume noire et verte.

— Jeune Samantha Kavanaugh, dit Delphine avec un fort accent français. Tu cours encore derrière ton père ?

— C'est plutôt le contraire par les temps qui courent, répondit calmement Sam. Vous avez vérifié nos avatars et…

— *C'est exact**. Ton avatar a été contrôlé, dit Delphine avant de se tourner vers Jonah. Par contre, ce dragon est l'avatar d'un homme mort.

— C'est une longue histoire, dit Sam. Vous avez devant vous l'avatar de Jason Delacroix. Mais ce n'est pas Jason Delacroix qui l'habite, c'est son fils. Delphine, nous avons besoin de votre aide.

Les événements s'enchaînèrent très vite après les présentations.

Sam expliqua à Delphine l'attaque du drone aérien des Millénaires et lui demanda l'asile. Elle insista sur l'information qui se trouvait cachée dans le cerveau de Jonah, disant que celle-ci était d'une importance capitale pour la cause des Gardiens. Après quoi Jonah remarqua que Delphine lorgnait constamment dans sa direction et il se sentit comme un vulgaire pion dans leurs jeux dangereux.

Sam tendit à Delphine un témoin de connexion téléchargé à partir des systèmes du dirigeable. Ce « cookie » contenait leurs coordonnées dans le vrai monde. Delphine l'avala à travers son masque argenté et tendit en retour un croissant virtuel à Sam.

— Les instructions pour se rendre en lieu sûr, expliqua-t-elle. Je vous y rejoindrai.

Elle les fit ensuite escorter à l'extérieur par ses gardes. Jonah et Sam passèrent directement au travers du mur d'enceinte du château — et une fois de l'autre côté, Jonah regarda en arrière, mais ne vit qu'une étendue sans fin de champs de maïs.

Ils volèrent jusqu'à leurs halos de sortie et Jonah se réveilla dans la cabine du dirigeable.

Il eut à peine le temps de s'habituer au vrai monde que Bradbury lui lançait dans les bras un lourd sac de parachute.

— Secoue-toi, gamin, grogna-t-il. Il faut que nous dégagions, presto !

Jonah se déconnecta d'une main en se disant qu'il était content que Bradbury ait dit « nous » et non « tu ».

Il se leva maladroitement sur ses jambes. Il mit le sac de parachute devant lui et essaya de comprendre quelles sangles allaient où. Il commençait à paniquer. Il ne savait pas comment s'y prendre — et Axel, Bradbury et Sam se précipitaient déjà hors de la cabine.

Jonah s'élança en trébuchant derrière Sam, elle qui, en courant, revêtait son propre parachute d'une main experte.

— Fais comme moi ! lui cria-t-elle.

Il imita ses gestes, et se rendit compte ce faisant que le harnais était semblable à celui du deltaplane, l'engin qu'il avait utilisé la veille. Une fois encore, ses pensées revinrent sur ses derniers moments avec sa mère, quand il la suppliait de ne pas le pousser en bas de la Tour de la Cité. Mais le vent fouetta Jonah, le ramenant à la réalité.

Axel venait d'ouvrir l'écoutille principale. Bradbury et lui plongèrent sans hésitation, et il y eut un souffle qui faillit entraîner Jonah dans leur suite. Sam se tenait encore à côté de lui, et elle vérifia son parachute, serrant encore quelques sangles. Elle le prit ensuite par le bras et le tira avec elle hors du dirigeable.

Jonah tombait une fois de plus.

Sam était tout près de lui, mais donnait un angle à son corps qui l'éloignait de Jonah. Elle essayait de prendre ses distances, pour que leurs parachutes ne s'emmêlent pas une fois déployés. Et, par-dessus les cris du vent dans ses oreilles, Jonah put entendre un autre son : un bruit horriblement familier. Le rugissement des moteurs à réaction.

Il entendit ensuite le feu saccadé d'une mitrailleuse et leva les yeux pour voir le dirigeable gîtant dangereusement tandis que le chasseur des Millénaires virait sur l'aile, triomphant. Le dirigeable avait été criblé de balles et des flammes naissaient dans ses ailettes à tribord.

Sam tira sur sa poignée d'ouverture. La large toile blanche qui se gonfla derrière elle sembla la tirer violemment vers le haut, loin de Jonah. Bien entendu, Sam tombait toujours — c'était seulement que sa vitesse de chute avait subitement diminué par rapport à celle de Jonah.

Jonah voulut faire comme Sam, mais il ne trouvait pas la poignée. Il sentit la panique le gagner. Quel soulagement ce fut quand sa main moite trouva finalement ce qu'elle cherchait ! Jonah ferma les yeux et tira un grand coup.

Il eut la sensation d'être aspiré vers le haut tandis que le parachute s'ouvrait au-dessus de lui. Il se sentit ensuite flotter et se crut enfin en sûreté. Il pouvait voir le rond blanc des parachutes de Bradbury et d'Axel, étonnamment loin sous lui. Ils descendaient vers une étendue verte qui devait être un champ. Jonah ne voyait Sam nulle part.

Le retour du hurlement du chasseur rappela à Jonah qu'il n'était pas hors de danger. L'appareil virait sur leur droite. Loin au-dessus de leurs têtes, le dirigeable gravement touché crachait de la fumée, tombant lentement en vrille.

Le dirigeable se désagrégeait, semant des débris enflammés et des morceaux de panneaux solaires. Jonah retint son souffle, sachant que si un fragment de l'épave venait à déchirer la toile de son parachute, il n'en réchapperait pas.

Cette fois, Jonah était mieux préparé à la vitesse à laquelle le sol approchait. Mais contrairement à l'atterrissage de la veille, Jonah n'avait pas ses roues en caoutchouc pour amortir le choc. L'atterrissage allait être brutal.

Il plia les genoux, ses pieds touchèrent le sol et il se mit vite en boule pour faciliter la roulade. Il sentit comme si une masse géante venait de le frapper, la secousse traversant son corps tout entier – mais, quand il s'arrêta enfin, face contre sol dans l'herbe piquante aux odeurs sucrées, Jonah sut qu'il ne s'était rien cassé.

Le parachute lui tomba tout doucement dessus, et, après une minute anxieuse à ne rien voir et à chercher son souffle, Jonah trouva enfin la sortie dans les replis de la grande toile blanche.

Il sortit juste à temps pour voir les restes incandescents du dirigeable disparaître derrière un taillis d'arbres, laissant une traînée de fumée dans le ciel. Le sol sous Jonah trembla légèrement quand l'énorme bête blessée s'écrasa, nez devant.

Puis, pendant un temps, il n'y eut plus un bruit.

# 16

Matthew Granger était d'une humeur massacrante.

Le dîner — son premier repas digne de ce nom en trois ans, un steak saignant préparé par un grand chef français — venait d'être interrompu. Il avait donné l'ordre à son équipe de l'avertir quand la mort de Jason Delacroix serait confirmée, mais le Millénaire en treillis devant lui ne lui apportait que des spéculations.

— Nous avons trouvé le dirigeable, monsieur, dit-il.

— Des survivants ? demanda Granger, posant doucement sa fourchette sur la table, mais prenant soin de garder la main fermée sur son couteau à steak, bien en évidence.

— Nous ne pouvons le confirmer, répondit le Millénaire.

— Qui était en charge de cette opération ? demanda Granger, se levant de table et glissant le couteau dans un compartiment de sa jambe cybercinétique droite.

Un silence s'installa dans la salle des opérations quand Granger passa la porte. Deux douzaines de Millénaires se penchèrent plus avant sur leurs terminaux et firent de leur mieux pour ne pas croiser le regard de leur chef. Ils savaient, soit d'expérience ou par les rumeurs, qu'il ne fallait pas se trouver dans le champ de vision de Granger quand celui-ci avait reçu de mauvaises nouvelles.

— Je veux voir l'opérateur du drone qui a pris en chasse le vaisseau des Gardiens, exigea-t-il.

Un jeune homme à lunettes avec une tignasse de cheveux raides leva une main timide.

Granger fit de grands pas vers le terminal du programmeur et parcourut rapidement les pages remplies de données qu'affichait l'écran.

— Vous les aviez dans votre mire, dit-il d'un ton calme mais dangereux.

— Ou... oui, monsieur, bégaya le programmeur, mais je ne pouvais pas être sûr...

— Vous les aviez dans votre mire, répéta Granger. Et, selon le rapport que voilà, je vois qu'ils ont transmis un code d'autorisation périmé. Je vois aussi ici que, en réponse, vous avez choisi de tirer un coup de semonce ?

— Oui, monsieur, c'est exact, mais...

Granger parla entre des dents serrées.

— Nous sommes à l'aube d'un nouvel ordre mondial. La récompense pour nos travaux acharnés est à portée de main. Un seul homme peut nous empêcher de récolter notre prix — un traître à la cause, un terroriste. Vous aviez cet homme dans votre mire, et *vous avez tiré un coup de semonce* ?

Granger avait levé la voix en parlant, jusqu'à crier ces derniers mots. Le jeune programmeur était effrayé et muet, son visage livide.

— Sauf votre respect, monsieur, dit le Millénaire qui était venu chercher Granger. Le dirigeable a *été* détruit et la cible est presque assurément morte.

Granger s'en prit à lui.

— Jason Delacroix a survécu à bien pire. Il a eu tout le temps d'abandonner ce dirigeable et de s'échapper au sol !

— Nous avons détourné tous les drones disponibles vers la région, monsieur, et nous avons des sympathisants dans la *gendarmerie** française qui pourront…

Le Millénaire se tut en voyant Granger se désintéresser de lui, lui tournant le dos avec un reniflement méprisant.

— J'ai dédié ma vie entière à l'avènement d'un nouveau monde, ragea-t-il, un monde meilleur pour tous et chacun ! Et quand je place ma confiance en quelqu'un, elle me laisse tomber. Des gens comme vous, continua-t-il en revenant au programmeur qui tremblait maintenant, ne méritent pas de vivre dans le monde que j'ai bâti. Et vous ne le ferez pas !

Granger agrippa le programmeur et souleva son dos de chemise, révélant un port ID standard. Granger empoigna le couteau à steak et découpa l'anneau en plastique implanté dans l'épine dorsale. Sa victime se mit à crier tandis que Granger arrachait la prise d'Interface Directe.

Granger jeta l'ID sanguinolente par terre.

— Priez pour que je ne voie plus jamais votre avatar ! cria-t-il, pointant la porte au malheureux avec la lame de son couteau.

— Monsieur, pitié ! pleurnicha le garçon. Que… Qu'est-ce que je vais devenir ? Où vais-je…

— Je n'en sais rien, dit Granger. Et je m'en fous. Vous n'êtes plus rien maintenant. Rien. Allez vivre votre vie dans le vrai monde et crevez d'ennui. Vous n'êtes plus le bienvenu dans mon monde.

Personne n'osait parler et tout le monde retenait son souffle tandis que le programmeur sortait d'un pas traînant. Il avait la tête basse, ses mains plaquées sur le trou dans son dos. Il sanglotait.

Granger s'adressa à ses autres partisans, plus calmement cette fois :

— J'ose croire que vous avez tous tiré une leçon de ce qui vient de se passer. On ne joue pas à un jeu ici. Ce n'est pas un exercice que nous faisons. Nos actions des prochains jours décideront du futur de l'humanité. Nous apporterons enfin de l'ordre à l'existence humaine, ou nous périrons dans le chaos. Désormais, le doute n'a plus sa place, car le doute mène à l'erreur. Si vous n'êtes pas prêts à me jurer votre indéfectible et absolue loyauté, vous devriez quitter cette pièce sur-le-champ.

Comme il s'y attendait, personne n'osa même remuer.

Granger attendit un moment pour qu'on saisisse bien le poids de ses mots, puis rappela à tous que le cas Jason Delacroix avait la priorité sur toute autre opération. Il voulait qu'on le trouve, il le voulait mort, comme tous ceux qui auraient été en contact avec lui et quiconque pouvait avoir eu vent de ses secrets.

Granger retourna à ses appartements avec au ventre un mauvais pressentiment. Il se carra dans sa chaise, plaça la serviette sur ses genoux.

— J'ai besoin d'un nouveau couteau ! aboya-t-il.

Il n'avait pas prévu ce qui arrivait. Derrière les barreaux de sa prison, Granger avait vu grossir les rangs de ses ennemis, mais il n'avait pas pensé qu'ils trouveraient une arme secrète.

Il n'avait jamais imaginé que les Gardiens trouveraient Jason Delacroix, vivant de surcroît.

Il ne les laisserait pas gagner. Il avait attendu trop longtemps, s'était battu trop fort et s'était trop bien préparé pour qu'on lui mette maintenant des bâtons dans les roues.

Il y avait un terminal dans sa chambre, bien entendu. Granger se déchaussa en envoyant valser ses chaussures dans un coin, s'étendit dans son lit, prit un adaptateur neuf dans le tiroir de la table de nuit et se connecta.

Il ferma les yeux, et quand il les rouvrit, il était ailleurs : une salle de conférence aux murs blancs, avec une longue table polie, un grand écran et un refroidisseur d'eau. Il regardait la scène à travers les yeux de son avatar : une grosse araignée grasse, noire et poilue, d'un mètre et demi de haut. Granger considérait cette pièce comme le centre de sa toile.

La pièce n'avait ni fenêtre ni porte. La seule façon d'y accéder était d'en connaître le point d'origine dans la métasphère, ses coordonnées exactes — et celles-là n'étaient connues que de cinq personnes. Dès qu'il se fut habitué à sa nouvelle perspective, Granger lança l'exécution d'une sous-routine encryptée dans la séquence de code de son avatar, ce qui le mit en contact avec quatre autres avatars.

En attendant leur réponse, il se déplaça dans la salle, se délectant de l'aisance avec laquelle il savait étirer ses huit pattes. Certes, son système de marche cybercinétique était à la fine pointe de la technologie, mais le sentiment de marcher qu'il avait en ce moment était presque mieux que le vrai geste. C'était la liberté.

Ils arrivèrent un après l'autre, prenant forme comme par magie dans l'existence virtuelle, réunis autour de la table. Une grande tigresse blanche de Sibérie vint en premier, suivie d'un loup-garou à la gueule baveuse. Le troisième avatar avait l'apparence d'une araignée, comme Granger, mais celle-là plus petite et rouge. Le quatrième avatar à apparaître était une pyramide, avec un œil unique et bleu trônant en son sommet.

C'était là les plus loyaux lieutenants de Granger, les chefs des quatre armées qui l'aideraient à reprendre la métasphère. Prenant lui-même place à la table, il demanda à chacun de lui dresser un rapport de la situation.

— Je dispose d'une force de frappe forte de 60 unités assemblées à l'ouest, dit le loup-garou, et des renforts sont en chemin.

— J'ai 80 unités qui sont en route vers le Coin nord, dit la tigresse, bien que, vous le savez, nous avons une bonne distance à parcourir en partant de notre position.

— Nous ne notons aucune pénurie de sympathisants à notre cause dans l'est, dit la pyramide.

— C'est une très bonne nouvelle, dit Granger, car j'ai l'intention d'accélérer le calendrier. Je veux voir notre assaut commencer simultanément sur les quatre cibles, et ce, dans 24 heures.

— Monsieur, protesta l'araignée rouge. Je ne suis pas sûre que nous puissions... Vous savez que notre objectif se trouve à 1600 kilomètres de la grande ville la plus proche. Notre équipement, nos recrues sont...

— Vingt-quatre heures, répéta Granger. Je me fous de ce que ça prendra pour y arriver et du coût, mais vous serez prêts. Est-ce clair ?

— Oui, monsieur, fit humblement l'araignée.

Les autres acquiescèrent aux ordres, la tigresse de Sibérie se vantant même du fait qu'il suffirait d'un signe d'elle pour que ses hommes marchent la nuit durant s'il le fallait.

– Il nous faut agir vite, mesdames, messieurs, dit Granger. Au moment où je vous parle, les Quatre Coins sont entre les mains de gouvernements chancelants, autrement dit vulnérables. Mais les Gardiens connaissent l'emplacement des Quatre Coins et ils n'attendront plus longtemps avant de frapper. Je veux voir ces parcs de serveurs sécurisés dès demain.

– A-t-on quelque information sur le lieu où ils frapperont en premier ? demanda la tigresse.

– Ce pourrait être n'importe où, répondit Granger, mais le Coin sud gère les Téléversés, et si nous savons une chose des Gardiens, c'est qu'ils ont la fibre sentimentale. Je partirai moi-même vers le Coin sud pour diriger l'équipe en place.

L'araignée rouge ouvrit la bouche avec l'intention de protester, mais Granger lui imposa le silence d'un regard sombre.

Il donna ensuite congé à ses lieutenants, qui entrèrent chacun dans leur halo de sortie respectif et disparurent. Ils avaient beaucoup de travail à abattre dans le vrai monde.

Granger avait aussi beaucoup à faire, mais il s'attarda un moment. Il passa la main devant un mur de la salle de conférence, et celui-ci devint translucide. À travers le mur, il pouvait voir les tours d'une prospère métamétropole, et des volées d'avatars dans le ciel. Il aurait aimé sortir et voler comme eux, mais ce projet devrait attendre.

Granger ne pouvait pas se montrer dans la métasphère. Son avatar était trop connu. Heureusement, le mur était transparent que d'un seul côté. Bientôt, toutefois, quand ce monde lui appartiendrait à nouveau…

Il sourit intérieurement. C'était une chose tout à fait irrationnelle de s'être inquiété à propos des Gardiens. En fin de compte, ce n'était qu'une bande de révoltés désorganisés, s'accrochant à un vieux dogme dépassé. Dans leurs rangs, il n'y avait personne de sa trempe ou de son génie, aucun leadership, aucune vision d'avenir ou d'ensemble. *Alors qu'ils viennent*, pensa Granger. *Qu'ils viennent et nous verrons enfin qui arrivera le premier aux Quatre Coins !*

La course était engagée.

# 17

Un autre chasseur passa en trombe dans le ciel.

Les Gardiens se mirent à l'abri sous une haie en bataille. Jonah se jeta ventre à terre dans la poussière, s'égratignant les joues dans les ronces. Il était quand même heureux de pouvoir se reposer les pieds.

Quand le vrombissement des moteurs à réaction s'éloigna pour disparaître dans le lointain, ils dépoussiérèrent leurs habits et reprirent leur marche. Jonah avait l'impression qu'ils marchaient depuis des heures. Mais c'était peu probable, car le soleil était encore haut dans le ciel.

Les autres avaient atterri non loin de Jonah. Il les avait repérés depuis les airs et assez vite trouvés une fois au sol. On avait recouvert le parachute de Jonah d'herbes et de terre, afin qu'il ne soit pas repérable, vu du ciel. Ils étaient ensuite partis à pied dans la campagne française.

Sam avait pris la tête, se guidant à l'aide d'une boussole qu'elle avait sorti d'une poche de sa combinaison noire. Elle évitait les sentiers bien tracés, et longeait les champs plutôt que de les traverser, prévoyant toujours un lieu où se mettre à couvert.

C'était la première fois que Jonah se retrouvait dans un aussi vaste espace — du moins, dans le vrai monde. Ce décor donnait l'impression que Sam, Axel, Bradbury et lui étaient seuls au monde. Mais ils ne l'étaient pas, bien évidemment.

Ils durent bientôt se jeter dans un fossé quand un tracteur vint lentement passer sur un chemin. Derrière le volant, il y avait un vieil homme grisonnant en jean. Jonah pensa qu'il n'avait pas l'air d'un agent millénaire. Bradbury avait quand même sorti son fusil de son trench-coat et se tenait prêt à tirer. Jonah fut soulagé – pour le vieil homme surtout – en voyant que le tracteur passait sans s'arrêter.

Ils reprirent la route et virent bientôt une fermette aux murs peints à la chaux, ses volets tantôt verts, tantôt noirs.

– C'est là que nous attendons, confirma Sam.

Elle pressa le pas devant les autres et Jonah se dépêcha de la suivre, laissant Bradbury et Axel derrière.

– Tu allais me parler de ta mission quand le dirigeable a été attaqué, dit-il, content d'avoir ce moment pour discuter seul à seul avec Sam.

Sam fit oui de la tête.

– Il y a un homme à Shanghai, dit-elle. Il a inventé une façon de protéger la métasphère de tout contrôle extérieur. Un appareil. Il l'a baptisé le pont Chang.

– Tu devais aller en Chine ? s'étonna Jonah. En dirigeable ?

– Cet appareil, continua Sam, c'est tout ce dont les Gardiens ont toujours rêvé, une manière d'assurer que la métasphère reste à jamais gratuite. Le problème, c'est que nous l'avons peut-être trouvé trop tard. Granger est sorti de prison, et il nous reste encore à trouver les Quatre Coins. C'était la mission de ton père, mais quand il… quand il est mort…

— Il a emporté l'information avec lui, conclut Jonah.

— Jusqu'à maintenant, c'est ce que nous avions cru.

— Hum, fit Jonah. Axel, ton père… Il a dit qu'il y avait un moyen…

— Il veut te soumettre à une fouille complète, dit Sam. Il veut fouiller ta tête.

— On peut faire ça ? Comment ?

— Grâce à un logiciel développé il y a quelques années de ça, répondit Sam. On te branche à un terminal, et le programme scanne et convertit en données tout ce que ton cerveau contient, les organise et les indexe. Une fois l'opération terminée, on peut faire des recherches par termes précis.

— Des termes comme « les Quatre Coins », devina Jonah.

— Oui, si tu sais réellement où ils se trouvent. Et même si tu n'as pas conscience de l'information, si elle se trouve profondément enfouie dans ton subconscient, nous pouvons la trouver en quelques frappes.

— C'est dément ! Wow !

— Ne t'emballe pas trop vite, dit Sam. Le processus est douloureux comme un tournevis qu'on planterait dans ta matière grise, et il peut…

— Il peut quoi ?

— T'endommager, Jonah. De manière permanente.

Jonah se rappela combien Axel s'était empressé de proposer cette solution et se demanda s'il ne serait pas plus en sécurité seul, finalement.

— Merci d'avoir pris ma défense, dit Jonah. Contre ton père.

— N'en parlons plus, dit-elle, et Jonah lui sourit. En fait, n'en parlons jamais plus, ajouta-t-elle.

La fermette n'avait plus été habitée depuis un certain temps. On avait entassé quelques vieux meubles brisés dans le coin de la pièce principale, à côté du foyer, et un film de poussière recouvrait les planchers en bois franc. Jonah n'y remarqua aucune trace de pas.

— Vous appelez ça une planque sûre ? dit Bradbury sur un ton méprisant.

— Vois plutôt ça comme une « salle d'attente », répliqua Axel. Delphine n'est pas le genre de personne qu'on visite, c'est elle qui vient à vous.

Bradbury secoua la tête et prit position en retrait de la fenêtre, son fusil bien en main.

— Si tu veux te rendre utile, dit-il à Jonah, va jeter un œil à l'arrière, au cas où la *gendarmerie** rappliquerait.

Sam vit la confusion dans le regard de Jonah.

— La police militaire, expliqua-t-elle.

— Nous sommes en France, gamin, grommela Bradbury. Il leur reste encore ici un semblant de vraie société, sur le plancher des vaches du moins.

Axel était du même avis :

— Et tu peux mettre ta main au feu qu'ils feront enquête sur l'écrasement d'un dirigeable sur leur territoire.

En les écoutant parler de la France, Jonah repensait aux leçons de M. Peng. Il se rappelait que, grâce à une alliance commerciale avec l'Iran et la Russie, la France était l'un des derniers pays occidentaux qui pouvait encore compter sur de bonnes réserves de pétrole. Par conséquent, son gouvernement jouissait d'une grande stabilité comparé à la majorité des pays. Et les Gardiens…

L'organisation des Gardiens était illégale dans la plupart des pays. Si par malheur Jonah se faisait prendre avec trois conspirateurs comme ceux qu'il accompagnait à l'instant, il finirait sûrement ses jours derrière les barreaux.

*Rien d'étonnant à ce que Bradbury se montre aussi prudent,* pensa Jonah. Pour la première fois, Jonah prit conscience de la terrible vérité : le monde entier voulait leur peau !

Ils restèrent assis en silence, comme les quatre fugitifs épuisés qu'ils étaient, et Jonah regarda la lumière du jour s'affaiblir par les fenêtres qui donnait sur l'arrière de la fermette. À sa grande surprise, il sentit le sommeil l'emporter. Il fut réveillé par les gargouillements de son ventre, par la faim.

Puis il y eut un autre genre de grondement — celui d'un véhicule arrivant dans la cour arrière. Jonah entendit une porte s'ouvrir et la voix d'une femme qui hélait :

— Si vous ne voulez pas d'ennuis, il faudrait venir avec moi.

Il reconnut cette voix. C'était celle de l'avatar dans le château, celle de la chevalière.

— Delphine ! annonça-t-il aux autres en courant vers la porte arrière, ignorant Bradbury qui lui chuchotait de faire attention, d'attendre avant de sortir.

Jonah sortit de la maison et fut aussitôt aveuglé par une brillante paire de phares. Derrière les lumières, il pouvait seulement deviner les contours d'un camion en piteux état et une femme se tenant près de la porte du conducteur. Elle n'était pas comme Jonah l'avait imaginée. Elle avait 19 ans peut-être, et portait des lunettes vieillottes, ses cheveux noirs retombant doucement sur ses épaules.

— C'est bien vous, n'est-ce pas ? dit-il d'un air perplexe. Delphine ?

— Et tu dois être le *petit garçon** qui porte les vêtements de son père.

Delphine laissa tomber un long regard condescendant sur Jonah. On aurait dit un duel de western. Delphine sembla encore plus méfiante quand les trois amis de Jonah émergèrent de la fermette derrière lui. Bradbury gardait une main à l'intérieur de son trench-coat, nécessairement sur son fusil de chasse.

— *Merci de nous rencontrer**, dit Sam, surprenant Jonah par sa maîtrise de la langue française.

— Vous avez parlé d'information capitale, à l'intérieur de la tête du *garçon** ?

— De la plus haute importance, oui, dit Axel en levant quatre doigts.

— *Les Quatre Coins**, chuchota Delphine. Il faut partir maintenant. La *gendarmerie** a des hommes qui ratissent la campagne. On vous cherche.

Ce disant, elle ouvrit l'arrière du camion kaki et pressa Sam et les deux hommes d'embarquer, mais pas Jonah.

— Toi, tu ne sembles pas dangereux. Pas le moins du monde. Tu peux embarquer *avec moi**.

Jonah ne savait pas s'il devait y voir un compliment ou une insulte.

Chose certaine, le regard que Bradbury lui lança ne portait à aucun malentendu. Il disait : « N'en dis pas trop ! »

# 18

Delphine roulait pleins gaz et le camion filait sur de petites routes obscures et sinueuses. La suspension était bousillée et Jonah, malgré la ceinture de sécurité, était ballotté comme la bille de métal d'un jeu d'arcade.

— Bon, dit-elle finalement, je suis curieuse d'en savoir plus sur ton déguisement virtuel. Et si tu me racontais comment tu as fini dans la peau virtuelle de ton père.

Jonah ne voulait pas en parler et, d'ailleurs, il ne savait pas s'il pouvait faire confiance à Delphine ; il ne desserra pas les lèvres.

Comme ils approchaient des lumières d'une petite ville, la route devint plus droite et entretenue.

— Tu as décidé de te joindre à la Révolution ?

— Je... Je ne sais pas, marmonna Jonah. Peut-être.

— Tes amis Gardiens se battent pour une métasphère libre et gratuite. À mon avis, c'est une bonne chose pour notre planète. Ici, en France, comme dans bien d'autres pays, il reste des gens qui prônent les vieilles méthodes égoïstes et destructrices. La vie virtuelle est une vie sans effet de serre.

— Vous êtes une éco-guerrière ? demanda Jonah.

Delphine pinça les lèvres, amusée.

— Samantha ne t'a rien dit ?

— Seulement que vous êtes une alliée des Gardiens.

— Peut-être as-tu déjà entendu le nom *GuerreVert** ?

Oui, Jonah connaissait — et juste d'entendre le nom lui inspirait l'horreur.

— L'attentat à la bombe de l'hôtel à Vienne, l'année passée ? C'était...

— Non, je n'y ai pas participé moi-même, mais j'ai célébré le coup comme une glorieuse frappe pour notre cause.

— Mais... Mais beaucoup de gens sont morts dans l'explosion. Des victimes innocentes.

— Pas *innocentes**, trancha Delphine. Et il n'y pas eu « beaucoup » de victimes comparé aux centaines de milliers de vies perdues chaque année à cause du réchauffement climatique. Il y avait une conférence dans cet hôtel, où étaient réunis tous les producteurs de pétrole que le monde compte encore. Ce sont eux qui ont choisi de faire la guerre à la Terre — et, comme dans toutes guerres, il y a des victimes.

— Je crois que vous avez tort, dit-il.

Delphine lui indiqua la boîte à gants. Jonah l'ouvrit et en tira un genre de sac en jute noire.

— Mets-la, dit-elle, et Jonah vit que c'était une cagoule. Ce n'est pas une suggestion.

Jonah fit le reste du voyage en silence et dans le noir.

Après un temps, il sentit que Delphine tournait sur une route de gravier pour rouler un bref moment sur une chaussée lisse avant d'arrêter le véhicule.

— Remets-ça où tu l'as pris, ordonna-t-elle.

Jonah enleva la cagoule et vit qu'ils se trouvaient dans un garage. Sam, Axel et Bradbury sautèrent hors du camion et frottèrent leurs bras et leurs jambes couverts d'ecchymoses.

Delphine verrouilla le garage, puis les entraîna dans un labyrinthe de ruelles ténébreuses, vers une allée pavée derrière une rangée de vieilles maisons décrépites. Elle se hissa pour grimper une échelle menant à un escalier de secours rouillé, monta deux étages, puis disparut par une fenêtre à guillotine ouverte. Sam et Axel suivirent sans hésiter, contrairement à Jonah.

Il pensait encore à GuerreVert.

Jonah avait accepté de suivre Axel parce qu'après tout, même s'il était un Gardien, il avait été le meilleur ami de son père. Sam, elle, il l'avait aimée depuis le début. Jonah était prêt à croire qu'il s'était trompé toute sa vie, que les Gardiens n'étaient pas les méchants, car comment expliquer sinon que son père ait été l'un des leurs ?

Mais GuerreVert… On ne pouvait pas douter de ce que ces gens étaient.

Une violente envie de fuir monta en Jonah. Il voulait partir tandis qu'il le pouvait encore, partir avant d'être trop impliqué. Et il aurait sans doute tenté la fuite, si ce n'avait été de l'intimidante présence de Bradbury, derrière lui, attendant son tour pour grimper dans l'escalier de secours.

De toute façon, Jonah n'avait nulle part où aller dans ce pays étranger. Et qui d'autre voudrait encore l'aider ?

La fenêtre s'ouvrait sur le palier étroit et défraîchi d'un petit hôtel. Delphine avait disparu, mais une fille plus jeune avec une boucle bleue dans des cheveux blonds comme la paille guida Jonah en haut des marches. Elle l'amena dans un grenier exigu, avec un lit et un évier.

Il alla s'asseoir sur le bord du lit et plaqua ses mains contre sa figure. Il se sentait seul et confus. Qu'est-ce qu'il faisait là, au beau milieu de la France, avec des terroristes recherchés ?

Quelques minutes plus tard, Sam cogna à la porte de Jonah pour lui dire que le repas était servi au rez-de-chaussée. Il ne voulait pas y aller. Il ne se sentait pas capable de voir des gens, pas même Sam et surtout pas Delphine. Il voulait seulement dormir, dans l'espoir que les choses lui apparaissent plus claires au réveil. Cela dit, Jonah se sentait tenaillé par une telle faim que celle-ci finit par l'emporter sur la fatigue.

Au menu, il y avait du ragoût. En fait, c'était la pâte habituelle de protéines artificielles, mais cette fois accompagnée de véritables morceaux de pain croûté. Jonah s'attabla avec Sam, Axel, Bradbury, Delphine, la fille à la boucle bleue et deux autres personnes qu'il ne connaissait pas, un homme et une femme.

On se mit vite à parler de l'état du monde et des gouvernements, aussi d'une rumeur qui plaçait Matthew Granger à Paris — encore qu'on l'avait aussi aperçu dans trois autres grandes villes. Jonah engloutit sa nourriture sans prendre part à la discussion. Il dressa cependant l'oreille en entendant quelqu'un prononcer son nom de famille.

— ...j'ai toujours soupçonné qu'il était l'un des vôtres, disait Delphine.

— L'un de nos meilleurs, dit Axel.

— À l'évidence, oui, acquiesça Delphine, s'il a pu infiltrer à ce point et si longtemps l'organisation. Il a été le pilote de Matthew Granger pendant combien de temps ? demanda Delphine en parlant du père de Jonah. Quel informateur de choix !

— Il aurait été la plus grande taupe, dit Bradbury sans détour, s'il avait survécu assez longtemps pour nous livrer l'information.

— Oui, oui, fit Delphine, une fort regrettable tournure des événements… mais tout n'est pas perdu, à ce qu'on dit, non ? Jason Delacroix n'a-t-il pas réussi à transmettre ce qu'il savait au *garçon** ?

Jonah s'étouffa presque avec son ragoût. Bradbury lui lança un regard accusateur, et Jonah voulut protester qu'il n'avait rien dit à Delphine, qu'elle supposait, un point c'est tout. Mais quand il retrouva le souffle et put parler, c'était trop tard.

Delphine poursuivit :

— Le problème réside sûrement dans la manière d'extraire l'information. Si vous le souhaitez, je peux contacter un spécialiste qui pourra…

— On s'est occupé de tout, grogna Axel à travers une bouchée de pain. Nous allons lancer un protocole de recherche et fouiller la tête du gamin. Ce soir même.

Alarmé, Jonah regarda Sam de l'autre côté de la table. Elle semblait tout aussi surprise par l'annonce de son père.

Delphine soupira.

— C'est dommage que votre agent n'ait pas tué Granger quand il en avait la chance. Quelle négligence de sa part d'avoir perdu la vie plutôt que de lui ôter la sienne. S'il avait été l'un des nôtres…

— C'est de mon père que vous parlez.

Jonah n'avait pas l'intention de dire ces mots à haute voix, mais n'avait pas eu la force de les garder à l'intérieur. Il avait parlé tout bas, mais tout le monde avait entendu, et tout le monde s'était retourné vers lui. Sa première réaction fut de se tortiller sur sa chaise, mal à l'aise d'attirer toute cette attention. Mais il se reprit rapidement et la confiance mena vite à la défiance.

— J'ai dit, c'est de mon père que vous parlez ! répéta-t-il, cette fois avec assurance. Et, Gardien ou pas, il n'aurait jamais… Je sais qu'il n'aurait jamais pu tuer personne. Et il n'aurait jamais travaillé avec des gens capables de meurtres. C'est des gens comme vous qui l'ont tué !

Il repoussa son assiette, se leva et se rendit vers la porte avec les poings serrés.

Il entendit la voix de Sam derrière lui :

— Jonah…

Il s'arrêta dans le cadre de porte et se retourna vers eux tous, vers leurs visages stupéfaits. Tous les regards étaient levés vers lui.

Il regarda Axel.

— Et vous. Je ne sais pas ce que mon père a vu en vous, mais je ne vous laisserai pas toucher à mon cerveau.

Il se retourna ensuite et monta calmement les marches jusqu'à la chambre au grenier.

# 19

Il y eut un coup importun à la porte de Jonah.

— Fichez-moi la paix ! cria-t-il.

Il était couché dans son lit, serrant ses oreillers dans ses bras. Son cœur battait encore à la suite de l'incident dans la cuisine au rez-de-chaussée.

La porte s'ouvrit. Jonah leva les yeux, espérant bien malgré lui que ce fut Sam qui venait le voir. C'était Axel.

— C'est des mots plutôt durs que tu m'as servis là, dit Axel. Mais je ne peux pas dire que je ne les méritais pas. Peut-être.

— Peut-être ? rétorqua Jonah.

— D'accord, probablement que je les méritais. Mais tu ne m'en feras pas dire plus.

Jonah se garda bien de répondre. Il savait qu'Axel voulait jouer dans sa tête, et il n'allait pas le laisser faire.

Axel retourna une chaise et s'y assit, appuyant ses coudes sur le dossier. Jonah restait sans bouger.

— Écoute, je suis juste venu voir si tu allais bien.

— Non, dit Jonah, ce n'est pas pour ça que vous êtes là. Vous êtes venu en espérant me convaincre de vous laisser fouiller ma mémoire. Vous espérez trouver d'autres endroits à faire exploser. D'autres personnes à tuer. Eh bien, vous perdez votre temps.

— Hé ! Tu vas m'écouter, fiston, dit Axel.

— Je ne suis pas votre fils, cracha Jonah. Je ne suis le fils de personne ! Plus maintenant.

— Je sais que ce que Delphine a dit t'a choqué, mais je pense que...

— Vous aviez presque réussi à me convaincre... à bord du dirigeable, en disant que mon père était l'un des vôtres, qu'il était mort pour les Gardiens. Mais c'est faux. Mon père n'est pas mort pour les Gardiens. Les Gardiens l'ont tué !

— Non, non, Jonah, ce n'est pas ce qui est arrivé.

— Si ce n'est pas les Gardiens qui l'ont fait, alors, c'est des gens comme ceux de GuerreVert, c'est quelqu'un comme Delphine, et vous... Vous êtes heureux de travailler avec eux, en sachant très bien ce qu'ils sont.

— Jonah, personne n'a jamais revendiqué les attentats de l'aéroport, dit Axel. Tu dois le savoir. Les médias ont blâmé les Gardiens, mais...

— Qui d'autre auraient-ils dû blâmer ? Les Millénaires ? Croyez-vous vraiment qu'ils essaieraient d'assassiner leur propre chef ? Les Millénaires devaient savoir que monsieur Granger volait vers Londres ce jour-là — que mon père poserait son avion à Heathrow.

— Les Millénaires ont tué ta mère, Jonah. De ça, nous sommes certains.

Comme si Jonah avait besoin qu'on le lui rappelle. Il enfonça sa figure plus profondément dans ses oreillers et se força intérieurement à ne pas pleurer.

— Ça ne t'aidera peut-être pas d'entendre ce que je vais te dire, dit Axel, mais Delphine a perdu ses parents, elle aussi. Elle avait six ans quand l'île Maurice a finalement été avalée par la mer. Il n'y avait pas assez de bateaux de sauvetage. On l'a embarquée avec les autres enfants. Sa mère avait promis d'embarquer sur un autre bateau. C'est cette énergie qui anime Delphine, Jonah. Pour le génocide de son peuple et le meurtre de sa famille, Delphine blâme tous ceux qui pilotent des avions, qui forent la terre pour en extraire du pétrole ou qui manufacturent du plastique.

— Ça semble dans ses cordes, dit Jonah, de faire sauter un aéroport.

— Peut-être, reconnut Axel. Mais penses-y un instant. Si GuerreVert avait commis les attentats, ne crois-tu pas que ses membres l'auraient crié haut et fort et sur tous les toits ?

À nouveau, Jonah trouva qu'il n'avait rien à répondre à cela.

— Nous avons besoin de Delphine, dit Axel. Et bordel, tu ne peux pas savoir comme j'aimerais que non ! Tu sais que ce n'était pas notre plan. Nous devions faire voler le dirigeable jusqu'en Iran, et de là sauter à bord d'un avion pour la Chine. Mais c'est raté, et on ne peut plus revenir en arrière. Notre contact à Téhéran ne nous attendra pas. Les Millénaires sont échauffés et ça grouille de partout. Delphine est la seule à pouvoir encore nous aider.

— Comment ?

— Elle peut nous amener en avion jusqu'à Moscou, annonça Axel, ce qui incita Jonah à relever la tête pour regarder son interlocuteur, qui lui sourit en retour. Ouais, je sais. Elle dit que du moment que c'est pour la bonne cause…

Jonah s'assit dans le lit et ramena ses genoux contre sa poitrine.

— Qu'est-ce qui arrive rendu à Moscou ?

— On a des contacts là aussi, dit Axel.

— D'autres tueurs?

— Je sais comment tu te sens, crois-moi, dit Axel, mais Delphine a raison sur un point. C'est la guerre et nous devons combattre pour le futur de notre monde — de nos deux mondes —, c'est une guerre que nous ne pouvons pas nous permettre de perdre. Si ça nous oblige à faire quelques compromis, si ça veut dire que des personnes seront blessées... Voilà, j'espère que tu arriveras bientôt à comprendre ça, ou du moins à l'accepter.

— Je ne veux tuer personne, dit Jonah d'une voix ferme. C'est mal.

— On croirait entendre ton père.

— Vous le connaissiez bien, n'est-ce pas? dit Jonah.

— Nous étions les meilleurs camarades au monde à l'école de pilotage, puis à la RAF. Nous veillions toujours l'un sur l'autre. Nous faisions souvent des missions d'escorte aérienne ensemble, histoire d'assurer le passage des vieux pétroliers dans le golfe Persique.

— Je me rappelle, dit Jonah. Mon père disait que les pétroliers étaient des cibles faciles pour les pirates, les gouvernements rivaux et les... éco-terroristes.

— Ne le dis surtout pas à Delphine, chuchota Axel avec un clin d'œil complice, mais ton père et moi, quand nous étions dans l'armée, nous avons dû couler, juste à nous deux, au moins une douzaine de navires GuerreVert.

— Pourquoi mon père a quitté l'Air Force? demanda Jonah.

— C'est pourtant évident, dit Axel. À l'époque, la métasphère gagnait en popularité et prenait de l'ampleur. Jason et moi, nous passions tous nos temps libres à surfer. Nous croyions en ce que Matthew Granger bâtissait. Tout le monde y croyait. Dans le vrai monde, les pétroliers sortaient moins nombreux et moins souvent en mer, et rares étaient ceux qui venaient jusqu'au Royaume-Uni. On commençait à voir partout des pénuries de nourriture et des émeutes. Ton père et moi, nous nous battions dans une bataille perdue d'avance. Mais, dans le monde virtuel, Jason a rencontré une fille.

— Ma mère, comprit Jonah, qui connaissait cette histoire.

— Jason voulait revenir vivre à Londres, dit Axel, où Miriam vivait. Il a quitté l'armée et est allé travailler pour une compagnie d'aviation commerciale basée à Heathrow. Il m'a trouvé un job aussi, dans la même compagnie. C'était le bon temps, et on se retrouvait presque tous les soirs à l'Icare. C'était toute la beauté de la métasphère. Que nous nous trouvions à Singapour ou à Hong Kong, nous pouvions toujours nous retrouver à l'Icare autour d'un verre virtuel entre camarades.

— Est-ce que c'est à cette époque que… Je veux dire, comment avez-vous…

— Comment c'est arrivé, nous et les Gardiens ?

Jonah hocha la tête.

— Est-ce que c'est mon père qui a…

— Ils m'ont approché en premier, dit Axel. Jason n'était pas souvent dans les parages durant ce temps. Quelque chose à voir avec le fait que Miriam était enceinte, je crois.

— Oh, fit Jonah.

— Ce qu'il faut que tu saches à propos de ton père, Jonah, c'est qu'il pensait toujours au futur. Pas comme moi. Moi, je ne regarde pas plus loin que le bout de mon nez, sauf peut-être pour me demander où je peux prendre une prochaine pinte de bière. Tu en parleras à Sam. Mais Jason, lui, il pouvait voir le monde tourner, comprendre comment il changeait. Il avait compris que le monde n'aurait bientôt plus besoin de pilotes, plus besoin de nous, car personne ne pourrait se payer le luxe de voler.

— Vous étiez les derniers de votre espèce, dit Jonah.

— Tu te rappelles qu'il disait ça, toi aussi ?

— Je n'en suis pas sûr. Je ne suis pas sûr que c'est mon souvenir ou… le sien.

— Il avait raison, tout de même. Jason, il voyait venir. Il a encaissé l'argent de sa pension et l'a changé en métadollars pour acheter la boutique de cadeaux. Et les affaires ont vraiment bien fonctionné pendant un temps.

— Tu disais, demanda Jonah, à propos des Gardiens ?

— Jason parlait toujours, dit Axel, surtout après ta naissance. Il voyait comment Granger accaparait toujours plus de pouvoir. Il disait d'ailleurs que quand tu serais grand…

— …le monde virtuel serait un gâchis aussi grand que le vrai, dit Jonah.

— C'est ça.

— Je sens combien mon père se sentait frustré, comment il voulait…

— J'ai rejoint les rangs des Gardiens sur un coup de tête, l'interrompit Axel. Ça me semblait excitant, et c'était une façon pour moi de continuer à voler. C'est bien moi, ça. Mais Jason… Il m'a convaincu à la cause. Donc, quand ils ont eu besoin de quelqu'un… Quand le job de pilote privé pour Granger s'est libéré, ils m'ont demandé de recruter ton père, comme c'était évident qu'il était le seul de nous deux à avoir une chance d'être engagé.

— Il ne voulait pas le faire au début, dit Jonah. Il savait que c'était dangereux. Il... Il ne voulait pas que j'aie à grandir sans lui.

Jonah avait le sentiment d'être à deux endroits à la fois. Il pouvait voir Axel dans la pièce au grenier, ses tempes grisonnantes et sa figure fatiguée, mais il le voyait aussi en plus jeune homme, plein d'énergie et d'enthousiasme.

— Tu es en train d'accéder à ses souvenirs, pas vrai, fiston ? dit Axel.

Axel avait raison. Jonah revivait des moments de la vie de son père. Des souvenirs en images fugitives : il parlait à Axel, une discussion, puis une dispute avec Miriam, et l'entrevue pour un travail avec Matthew Granger. C'était désorientant, déroutant. Jonah n'y avait pas accès à volonté, mais tout était là, les souvenirs de son père, inscrits dans son propre cerveau.

— Peut-être que Sam avait raison. Peut-être que nous n'avons pas besoin du programme de recherche en fin de compte. Si tu peux...

— Non, dit Jonah. Je me rappelle seulement par bribes. Je... Je veux que vous le fassiez. La fouille, je veux dire.

Axel souleva un sourcil incrédule.

— Tu es sûr de ce que tu dis ?

— Je suis sûr, répondit Jonah.

Mais la vérité, c'était que Jonah n'était pas sûr du tout. Il n'était plus sûr de rien. Cela dit, Jonah avait effleuré les souvenirs de son père, et il avait ressenti l'amour profond qu'il lui portait. Après tout ce qu'il avait enduré, après tout ce qu'il avait perdu, c'était un cadeau inestimable. Et il avait senti aussi combien Jason Delacroix était déterminé à créer un meilleur monde, un monde dans lequel son fils pourrait vivre, et ce, peu importe les risques.

Jonah croyait savoir à présent ce que son père aurait voulu qu'il fasse.

— Faisons la fouille, répéta-t-il. Avant que je ne change d'idée.

— O.K., fiston, dit Axel. Mettons-nous au travail.

Dans le petit hôtel, la chambre de Sam était un étage sous celle de Jonah, et deux fois plus grande. On y trouvait un fauteuil poussiéreux et une armoire-penderie. Mais surtout, il y avait un terminal informatique. Jonah s'assit dans le fauteuil, refermant nerveusement les mains sur les accoudoirs.

Il s'était connecté, mais n'avait pas encore établi de point d'origine. Par conséquent, il ne pouvait pas compléter sa transition vers la métasphère. Il ne se sentait pas non plus tout à fait ancré dans le vrai monde. La pièce avait pris un aspect étrange, comme dans un rêve.

Bradbury avait branché sa propre tablette dans le terminal et fronçait les sourcils en la consultant. Axel arpentait la pièce, puis s'arrêtait sur le pas de la porte. Il avait demandé à quatre autres reprises si Jonah était certain de vouloir aller de l'avant. Sam s'était assise sur le lit tout près de Jonah. Tout doucement, elle lui avait détaché les doigts qui se crispaient sur l'accoudoir et lui tenait maintenant la main. Son soutien était le bienvenu.

— Il y a un problème, marmonna Bradbury.

Axel approcha vite de Jonah.

— Sors-le de là, tout de suite !

— Non, c'est pas ce genre de problème. Le gamin est plutôt en sûreté. C'est le programme.

— Qu'est-ce qui bloque ? demanda Sam.

Bradbury grinçait des dents de frustration.

— Le programme n'arrête pas de geler. J'accède au relevé des erreurs, mais cela n'a aucun sens. C'est comme si...

Axel se pencha par-dessus l'épaule de Bradbury.

— L'ordinateur montre deux avatars : celui de Jason et... c'est toi ça, gamin ? Tu avais un humatar ?

Jonah ne put s'empêcher de glousser, se sentant la tête légère. Il avait le sentiment d'être au-dessus de tout ce qui se passait autour de lui.

— C'est ce que monsieur Collins a dit, dans le bus, à la maison. Deux avatars.

— Je ne vois pas comment c'est même possible, Axel, dit Bradbury, mais il semble que la séquence de code de l'avatar de ton ami Jason n'a pas opéré l'écrasement des données de l'avatar du gamin. Je ne sais pas comment, mais il les héberge tous les deux à la fois dans son cerveau.

— C'est impossible, dit Sam. Personne ne peut retenir deux avatars dans un seul cerveau.

— Bradbury, tu as déjà entendu parler d'un truc pareil ? demanda Axel.

Bradbury secoua la tête.

— Pas plus que l'ordinateur, expliqua-t-il. Le processeur est incapable de séparer les souvenirs du gamin de ceux de son père. Il refuse d'exécuter le programme de classement et de recherche.

– Il n'y a aucun moyen de contourner le problème ? demanda Axel.

– Aucun, dit Bradbury, qui tira sec sur sa tablette, et le cordon suivit, la déconnectant du terminal. Mieux vaut se l'avouer, Axel. Ce n'est pas comme ça que nous trouverons les Quatre Coins ; ce qui veut dire que nous n'avons plus aucune chance de les atteindre avant Granger et ses Millénaires.

– Ce qui veut surtout dire que nous perdons la guerre, dit Axel.

# 20

Le matin suivant, ils quittèrent le petit hôtel par l'escalier de secours. Delphine les attendait en bas avec le camion. Il n'y avait personne d'autre autour.

Jonah n'adressa pas un mot à Delphine. Cette fois, il embarqua à l'arrière avec les autres. Il se sentait mieux après une nuit de repos, bien qu'un peu coupable aussi. Il savait que ce sentiment n'était pas rationnel, mais il avait l'impression d'avoir déçu tout le monde. Et de ne pas avoir été à la hauteur de son père.

Il demanda à Axel où ils allaient.

– Je te l'ai dit hier, répondit Axel. Delphine a mis un avion à notre disposition.

– Nous allons toujours à Moscou ? dit Jonah. J'avais cru que...

– Nous ne sommes pas les seuls Gardiens à chercher les Quatre Coins, expliqua Sam. Nous avons des agents un peu partout.

– Et, quand ils les trouveront... commença Axel.

– S'ils les trouvent, le corrigea Sam.

– Ça arrivera un jour, dit Bradbury. Et quand le moment viendra, nous devrons être prêts. Nous aurons besoin du pont Chang.

La conduite de Delphine était plus agressive que jamais, et Jonah devait se caler contre la cage de roue pour ne pas être bringuebalé. Ce fut pour lui un réel soulagement quand le camion s'arrêta enfin et que, après un moment, l'arrière fut ouvert.

— Nous y sommes ! annonça Delphine.

Jonah entendait d'autres moteurs tourner. En sortant du camion, il se retrouva sur une surface bitumée et resta bouche bée devant la scène.

Il n'avait jamais vu autant d'avions de toute sa vie. Il y avait des appareils partout autour de lui, peut-être huit ou neuf. Delphine avait conduit le camion au beau milieu d'une aérogare.

L'un des avions avalait du carburant d'un camion ravitailleur. L'odeur inhabituelle des vapeurs d'essence brûlait la gorge de Jonah. Un autre avion était guidé hors d'un hangar par un homme en combinaison verte bougeant une paire de bâtons lumineux. Il y avait des gens qui s'affairaient ça et là, courant et se criant après en français. L'un d'eux, un homme qui semblait trop jeune pour porter la moustache, s'approcha de Delphine. Il glissa discrètement sa métacarte dans le lecteur portatif. La machine émit un tintement une fois la transaction complétée. C'est seulement après que le jeune homme daigna saluer les quatre compagnons de Delphine d'un bref hochement de tête pour ensuite les inviter à se diriger vers les appareils garés.

Quand Jonah se rendit compte que Delphine ne les accompagnerait pas, elle les avait déjà quittés. Il la vit remonter dans son camion et n'en éprouva aucune tristesse.

Par ailleurs, il s'imaginait mal comment une militante de GuerreVert avait les moyens de se payer un avion. Jonah ne fut pas trop surpris quand ils passèrent tout droit devant les jets aux fuselages rutilants blancs et argent pour aller dans un coin où se trouvait un vieux turbopropulseur déglingué. L'avion semblait balourd et misérable en comparaison des jets étincelants, avec sa peinture écaillée rouge, blanche et bleue.

— Hiram! cria le jeune moustachu. *Ils sont ici**!

Le pilote sauta du cockpit pour venir les saluer. Il avait les cheveux gris, un teint sain et basané et devait avoir 50 ans. Il portait une chemise à col ouvert et un short.

— Salut tout le monde! dit le pilote qui parlait avec la voix traînante des Américains. Et bienvenu à bord du *Fourth of July*. Je m'appelle Hiram. Vous allez à Moscou, si je ne m'abuse?

Jonah posa une main sur le fuselage de l'avion et un flot subit de souvenirs se déversa devant ses yeux, des souvenirs qui n'étaient pas les siens. Il se vit aux commandes d'une centaine d'avions semblables à celui-ci, réalisant toutes sortes de manœuvres acrobatiques.

Les images menaçaient de le submerger. Il arracha vite sa main du fuselage et secoua la tête pour faire le vide.

Jonah n'était jamais monté à bord d'un vrai avion.

Ce n'était pas comme dans la métasphère. Et cela n'avait rien à voir avec le vol d'un dirigeable.

Son estomac devint comme une roche quand l'appareil quitta le sol. Et quand il fut enfin en l'air, les turbulences se mirent de la partie. Le petit avion était soufflé par le moindre vent de travers et secoué à chaque trou d'air. Jonah eut même peur d'être malade.

Pour aggraver les choses, le cockpit ne comptait que quatre sièges. Jonah avait dû se caler à croupetons entre les deux sièges arrière, entre Sam et Bradbury.

— J'ai rempli le plan de vol vers la Tunisie, cria Hiram par-dessus le hurlement des moteurs. Nous volerons plus ou moins plein sud, mais changerons de cap une fois en sécurité au-dessus de la Méditerranée. Ça devrait tenir à carreau ces foutus intercepteurs millénaires !

Sam ne cessait de regarder Jonah, l'air inquiet. Il la regardait à son tour, s'efforçant de lui sourire, prétendant que tout allait bien. Mais elle n'était pas dupe.

Au moment où Jonah pensa ne plus pouvoir en supporter davantage, il sentit une grande sérénité l'envahir, une quiétude profonde qui naissait quelque part en lui. C'était les souvenirs de son père. *Papa adorait voler.* Jonah ferma les yeux et rêva — ou peut-être était-ce qu'il se souvenait — d'un millier d'autres vols comme celui-là, d'un millier de ciels bleus. C'était une sensation incroyable et Jonah voulut s'y accrocher. Mais plus il essayait, plus elle lui échappait.

— La Terre appelle Jonah ! dit Sam pour rigoler. Quelle est votre position ?

— Nulle part, marmonna Jonah… et partout à la fois.

À côté de lui, Bradbury était plongé dans une méta-transe. C'était bon de savoir qu'un vieux coucou pareil disposait d'un émetteur de liaison satellite. Il y avait trop de bruits dans le cockpit pour qu'Axel et Hiram puissent surprendre une conversation ; Jonah avait une nouvelle occasion de parler en privé avec Sam.

— Alors, dit-il, cette machine, le pont Chang... qu'est-ce que c'est ?

— C'est une unité de sauvegarde : la première avec assez de mémoire pour sauvegarder l'ensemble du monde virtuel.

— Une copie de la métasphère ? souffla Jonah, subjugué par l'idée même que cela soit possible.

Cela dit, il ne comprenait pas pourquoi les Gardiens rêvaient d'un tel outil.

— Mais pourquoi ? À quoi ça vous avancerait ?

— Tu ne comprends pas ? Si nous avons une sauvegarde de la métasphère, nous pouvons construire de nouveaux parcs de serveurs pour faire fonctionner la copie, hors des mains de Granger.

— Vous espérez construire vos propres Quatre Coins ! constata Jonah.

— Pas juste quatre, Jonah. Des millions.

— Mais alors, qui... Qui les gérerait ?

— Personne, répondit Sam. C'est là tout le but de la chose, Jonah. Personne ne ne le pourrait, une personne seule ne pourrait pas le gérer. Si la métasphère était générée par des millions de serveurs éparpillés dans le monde entier, alors il ne pourrait jamais y avoir une seule personne à sa tête.

— Donc, la métasphère serait...

— Comme elle devrait être : gratuite et démocratique ! déclara Sam. Elle sera la propriété de ses propres utilisateurs, jamais plus celle des gouvernements, et encore moins des Millénaires. Il y aurait une seule façon d'altérer ses codes sources : avoir le consentement de tous.

Pensif, Jonah hocha la tête.

— Vous devez donc agir vite, avant que monsieur Granger n'ait la même idée, avant qu'il ne se procure sa propre unité de sauvegarde.

— C'est la situation, oui, acquiesça Sam. Avec un peu de chance, il nous reste du temps. Selon nos informations, monsieur Chang est le seul à avoir la technologie pour…

— Monsieur Chang ? répéta Jonah. Tu parles *du* monsieur Chang ?

— Bien sûr. De qui croyais-tu que je parlais ?

— Je suppose que j'aurais dû comprendre, quand tu as parlé du pont Chang.

— Monsieur Chang est l'ennemi juré de Matthew Granger, dit Sam. Il a toujours défendu l'idée que le monopole de Granger sur la métavie était mal. Es-tu à ce point surpris qu'il puisse soutenir la cause des Gardiens ?

— J'imagine que non, répondit Jonah. Je fréquente… Je fréquentais l'une de ses écoles.

— Une des académies Chang ?

Sam semblait vraiment impressionnée.

— Un autre endroit où je ne pourrai jamais retourner, soupira Jonah.

— Tu ne sais pas. Peut-être qu'un jour, quand tout sera fini…

— Peut-être, dit Jonah. Mais ce ne sont plus que des souvenirs maintenant, pas vrai ?

*Des souvenirs…* Jonah venait d'avoir une idée.

Il était incapable d'évoquer consciemment les souvenirs de son père, mais s'il pouvait y arriver inconsciemment ? Après tout, il l'avait déjà fait, à Dover, et en discutant avec Axel. Sur l'île des Téléversés aussi. Et lors de toutes ces occasions, saisissait maintenant Jonah, il était en présence d'une réalité que son père aurait trouvée familière. C'était sûrement cela, la manière d'accéder à sa mémoire.

— Est-ce que ça te gêne si j'ouvre une session ? demanda-t-il à Sam.

Sam haussa les épaules.

— Mais sois prudent là-dedans, dit-elle. Ne te fais pas scanner. Et ne t'avise surtout pas de parler aux carouges, si jamais tu en croises.

Jonah prit un adaptateur stérile dans une des pochettes du siège de Sam, et y replongea la main pour prendre un câble enroulé.

— Il y a quelque chose que je dois absolument vérifier, expliqua-t-il.

Cette fois, il s'attendait à apparaître au-dessus de l'eau.

Jonah vola en rasant la surface des flots et se posa dans un amerrissage sans heurt près des côtes de l'île des Téléversés. Il replia ses ailes de dragon dans son dos et partit en quête de sa grand-mère.

Il ne la trouva d'abord nulle part.

En temps normal, ce fait ne l'aurait pas inquiété le moins du monde. Sa grand-mère aimait parfois se balader vers l'intérieur de l'île, bien que ses balades ne se soient jamais éternisées et qu'elle revint toujours à ce même endroit. Jonah ne put s'empêcher de remarquer à quel point — et c'était comme s'il le découvrait pour la première fois — cette étendue de plage était bondée.

La plupart des avatars que Jonah voyait autour de lui étaient des Téléversés, comme on pouvait s'y attendre, mais il y avait aussi des visiteurs comme lui… et s'il y avait parmi eux des espions millénaires ? Il jeta un œil derrière lui pour voir son halo de sortie. Cette fois, il ne referait pas l'erreur de trop s'en éloigner – et il ne révélerait surtout pas sa localisation dans le vrai monde.

Ce fut un réel soulagement que d'entendre le petit rire familier de mamie.

– Je suis contente de te voir, Jason, dit sa grand-mère en prenant Jonah dans l'étreinte rugueuse de sa trompe d'éléphant. Tu ne me rends plus beaucoup visite ces derniers temps.

Ils allèrent s'allonger à l'ombre d'un palmier pour discuter.

Aujourd'hui, la mémoire de mamie semblait figée dans ses plus jeunes années. Elle parlait de ses anciens amis d'école, et d'un jeune garçon de Manchester gentil comme tout qu'elle avait rencontré avant de marier le grand-père de Jonah.

– Dans ces temps-là, dit mamie, la seule manière que nous avions de nous voir, c'était sur des écrans plats d'ordinateur, à travers ces gadgets qu'on appelait webcaméras.

En toute autre circonstance, Jonah aurait pris plaisir à écouter les histoires de sa grand-mère ; aujourd'hui, toutefois, il y avait plus important à faire.

– Comment elle était, *mon* école, maman ? demanda-t-il.

Il n'aimait pas prétendre être son père, surtout pas devant elle, mais c'était la voie la plus simple.

Mamie sembla confuse et regarda Jonah comme si elle tentait de se rappeler qui il était. Puis ses yeux s'éclaircirent et elle dit :

— Je sais que tu n'es pas heureux dans cette école, Jason. J'aurais tant aimé avoir les moyens de t'offrir une éducation en ligne, mais…

— Je sais, dit Jonah en lui souriant. Je sais aussi que je n'étais pas le plus sage des enfants. C'était une torture pour moi de rester assis en classe. Je regardais toujours par la fenêtre, rêvant que je grimpais au ciel, que j'étais libre.

Le changement se produisait déjà. Le simple fait de parler de son père, d'entendre sa vie racontée, éveillait des souvenirs enfouis dans le cerveau de Jonah, les ramenant à sa conscience.

Il pressa mamie d'en dire plus. Il l'encouragea avec quelques menus détails sur ce dont il se souvenait de l'enfance de son père, en y ajoutant d'autres bribes de « souvenirs » qu'il découvrait au fur et à mesure. Ils discutèrent de la RAF, de la mère de Jonah et de la boutique de cadeaux.

Pendant ce temps, Jonah essayait de se rappeler l'emplacement des Quatre Coins.

Il n'y arrivait pas.

— Quelque chose te tracasse, n'est-ce pas ? dit mamie. Je l'ai toujours su quand tu filais un mauvais coton.

— Je crois que j'ai besoin… Ces souvenirs, ils sont trop vieux. J'ai besoin de te parler de ce qui est arrivé après que j'eus acheté la boutique de cadeaux. Après la naissance de Jonah.

— Comment va le petit Jonah ? Il me manque tant. Est-ce qu'il a fait ses premiers pas ? À cet âge-là, tout change si vite. Surtout toi, Jason. C'était fascinant la vitesse à laquelle tu grandissais.

— Essaie de te souvenir. Je sais que... Je sais que tu n'étais plus là à l'époque, mais papa avait l'habitude de... Je veux dire, j'avais l'habitude de venir te visiter à chaque semaine. J'ai dû te dire des choses sur ma vie. Est-ce que j'ai parlé d'un homme, d'un certain Granger ? Matthew Granger ? Je t'ai sûrement parlé de lui. Est-ce que tu te souviens de ce que j'ai dit à propos de lui ?

Mamie eut son petit rire familier.

— Oh, mon chéri, tu sais ce que c'est, quand on a mon âge. La mémoire nous joue des tours. D'ailleurs, je me rappelle à peine...

— S'il te plaît. C'est important. J'ai besoin que tu te souviennes !

— Vraiment ?

Mamie regarda Jonah. C'était le même regard qu'elle avait posé sur lui lors de sa dernière visite. Ce regard qui lui faisait croire qu'elle en savait beaucoup plus qu'elle ne l'aurait dû.

— Parce qu'il me semble, mon chéri, que toi, tu as oublié quelque chose.

— Je... J'imagine que tu as raison, dit Jonah.

— Bien, voyons ce que nous pouvons faire pour arranger ça. Je connais un petit truc qui m'aide quand il faut vraiment, mais vraiment, que je me souvienne de ce que j'ai oublié. Ferme les yeux, mon chéri. Ferme les yeux, prends de longues et profondes respirations et écoute ma voix...

Jonah suivit les instructions de sa grand-mère.

Il s'assit sur la plage, son menton rabattu sur sa poitrine de dragon, le soleil chaud sur ses écailles, et il se laissa bercer par les douces intonations de sa voix calme jusqu'à ne plus vraiment entendre ses mots. Bientôt, il lui sembla nager dans une mer de rêves.

Il y avait des visages, des endroits, passant derrière ses paupières closes dans une sorte de brouillard. Il résista à l'envie de se concentrer sur une image particulière, sachant que, ce faisant, elles lui échapperaient toutes. Jonah attendit patiemment que le défilement des images ralentisse de lui-même et il put bientôt commencer à y trouver une logique, un sens.

Il vit mamie quand elle était jeune, accompagnant Jason sur le chemin de l'école, une rue animée avec beaucoup de voitures et de bus. Il y eut ensuite l'image de sa mère, plus jeune elle aussi : elle tenait fièrement son ventre rond. Puis un bébé. Jonah retint son souffle en comprenant que le nouveau-né sur lequel il baissait les yeux, c'était lui.

Dans la salle d'attente d'un hôpital, un homme lui offrait un cigare. C'était Axel, avant ses cheveux gris et sa barbe. Tandis qu'il le regardait, une porte s'ouvrit sur un autre flot de souvenirs : l'école de pilotage, les exercices dans les rangs de la RAF, l'Icare. Vinrent ensuite des images d'aéroports et de pistes d'atterrissage. La première idée de Jonah fut de revenir en arrière, pour voir davantage sa famille, mais il sut se convaincre du contraire. Il suivit le fil des souvenirs qui racontaient une vie de pilote, ou, dirait-on mieux, il se laissa emporter dans leur cours.

Il était maintenant assis dans le cockpit d'un avion privé, Matthew Granger à ses côtés. Jonah sentit la colère monter en lui en voyant sa figure angélique, et perdit presque ce souvenir dans l'emportement. Granger lui disait quelque chose. Il lui donnait des directions. Une série de quatre coordonnées différentes.

Des terres blanches. Un désert rouge. Une île de gratte-ciel. Une ville des tropiques.

À cet instant, il fut arraché à sa transe, se redressant brusquement, cherchant son souffle.

– Ça y est... Ça a marché, mamie! cria-t-il. Ça a vraiment marché. Nous avons réussi!

De retour dans le vrai monde, Jonah s'efforça de chasser le voile qui brouillait ses yeux.

Il vit trois figures blanches et floues penchées sur lui.

– Il y a un problème? demanda-t-il.

– Plus maintenant, dit la voix de Sam. Ça fait des heures que tu es parti. Nous étions inquiets... Jonah, nous y sommes. À Moscou. Nous commençons l'approche et nous atterrirons sous peu.

– Déjà? fit Jonah en se relevant, confus. Je pensais... Ça m'a semblé quelques minutes, tout au plus. Mais écoute, Sam, écoutez tout le monde. J'ai réussi! Nous avons réussi, je veux dire. Mamie et moi.

– Réussi quoi? demanda Bradbury, sa voix pleine d'impatience.

– Je me souviens maintenant, dit Jonah. J'ai pu accéder aux souvenirs de mon père.

Axel se retourna dans son siège.

– Tu veux dire que...

Jonah passait en revue les images qui lui étaient venues durant sa méditation. Il reconnut le désert rouge, une terre brûlée et sèche dans les souvenirs de son père. C'était le Coin sud. C'était dans ce parc de serveurs qu'on stockait la mémoire des Téléversés. La maison de mamie, en quelque sorte.

Jonah hocha la tête.

— J'ai trouvé... commença-t-il pour s'arrêter aussitôt.

Il y avait quelque chose de louche dans la façon dont Bradbury le regardait en fronçant les sourcils, quelque chose dans son air qui incita Jonah à la prudence. *Qu'est-ce que je sais vraiment de ces gens ?* se demanda-t-il à lui-même. *Est-ce que je peux vraiment leur faire confiance ?*

— J'ai trouvé... un des Quatre Coins, dit-il, décidant pour l'instant de ne pas tout révéler aux Gardiens. Je l'ai vu depuis les airs, comme mon père l'aurait vu, comme il s'en souviendrait. Une gigantesque roche rouge sans rien autour. En Australie.

# 21

La destination de Granger était finalement en vue.

Son vol avait pris plus de 20 heures, et il avait fallu 2 escales pour ravitailler l'avion nolisé. C'était encore le matin à Paris, mais ici, dans le Territoire du Nord, en Australie, le soleil se couchait déjà. Ses rayons pâlissants teintaient de rouge les vastes rangées de panneaux solaires sur les sables couleur rouille du désert.

Granger fut satisfait d'apercevoir par le hublot une colonne serrée de jeeps militaires rangées sur le bas-côté de l'autoroute Lasseter. Sa force de frappe du sud respectait l'horaire, bien que la taille de la force ne fût pas à la hauteur de ses espérances. Il instruisit son pilote d'attendre d'être contacté à Alice Springs, la ville la plus proche, à presque 500 kilomètres de là. Il ouvrit ensuite la porte arrière et sauta hors de l'avion.

Il y avait un vaste plateau au sommet d'Ayers Rock, la seule formation géologique d'importance à des centaines de kilomètres à la ronde. Il était largement recouvert de panneaux solaires, mais Granger donna un angle à sa descente pour se diriger vers un point de chute entre les miroirs. Il exécuta un atterrissage sans faute, ses jambes cybercinétiques absorbant le gros du choc, et il se débarrassa de son parachute comme d'un pardessus dont il n'aurait plus eu besoin.

Granger s'assit, dos à l'écoutille d'entrée en métal, et admira le superbe coucher de soleil. À quelque 350 mètres plus bas, il pouvait voir ses gens passer la première des deux clôtures qui protégeaient l'enceinte.

Il se releva et partit nonchalamment sur le sentier bien tracé et désormais abandonné qui descendait jusqu'au pied de la montagne. Il aurait pu se parachuter jusqu'en bas, bien entendu – mais il s'avouait un faible pour le symbolisme de venir du haut d'une montagne pour accueillir ses disciples.

Ayers Rock était vieille de plusieurs millions d'années. Cette montagne était restée là tandis que le temps avait érodé le reste de la chaîne montagneuse, laissant en sable des sommets millénaires. Granger était confiant que le legs qu'il laisserait au monde durerait tout aussi longtemps que l'énorme roche.

C'était d'ailleurs l'une des raisons pour lesquelles il avait voulu bâtir une partie de cet héritage ici.

Granger se rappelait l'époque où Ayers Rock attirait les touristes – un attrait qui périclita quand les coûts de transport explosèrent, donnant un dur coup à cette industrie jadis florissante. Aujourd'hui, il était de notoriété publique que le site abritait une centrale solaire qui produisait une énergie qu'on s'arrachait à fort prix.

Mais dans le monde entier, il n'y avait qu'une poignée de gens qui connaissaient le véritable secret de la montagne.

Granger se tenait à la base de l'énorme roche et attendait l'arrivée des premières jeeps qui s'immobilisaient maintenant dans un grincement de freins devant ses pieds de titane. Un adolescent aux cheveux blonds et en tenue de combat s'extirpa du siège du passager. Ses yeux étaient cernés, mauves de fatigue et il clignait les paupières un peu trop souvent. Il adressa un salut militaire à Granger – pas que cela fût nécessaire, mais Granger y vit un signe de respect, voire un compliment.

– Force de frappe du sud au rapport. À vos ordres, monsieur, dit Warren, lui qui, dans la métasphère, se présentait sous la forme d'une araignée rouge.

Il était en tout point comme Granger se l'était toujours imaginé.

– C'est tout ce que vous avez ? dit Granger en faisant la grimace.

En tout et partout, il y avait cinq jeeps, chacune comptant à leur bord cinq ou six hommes. Ces véhicules tout-terrain étaient flanqués de quatre quads, chaque moto ayant son conducteur et un passager.

On vit la déconfiture sur le visage de Warren.

– Comme j'ai tenté de vous l'expliquer, monsieur, quand vous avez devancé le calendrier des opérations…

– Oui, oui, dit Granger avec impatience. Je me souviens. Toutefois, j'avais espéré…

– J'ai même négocié une entente avec une milice religieuse de Perth pour le transport à travers la savane australienne de 30 volontaires supplémentaires. Si nous pouvions attendre une douzaine d'heures, monsieur…

— Non, dit Granger. Les attaques contre les Quatre Coins doivent être simultanées, pour profiter de l'effet de surprise, et ce disant, il entreprit un bref compte des hommes. Avec 37 agents, reprit-il, nous en avons plus qu'assez pour maîtriser une poignée de laquais du gouvernement.

— Je suis persuadé que vous avez raison, monsieur.

Granger consulta sa montre.

— H moins 34 minutes, dit-il. Il vous en faudra presque 30 pour grimper la roche. Vous ne devriez pas traîner.

— Monsieur, j'avais cru vous entendre dire que vous mèneriez l'assaut.

— J'ai dit que je prendrais les choses en main, Warren. Je n'ai nulle intention de me faire tuer au combat. Cette éventualité gênerait passablement nos objectifs à long terme, ne croyez-vous pas ?

Les autres Millénaires étaient descendus de leurs véhicules et attendaient les ordres. Ils formaient une drôle de bande bigarrée. Certains avaient l'allure de mercenaires professionnels ; ceux-là étaient alertes et bien équipés. D'autres n'étaient encore que des enfants, des partisans pleins d'enthousiasme, mais qui n'avaient sûrement jamais tiré avec un fusil à l'extérieur d'un champ de tir virtuel.

Warren leur relaya les ordres de Granger :

— Nous pénétrerons la cible par l'écoutille d'accès au sommet de la montagne. Une fois à l'intérieur, nous fonçons vers les ascenseurs, mais nous devrons agir vite avant qu'ils ne les bloquent. C'est une descente de 95 étages jusqu'à la salle de contrôle. Si vous sentez le besoin de vous familiariser avec le schéma des lieux, c'est maintenant ou jamais, conclut-il.

Il avait élevé la voix plus que la taille du groupe l'exigeait — une tentative pour rétablir son autorité, après le sermon rabaissant de Granger.

Warren n'était pas le plus habile des lieutenants de Granger, mais il était sans doute le plus loyal, et la loyauté comptait pour beaucoup dans ce type d'organisation. Et en vérité, c'était plutôt flatteur pour l'ego de Granger d'avoir dans son entourage quelqu'un comme Warren, quelqu'un qui l'adulait ouvertement, qui désirait tant devenir comme lui.

L'armée millénaire, telle qu'elle était, commença à grimper le sentier menant au plateau. On vit quelques hommes allumer des torches, et ce, même si le ciel nocturne était clair et brillant d'étoiles. Granger prit avec lui deux des hommes qui lui semblaient plus compétents.

Il guida ces deux hommes — le premier étant grand, musclé et néo-zélandais, l'autre un Australien bien ramassé et au physique nerveux — le long d'une route de terre qui montait en sillonnant depuis la base de la roche. Il ne s'embêta pas de leur demander leurs noms.

— Votre job consiste à me protéger coûte que coûte, expliqua Granger, lequel coût peut exiger la perte de votre propre vie. Notez également que je ne vous paie pas pour parler.

Il obliqua pour quitter la route et se dirigea vers une ravine étroite sur le flanc de la montagne. Il se fraya un chemin à travers les broussailles, s'arrêta en trouvant des prises naturelles dans le grès et se mit à escalader la paroi.

Après une brève grimpée, Granger s'engouffra par une crevasse dans la paroi rocheuse. La caverne dans laquelle ses gardes du corps et lui émergèrent n'était pas visible depuis le sol.

Les parois de la caverne arboraient des peintures autochtones, encore que Granger put à peine les discerner dans la pénombre. Bien entendu, il avait connaissance des superstitions locales qui faisaient de cette roche un endroit sacré. Les aborigènes qui possédaient anciennement les lieux croyaient que la montagne était creuse, que la roche abritait la demeure des âmes de leurs morts.

Il trouvait plutôt amusant d'avoir d'une certaine façon concrétisé ces vieilles légendes. La montagne était creuse – maintenant – et les serveurs, qui opéraient l'île des Téléversés ainsi que le quart de toute la métasphère, trouvaient ici demeure.

Granger marcha devant et s'avança dans un profond recoin de la caverne, dérangeant une nichée de chauves-souris qui s'enfuirent en poussant des cris. Il pressa la main contre une section de la paroi rocheuse. La pierre glissa en arrière dans un raclement sourd, et une éclatante lumière blanche apparut, venant baigner Granger de sa clarté.

– Bonnet Blanc et Blanc Bonnet! dit-il, rebaptisant ainsi les deux gardes. Allez, à l'intérieur. Et tirez sur tout ce qui bouge.

Granger fit passer ses deux gardes du corps par l'ouverture, leurs armes levées. Quand il fut sûr de pouvoir entrer sans danger, il les suivit. Il sortit de la noirceur naturelle de la caverne pour mettre le pied dans un corridor de service bien éclairé et lisse. Des conduites de gaz et d'eau, des fils électriques et des câbles de données filaient sur les murs au-dessus de sa tête.

Granger referma la porte de la caverne, laissant à peine un joint qui pouvait trahir son existence. Ils se trouvaient à présent dans le cœur d'Ayers Rock — son nouveau cœur de métal.

— La première règle quand on construit ce type d'installations, dit-il avec un sourire orgueilleux aux lèvres, c'est de penser à une entrée par-derrière.

Ils progressèrent très prudemment à partir de ce point. Le grand Néo-Zélandais marchait quelques pas devant Granger, tandis que le petit Australien traînait la patte pour assurer leurs arrières. Granger n'était pas lui-même armé. Bien qu'il aimât faire les choses lui-même, quand il s'agissait de se battre, il préférait que d'autres se salissent les mains.

Le Néo-Zélandais arriva à une intersection en T et fit un signal de halte. Reculant dans ses pas, il fit marcher deux doigts sur sa paume, laissant savoir à Granger qu'il y avait un homme à la croisée, sur la gauche.

— Vous pouvez le descendre sans faire de bruit ? articula en silence Granger.

Le mercenaire eut un grognement affirmatif puis, avec un regard interrogateur, il passa l'index sur sa gorge. Granger hocha la tête. Cet homme, il le voulait mort. C'était le seul moyen d'être sûr.

Il attendit tandis que le Néo-Zélandais revint doucement vers l'intersection et tourna le coin, disparaissant à la vue de Granger. L'instant suivant, il entendit un léger gémissement de strangulation, et après quelques secondes le Néo-Zélandais réapparut en faisant un signe de fin d'alerte.

Ils poursuivirent leur progression, marchant en silence mais rapidement devant une rangée de serveurs informatiques cordés à la verticale.

— Les machines qui permettent à la métasphère d'exister, souffla l'Australien.

Il avait tort, mais Granger ne se donna pas la peine de le corriger. Ces serveurs géraient seulement les panneaux solaires sur Ayers Rock. *Ses* serveurs à lui s'empilaient au centre de la montagne, à plus d'un kilomètre et demi sous terre.

Ils entendirent des bruits de pas devant eux, et deux voix.

Ils se plaquèrent dans l'ouverture d'un couloir de traverse juste comme deux hommes armés arrivaient en marchant. Ceux-ci discutaient d'une récente partie de rugby disputée dans la métasphère, un match qui opposait les Titans aux Broncos. Ils étaient trop absorbés par leur conversation pour remarquer quelque intrus que ce soit.

L'Australien se glissa hors du corridor derrière eux, et les abattit de deux balles dans le dos presque silencieuses.

— Je leur aurais tiré dans les jambes s'ils avaient été fans des Broncos, dit-il avec rage. C'est fou comme je hais les Titans !

Granger était allé assez loin.

Il avait presque atteint la salle de contrôle principale. Chaque pas que ses hommes et lui feraient maintenant multiplierait les risques d'être découverts. Il leur ordonna d'attendre.

Les minutes s'égrenèrent dans un silence qui aurait été total si ce n'avait été du bourdonnement sourd et grave des puissants serveurs à proximité. Granger s'imaginait qu'en appuyant la tête contre le mur, il pourrait sentir leur puissance vibrer en lui.

Le silence fut soudainement rompu par le klaxon d'une alarme.

Les mercenaires regardèrent Granger pour obtenir la permission de passer à l'action. Il secoua la tête. *Pas encore.* Ils entendirent des voix crier, le martèlement des bottes dans les corridors, mais une fois encore Granger demandait d'attendre. Sur ses lèvres, on voyait qu'il comptait.

Il esquissa enfin un mouvement. Il s'avança le premier vers un vestibule où plusieurs passages convergeaient. Il en indiqua deux à ses hommes, qui s'y postèrent pour tenir la garde. Les ascenseurs formaient une rangée le long d'un mur, leurs indicateurs lumineux montrant que deux d'entre eux étaient en usage, montant en direction de la surface. C'était sans nul doute l'équipe de sécurité en fonction qui se précipitait pour engager le combat avec les hommes de Warren en haut de la montagne. Il restait donc le personnel au repos, rappelé au service par l'alarme d'effraction.

On les voyait venir en courant depuis les dortoirs et la salle de repos. Certains n'avaient pas encore enfilé leur gilet pare-balles, d'autres chargeaient leurs armes en se précipitant dans le vestibule principal. *Des laquais du gouvernement.* Il y en avait moins et ils semblaient encore plus incompétents que Granger l'avait anticipé.

Ces fonctionnaires croyaient que l'ennemi se trouvait à leurs portes. Ils n'avaient pas prévu que l'ennemi les avait déjà infiltrés.

Les deux mercenaires sortirent de leurs corridors et criblèrent le vestibule de balles. Leurs cibles étaient alignées comme des quilles et tombèrent presque aussi facilement qu'on exécute un abat. Pour ce qu'en vit Granger, ils n'eurent pas même la chance d'une riposte.

Il attendit que l'écho des coups de feu s'évanouisse, puis marcha d'un pas décidé vers la salle de contrôle. La porte en acier était verrouillée, mais Granger possédait le code maître et le tapa sur le clavier électronique. Les fonctionnaires auraient pu changer un million de fois le code d'accès, celui de Granger annulait tous les autres. Il entra les 16 chiffres et attendit que les verrous à l'intérieur de la porte se retirent.

— Pas de coup de feu à l'intérieur de cette pièce, ordonna Granger. Pas même pour se défendre.

Les mercenaires entrèrent les premiers, et l'Australien cria :

— Tous à terre !

La pièce comptait cinq techniciens dans la cinquantaine et au teint terreux, tous des hommes et tous sans arme. Ils obéirent sans même essayer de protester.

— S'il vous plaît, gémit l'un d'eux tandis qu'il était sur le ventre et que le Néo-Zélandais portait un couteau à sa gorge. Nous n'essaierons pas de vous arrêter. Pourquoi le ferions-nous ? Nous ne faisons que notre travail, et nous n'avons plus été payés depuis des mois !

— Je ne peux pas vous laisser partir, dit Granger, et les travailleurs fermèrent les yeux, s'attendant au pire. Mais si vous acceptez de travailler pour moi, je vous laisserai la vie sauve.

Il fallut un autre 20 minutes avant que la force de frappe bigarrée de Warren n'arrive dans la salle de contrôle.

Quatre Millénaires apparurent en formation d'attaque dans l'embrasure de la porte. Ils semblèrent choqués de trouver Granger debout devant eux, avec les anciens techniciens du gouvernement affairés à leurs postes de travail, s'exécutant dans une nervosité évidente.

– Ouah ! cria l'un des militaires, impressionné. Vous êtes déjà là !

Granger n'attendit pas l'arrivée des autres Millénaires, pas plus qu'il ne s'inquiéta de savoir combien d'entre eux étaient tombés dans l'affrontement avec les troupes du gouvernement. Il savait tout ce qu'il avait besoin de savoir.

Il se cala dans un confortable siège en cuir devant le panneau de commande principal. Il laissa son regard passer sur les divers écrans autour de lui, et il sourit en découvrant les initiales familières cousues sur l'accoudoir droit de son siège : MG.

Granger se sentait de retour chez lui. Mieux que cela, même. Il avait franchi un quart du chemin qui lui permettrait de reprendre sa création, de reprendre son monde.

Le Coin sud était à lui.

Les rues de Moscou étaient plus larges que celles de Londres, mais tout aussi bondées.

Il semblait cependant que plus de gens se déplaçaient à pied, la plupart marchant les épaules voûtées, se regardant à peine sauf pour quelques regards soupçonneux.

Bien sûr, la Russie avait encore des réserves de pétrole et par conséquent un système de transport en commun fonctionnel, encore que Jonah avait blêmi en voyant le prix de quatre allers depuis l'aéroport de Cheremetievo pour la gare centrale de Savyolovsky, un voyage qu'ils feraient à bord d'un vieux train pourri.

Bradbury avait payé avec une carte plastique écornée, la même avec laquelle il avait offert un pot-de-vin à un officier blasé de l'aéroport pour qu'il ferme les yeux sur le fait que Jonah n'avait pas de passeport. Jonah avait décidé de ne pas demander d'où l'argent venait, ou si la carte était authentique.

Ils avaient attendu le train une heure durant, un train qui n'offrait aucune place assise et qui avançait lentement sur des rails mal entretenus. Quand ils arrivèrent enfin en ville, c'était le début de la soirée et il commençait à faire froid. Jonah était heureux de voir la journée se terminer. Il commença même à se sentir en sécurité, anonyme dans la foule.

Jonah avait déjà visité MétaMoscou et l'expérience avait été plaisante en comparaison : c'était une version idéalisée de ce que la ville avait déjà été. Dans le Moscou du vrai monde, avec l'explosion démographique, les tours magnifiques et les dômes pittoresques avaient été submergés par la construction d'immenses projets d'habitation en béton. Ils croisèrent dans leur marche des files sinueuses de gens venus chercher des paniers de nourriture devant des centres d'aide. Des hommes armés gardaient leurs portes.

Ils avaient marché presque une heure et demie quand Axel annonça qu'ils étaient arrivés à destination. Le parc Sokolniki était en piètre état; envahi par la végétation, comme d'autres parcs du vrai monde, ceux qui avaient échappé à l'empiètement immobilier. Les kiosques installés à l'entrée étaient fermés, la peinture pelant sur les volets de bois. Une grande roue rouillée surplombait le parc. Elle rappela à Jonah le London Eye, la roue géante qui se dressait jadis devant la Tamise, mais qui avait été jetée à terre durant les émeutes de la faim et laissée à corroder dans les eaux du fleuve.

Le père de Jonah l'avait amené dans une des nacelles du London Eye pour son sixième anniversaire.

— Si tu aimes ça, lui avait dit son père quand ils s'étaient retrouvés hauts en surplomb de Londres, tu adoreras voler pour vrai!

— Il est en retard, dit Axel, le ramenant au moment présent.

— Il viendra, dit Bradbury. Il sait combien c'est important.

— Êtes-vous certains que nous pouvons lui faire confiance ? dit Sam.

— Il viendra, répéta Bradbury. Dimitry croit autant que nous en une métasphère gratuite. La réglementation, c'est mauvais pour ses affaires.

— Ses affaires ? dit Jonah avec méfiance. Quelles affaires ?

Personne ne lui répondit, et Jonah décida de ne pas insister.

Il passa le temps en essayant de méditer à nouveau, comme sa grand-mère le lui avait montré. Il ferma les yeux, essaya de se vider l'esprit, mais n'y arrivait pas. Jonah était trop pris par le vrai monde autour de lui. Il ne pouvait pas se détendre.

Il vit alors que Bradbury le fixait du regard.

— D'autres pistes sur l'emplacement des trois derniers Coins ? demanda-t-il.

Jonah secoua vite la tête.

— Nous savons où l'un d'eux se trouve, dit Sam. Ce n'est pas rien.

— C'est suffisant pour protéger un quart de la métasphère, dit Axel.

— *Si* nous nous procurons le pont Chang, grogna Bradbury, et si nous réussissons à le transporter jusqu'à ce Coin avant que les Millénaires débarquent.

Toute autre question fut devancée par le bruit d'un véhicule approchant.

Bradbury fut le premier sur ses pieds, son fusil de chasse tiré cette fois encore.

Ils furent pris dans la lumière des phares. Une large camionnette noire et poussiéreuse vint vers eux, son moteur rugissant dans l'allée. Elle freina et dérapa, soulevant des graviers en faisant un demi-tour avant de s'arrêter face à la direction d'où elle était venue. Les portes arrière s'ouvrirent brusquement, et un homme trapu vêtu de noir fit signe au quatuor de le rejoindre à l'intérieur.

Ils étaient à peine montés dans la camionnette que celle-ci repartait en trombe.

L'intérieur de la camionnette était rempli d'équipement informatique. Les moniteurs actifs et les lumières clignotantes des disques durs éclairaient légèrement les lieux. Quatre fauteuils pivotants étaient boulonnés au plancher; étant le dernier à monter, Jonah se retrouva sans siège et dut s'accroupir au milieu de l'habitacle.

— Je m'excuse pour le retard, dit l'homme trapu.

Il devait avoir 20 ans. Jonah l'avait cru plus vieux à première vue, à cause du début de barbe qu'il avait au visage.

— Qu'est-ce qui s'est passé, Dimitry? demanda Axel.

— Andrey croyait que nous étions suivis. Il fallait être sûrs d'avoir semé nos poursuivants avant de venir à votre rencontre.

« Andrey », vraisemblablement, était leur chauffeur. Jonah ne voyait que son profil : un homme à forte carrure et plus âgé qui portait une grosse barbe noire. Il ne jeta pas même un regard en arrière quand son nom fut prononcé, se concentrant uniquement sur la route. Ils avaient quitté le parc à présent et tournaient vers le sud.

— Des espions millénaires? demanda Bradbury.

— Je ne crois pas, dit Dimitry. Nous avons nos propres ennemis, *da*?

Il se tourna vers Sam et se présenta en lui baisant la main. Il semblait déjà connaître Axel et Bradbury et il se fit un plaisir d'ignorer Jonah. Bradbury demanda si les arrangements avaient été pris. Dimitry répondit que oui. Un avion attendait les Gardiens sur le tarmac d'un aéroport privé, à quelque 32 kilomètres de la ville.

– À quoi sert tout cet équipement ? demanda Jonah. Qu'est-ce que vous faites ici ?

– Dimitry s'occupe d'un réseau de diffusion, répondit Axel à la place de Dimitry. Et comment vont les affaires, Dimitry ?

– C'est dangereux mais profitable, répondit Dimitry. Il y a un jeu de Luke Wexler dont la sortie est prévue dans quelques mois. *Zombies 4*. Ce sera un gros événement pour nous.

– Un réseau de diffusion ? demanda Jonah.

– Oui, acquiesça Dimitry. Nous avons plusieurs véhicules comme celui-ci, avec une liaison satellite, toujours en mouvement, téléchargeant du contenu de la métasphère en continu, 24 heures par jour.

– Du contenu piraté, vous voulez dire, devina Jonah. Vous êtes des pirates, pas vrai ?

– Nous rendons l'information, la culture et les idées disponibles pour tous, dit Dimitry, et pas juste pour la *bourgeoisie**.

– Vous pouvez appeler ça comme vous voulez, dit Jonah, mais ça reste du vol.

Dimitry se renfrogna.

– Nos philosophies ne sont pas si différentes, je crois. Vous êtes des Gardians, *da* ? Vous voulez que la métasphère soit gratuite pour tous ?

— C'est vrai, dit Bradbury, qui eut un regard féroce à l'intention de Jonah.

Jonah tint compte de l'avertissement et se tut, mais ne put s'empêcher de penser qu'il devrait y avoir des limites aux « libertés ».

Pour la seconde fois en autant de jours, il se trouva profondément mal à l'aise avec les alliances de ses amis Gardiens.

Ils roulèrent dans le centre-ville de Moscou. Dimitry leur montra les flèches spiralées vertes du Kremlin, le siège fortifié des dirigeants russes des siècles passés. Les rues étaient plus tranquilles que lors de leur passage à pied, et il y avait peu d'éclairage.

La camionnette ralentit en s'approchant d'un carrefour en T. Les portes arrière étaient munies de glace sans tain, et soudain une lumière vint se déverser au travers d'elles, illuminant l'habitacle. Un autre véhicule venait en arrière. Il fallut une seconde à Jonah pour constater qu'il ne s'arrêtait pas.

— Attention ! cria-t-il, mais son avertissement venait trop tard.

La camionnette fut emboutie par l'arrière. Personne n'avait eu le temps de réagir, sauf dans le cas de Jonah, qui s'était accroché au pied du fauteuil de Sam.

La camionnette fut projetée vers l'avant, traversant le carrefour en T. Andrey enfonça les freins et tourna violemment le volant. Les pneus crissèrent, et Jonah sentit l'odeur du caoutchouc brûlé. Il était certain que le véhicule allait percuter l'immeuble de l'autre côté de la rue. Il ferma les yeux et se prépara à l'impact, mais ils glissèrent jusqu'à l'arrêt à quelques centimètres de la façade.

La camionnette avait fait un tête-à-queue, et à travers le pare-brise Jonah pouvait voir la voiture qui les avait emboutis : une rutilante limousine noire, munie d'une barre pare-choc safari.

Elle reculait, comme pour fuir la scène de l'accident qu'elle avait causé. Mais elle s'arrêta ensuite, le conducteur faisant rugir le moteur, et elle revint à la charge, fonçant directement sur la camionnette.

Entre-temps, le moteur de la camionnette avait calé et Andrey tournait désespérément la clé dans le contact. Le moteur toussota, hoqueta, puis il démarra enfin. Andrey mit la pédale au fond, et ils furent lancés en avant, évitant de justesse la limousine qui venait sur eux à toute allure. Ils reprirent le chemin par lequel ils étaient venus. Par la fenêtre arrière, Jonah vit la limousine faire un virage maladroit en trois points. Elle les pourchassait.

— Qu'est-ce qui se passe, bon sang ? cria Axel en se frottant la tête.

Jonah remarqua des gouttes de sang par terre et découvrit qu'il saignait de la tempe. Il avait dû se cogner contre les ordinateurs.

— La société Chang, gronda Andrey.

— C'était une de leurs voitures, confirma Dimitry. Ce devait être eux qui nous suivaient plus tôt. Ils n'abandonneront pas avant de nous avoir envoyés dans le décor.

— Mais ça n'a aucun sens, s'écria Jonah. Je croyais que monsieur Chang… Il est supposé être notre allié !

— *Votre* allié, peut-être, dit Dimitry. Mais certainement pas l'ami de mon organisation.

– Monsieur Chang est propriétaire des plus grands studios de cinéma, expliqua Sam. Ce sont ses films que Dimitry pirate.

Une autre voiture venait sur eux. Juste comme Jonah voyait qu'il s'agissait à nouveau d'une limousine noire, celle-ci fit une embardée et s'élança en sens inverse dans leur voie, venant droit sur eux, à toute pompe. Les réflexes d'Andrey furent rapides. Il tourna encore brusquement le volant, fit déraper la camionnette sur un coin de trottoir pour poursuivre sa route dans une rue transversale.

La camionnette n'allait pas assez vite. La barre pare-choc de la deuxième limousine vint frapper l'arrière de la camionnette, l'envoyant presque dans un autre tête-à-queue. Andrey faisait tout ce qu'il pouvait pour garder le véhicule sur sa trajectoire. Jonah pouvait entendre sous la camionnette le bruit inquiétant de quelque chose qui traîne sur l'asphalte.

Ils filaient à fond de train dans les rues de la ville, les limousines tout près derrière. Jonah ne respira plus tandis qu'ils approchaient d'une intersection où un poids lourd s'engageait par la droite. Cette fois encore, Andrey colla la pédale au tapis et tenta de prendre le gros camion de vitesse. Jonah se crispa, convaincu qu'ils n'y arriveraient pas. Il entendit le klaxon du camion hurler, le crissement de ses pneus, puis, miracle, ils étaient passés ! Le camion était immobilisé en plein centre du carrefour derrière eux, bloquant les voitures en poursuite.

Andrey exécuta quatre virages en une succession rapide, puis recula la camionnette dans une allée pavée étroite où il éteignit le moteur puis les lumières.

Sam fut la première à rompre le silence qui s'ensuivit.

— Qu'est-ce que nous faisons maintenant? demanda-t-elle.

— Nous abandonnons la camionnette, bien sûr, dit Axel.

— Nous ne pouvons pas faire ça! s'énerva Dimitry. L'équipement que j'ai ici vaut beaucoup de métas. Aussi, la société Chang a des agents partout et mon visage est connu. Dehors, nous serions, comme vous dites chez vous en Angleterre, assis sur des canards[2].

— Qu'est-ce que vous suggérez? dit Bradbury qui ne voyait pas l'utilité de corriger le Russe.

— Nous avons un atelier de mécanique à l'autre bout de la ville. Nous pourrions faire repeindre le camion, nous procurer de nouvelles plaques; le tout en moins d'une heure. Ils ne nous reconnaîtront plus après.

— À l'autre bout de la ville? répéta Sam.

Jonah avait eu cette même réflexion. Comment étaient-ils supposés traverser Moscou, dans une camionnette accidentée, avec au moins deux véhicules de la société Chang à leur recherche?

— Pourquoi ne pas tout simplement leur parler? intervint Jonah.

Cela semblait la solution évidente.

Andrey jeta un regard froid à Jonah par-dessus son épaule, et dit quelque chose en russe que Jonah devina être une insulte.

— Non, je suis sérieux, insista Jonah. Monsieur Chang sait que nous sommes en route pour prendre possession du pont Chang. Il sait combien c'est important. Si nous

2. N.d.T. : Ici, Dimitry voulait dire «sitting ducks», expression anglaise qui signifie «cible facile» et qu'on traduirait littéralement par «des canards assis», mais il se trompe en disant «sitting on ducks», c'est-à-dire «s'asseoir sur des canards».

pouvions seulement expliquer à ses hommes qui nous sommes…

— S'ils me mettent la main dessus, dit Dimitry d'un ton sans équivoque, ils me tuent.

Jonah n'allait pas baisser les bras aussi facilement.

— Si nous établissions le contact dans la métasphère ? Vous avez tout l'équipement qu'il faut ici. Et si quelqu'un allait dans la métasphère et parlait avec monsieur Chang ? On pourrait lui demander de rappeler ses hommes.

Axel secoua la tête.

— Super idée, gamin, dit-il, mais monsieur Chang n'est pas le genre de personne qu'on peut tout bonnement approcher juste pour « faire causette ».

— Quelqu'un dans la position de monsieur Chang, ajouta Bradbury, ne peut pas se permettre d'être associé à des hors-la-loi comme nous, dans un monde comme dans l'autre. Les quelques rarissimes échanges que nous avons eus avec lui se sont tous faits par l'intermédiaire d'un grand réseau d'agents. Le temps que nous perdrions à faire remonter un message jusqu'à lui…

S'ils refusaient d'essayer, Jonah le ferait, lui. Il n'était pas venu aussi loin pour se faire trouer la peau dans les rues de Moscou.

— Je vais le faire, dit Jonah. Je connais un ami de monsieur Chang. Je crois que je peux arranger une rencontre avec lui.

Tous les yeux s'étaient braqués sur lui. Sam fut la première à parler.

— Eh bien, nous n'avons rien à perdre, fit-elle remarquer.

— Ça vaut le coup d'essayer, admit Bradbury.

C'était loin d'être un appui percutant, mais Jonah ne cherchait pas leur permission.

— Vous avez un adaptateur ? demanda Jonah.

Dimitry hocha la tête. Il sortit un emballage scellé contenant un adaptateur ID et offrit son siège à Jonah. Tandis que Jonah se connectait, Dimitry lui présenta un pavé numérique où il devait entrer les coordonnées de son point d'origine. Jonah connaissait fort bien les chiffres à taper — plus que n'importe quelle autre série de nombres. Il s'agissait des coordonnées d'une franchise de l'Académie Chang pour Jeunes Surdoués.

Jonah retournait à l'école.

# 23

Le terrain de l'école semblait différent.

Il lui fallut un moment pour comprendre ce qui avait changé. Bien évidemment, Jonah n'était pas revenu ici depuis l'assimilation de l'avatar de son père. Il n'avait pas encore l'habitude de voir le monde virtuel à travers les yeux jaunes du dragon, à être plus grand et gros qu'il ne l'avait été.

Il eut le sentiment étrange d'être trop vieux pour être là, d'être rendu ailleurs dans sa vie.

Il fut pris de doutes. Jonah avait feint d'être en parfaite confiance dans le vrai monde, dans la camionnette de diffusion, devant Sam. Maintenant, il redevenait un enfant.

Une fenêtre de dialogue apparut à côté de lui : « PAS DE VISITES SANS RENDEZ-VOUS ». Le logiciel de sécurité de l'école ne le reconnaissait plus comme un élève.

Les portes principales étaient fermées, l'icône du cadenas bien en vue. Et même si elles avaient été ouvertes, Jonah n'aurait jamais pris le risque d'être scanné. Cela dit, il avait toujours avec lui le virus d'Harry, le coq.

Il plaqua ses doigts griffus contre le mur de briques, transférant le virus pour ensuite traverser vers le vestibule de l'école. Une fois à l'intérieur, il hésita, ne sachant trop par où commencer. Et si un enseignant le surprenait ici ? Comment expliquerait-il sa présence ? Et si on le rapportait aux autorités ? Il risquait l'exil.

La cloche de l'école sonna. Jonah fut pris de panique et chercha à se cacher. C'était peine perdue. Il était trop gros et, déjà, les corridors s'emplissaient d'avatars libérés de leurs classes. Certains d'entre eux levèrent des regards curieux, parfois même admiratifs, sur le dragon rouge.

Pour la majorité d'entre eux, cependant, le dragon n'était qu'un visiteur parmi d'autres dans l'école. Enhardi par cette indifférence, Jonah partit vers son ancienne salle de classe.

L'horloge de l'école marquait 11 h, mais « l'heure locale » dans l'Académie Chang changeait plusieurs fois dans une journée. Quand Jonah, ses camarades de classe et tout le reste de l'école rentraient à la maison, de nouveaux élèves arrivaient en provenance d'autres fuseaux horaires.

L'Académie Chang avait trois jours d'école pour chaque jour dans le vrai monde. Heureusement pour Jonah, l'homme qu'il était venu voir enseignait durant deux de ces jours.

M. Peng était assis à son bureau, notant des travaux scolaires sur sa tablette numérique. Il portait sur le bout du bec une paire de lunettes *pince-nez**. Jonah cogna timidement sur la porte ouverte de la classe.

M. Peng se tourna vers son visiteur en le regardant d'un air grave.

— Puis-je vous aider, monsieur ?

Jonah serra ses gigantesques ailes contre lui et passa le pas de la porte, entrant dans la classe dont il s'était échappé quelques jours plus tôt.

— Monsieur Peng, dit-il, c'est moi. Jonah Delacroix.

Il savait que seule la vérité pourrait l'aider dans les circonstances, et ce, peu importe le risque que l'aveu comportait.

M. Peng se leva lentement et se dandina vers le dragon. Ses lunettes disparurent tandis qu'il examinait Jonah, les yeux écarquillés.

– Bonté divine, souffla-t-il. J'ai déjà vu cet avatar par le passé, n'est-il pas ? Votre père, je crois.

Jonah fit oui de la tête, puis regarda par-dessus son épaule pour s'assurer que personne n'écoutait aux portes.

– S'il vous plaît, monsieur, ne le dites à personne.

– Pour cela, mon garçon, vous avez ma parole. Mais pour l'amour, voulez-vous me dire comment…

– Je n'ai pas le temps de vous expliquer, monsieur. Je suis à Moscou avec… des amis, et j'ai besoin de parler à monsieur Chang, parce que ses gens essayent de nous tuer, et je me souviens qu'une fois vous avez dit le connaître et j'ai pensé que vous pourriez…

– Du calme, parlez moins vite, mon garçon. Une chose à la fois. Ces « amis » dont vous parlez. Qui…

Jonah ne pouvait pas se résoudre à dire les mots : « Ce sont des Gardiens. Je travaille pour les Gardiens ».

– Ah, fit M. Peng, prenant note de son silence. Nous parlons des associés de votre père, n'est-il pas ?

Jonah resta bouche bée, se demandant ce que son professeur savait au juste.

– Lors de nos débats en classe, dit M. Peng, vous étiez toujours en faveur d'une régulation plus stricte de la métasphère. Vous me sembliez fermement opposé aux vues de monsieur Chang et aux gens de même sensibilité. Dois-je en conclure que vous avez changé votre fusil d'épaule ?

Il vint à l'esprit de Jonah que Sam, Axel et le reste du groupe le regardaient probablement sur les moniteurs, dans la camionnette.

– Monsieur Peng, s'il vous plaît, dit-il. Nous avons des ennuis, de gros ennuis, et il n'y a que monsieur Chang qui peut nous aider. Pourriez-vous m'amener le voir ?

– Je ne peux pas faire cela, Jonah. Je ne peux pas me déplacer aussi... librement que je le souhaiterais.

Ainsi c'était vrai, pensa Jonah, tout ce qu'on disait sur M. Peng. Des rumeurs circulaient dans l'école depuis le premier jour où Jonah y avait mis le pied. Elles disaient que le professeur de Jonah était un prisonnier politique en Chine. Son corps dans le vrai monde était confiné à une cellule et son avatar aux coordonnées de son lieu de travail.

– Monsieur Chang et moi étions amis jadis, c'est vrai, dit M. Peng. Il a eu l'obligeance d'organiser mon embauche ici. Cela fait cependant fort longtemps que nous ne nous sommes pas entretenus, et encore moins rencontrés. Il faut le comprendre, un homme dans sa position...

Jonah grogna.

– Je sais. Il ne peut pas se permettre d'être associé avec des hors-la-loi.

– Je préfère employer le terme « dissident ».

– N'y a-t-il pas quelque chose que vous pouvez faire, monsieur ? supplia Jonah. Ne pouvez-vous pas me dire comment trouver monsieur Chang par mes propres moyens, ou peut-être... je ne sais pas moi, lui transmettre un message d'une quelconque manière ? Je sais qu'il verra l'importance de ce que j'ai à dire... une importance capitale, même.

M. Peng prit un moment pour considérer la situation, puis hocha la tête. Il ferma la porte de la salle pour plus d'intimité. Il ouvrit son espace de stockage d'où il sortit une statuette en or. Il la posa ensuite dans les mains de Jonah.

— C'est un porte-bonheur, expliqua-t-il.

Jonah regarda la statuette. C'était un chat. Un chat en or. L'animal avait deux profils différents. D'un côté, le chat souriait, une patte levée comme pour dire bonjour. De l'autre, le chat jetait un regard mauvais et tenait un balai dans sa patte.

— La patte levée apporte la bonne fortune, expliqua M. Peng. Le balai repousse le mal.

— Je ne comprends pas, monsieur. Comment…

M. Peng eut un sourire indulgent. Il reprit le chat des mains de Jonah et le manipula adroitement avec ses serres. La tête du chat à deux faces s'ouvrit pour révéler un petit bouton à l'intérieur.

M. Peng rendit la statuette à Jonah.

— Appuyez sur ce bouton, lui demanda-t-il. La statuette est préprogrammée pour vous amener jusqu'à celui que vous cherchez.

— Nous l'avons perdu !

Sam et les autres avaient observé les faits et gestes de Jonah. L'instant d'avant, le dragon rouge se trouvait dans la salle de classe, discutant avec un vieil oiseau à l'air sagace. À présent, tout ce que Sam pouvait voir, c'était le reflet de la figure mauvaise de Bradbury dans un écran vide.

— Où est-ce qu'il est ? demanda Axel.

— Le professeur avait un genre de figurine. Le gamin a enfoncé un bouton qu'elle avait dans le cou, et tout est devenu brouillé.

Bradbury faisait glisser les icônes sur sa tablette numérique. Le moniteur se ralluma, mais seulement pour afficher un long relevé d'erreurs.

Sam se pencha sur le moniteur.

— Attendez... Non, ça ne peut pas être correct, si ? Ça dit ici qu'il n'y a pas d'avatar enregistré sur ce terminal. Pourtant...

— Pourtant l'ordinateur prend encore en compte les coordonnées du point d'origine, dit Bradbury. Le halo de sortie du gamin est maintenu. C'est comme s'il...

— Non, souffla Sam. Il n'aurait pas pu...

Elle se tourna vers le corps inanimé de Jonah. Elle n'osait pas mettre ses craintes en paroles. Tout le monde savait ce qui arrivait quand un avatar était détruit — ou, peut-être pire encore, quand le lien avec son utilisateur était rompu.

— C'est sûrement un bogue, espéra-t-elle.

Soudainement, on vit des lumières de phares approcher. Une limousine noire passa devant l'allée, puis Sam entendit le crissement de freins vigoureusement appliqués.

— On dirait qu'ils nous ont retrouvés, grogna Axel.

Dimitry sauta dans le siège du passager.

— Go, go, go ! cria-t-il.

Andrey démarra le moteur et lança la camionnette en marche arrière. Sam s'accrocha à Jonah tandis que le véhicule cahotait sur les pavés de l'allée. *Le pire est peut-être encore à venir,* pensa-t-elle. S'il était encore possible d'éviter l'irréparable pour Jonah, alors la dernière chose dont il avait besoin, c'était d'être projeté en bas de son fauteuil et d'être accidentellement déconnecté.

La limousine faisait elle aussi marche arrière, virant dans l'allée pour suivre la camionnette en fuite. Sam voyait qu'elle les rattrapait, sa barre pare-choc safari venant presque embrasser l'avant de la camionnette.

Ils débouchèrent sur une grande artère. Andrey se débattait avec le volant et faisait crier l'embrayage. Ils foncèrent droit devant, mais la limousine leur collait au train.

Bradbury joua du coude pour se rendre à l'arrière de la camionnette, passant devant Sam. Elle ouvrit la bouche pour lui demander ce qu'il faisait, mais la réponse devint évidente. Bradbury sortit son fusil de chasse et, avec la crosse, fracassa l'une des vitres arrière. Il posa le canon de l'arme sur le cadre et se mit à tirer.

Bradbury cribla la limousine de Chang de plombs explosifs. Le pare-brise et l'un des phares éclatèrent, mais le véhicule venait toujours sur eux. La limousine devait être blindée, pensa Sam. Bradbury poussa un juron entre ses dents serrées, éjecta les cartouches vides, et inséra un autre chargeur. Le fusil cracha à nouveau le feu, et une ligne de trous apparut sur le capot de la limousine. Soudain, un geyser de vapeur s'éleva du moteur, ouvrant le capot dans son souffle, et la limousine vira, puis fit une embardée, quittant la route pour finir violemment contre une borne en béton.

— Ça leur apprendra ! cria de joie Axel tandis qu'ils laissaient leurs poursuivants derrière.

Ces mots avaient à peine quitté ses lèvres quand la camionnette roula sur quelque chose dans la rue et se mit à vibrer puis à ralentir.

— Une bande cloutée ! gémit Dimitry.

— Un piège, dit Sam, comprenant trop tard que les hommes de Chang avaient anticipé leur réaction et prévu la route qu'ils emprunteraient.

La bande était étendue sur la voie derrière eux : une bande étroite, noire – Andrey n'aurait pas pu la voir, même dans la lumière de ses phares – hérissée de barbelés de métal. Quelqu'un l'avait mise en place au dernier instant, encore que Sam n'avait remarqué personne.

– Les pneus, ils sont crevés ! rapporta Andrey.

Il continua quand même à conduire, mais la camionnette devenait impossible à manoeuvrer. Elle rata presque le virage suivant, partant en dérapage au milieu de la rue.

– C'est sans espoir ! cria Sam. Mon père avait raison. Nous aurions dû tenter notre chance à pied !

Andrey enfonça la pédale de freins, et Sam grinça des dents tant le crissement des jantes sur l'asphalte était insupportable.

Puis, soudain, il y eut une limousine de Chang venant vers eux, et une autre arrivant dans la rue à leur gauche. Sam sut alors que la course-poursuite était terminée.

Toutefois, Andrey n'était pas prêt à l'accepter. Il tenta de zigzaguer entre deux voitures noires. Mais ce fut un échec. La camionnette heurta le trottoir et, le temps d'une syncope, elle fit un vol plané dans les airs. Elle atterrit dans un violent à-coup, érafla une machine à recyclage et roula encore pour aller s'écraser le nez contre un mur de béton. Sam et Jonah furent éjectés de leur siège et le cordon dans le dos de Jonah se tendit dangereusement.

Les limousines vinrent se coller derrière la camionnette, bloquant toute possibilité de fuite. Quatre hommes sortirent de chacune d'elles, vêtus de combinaisons noires, leurs visages cachés sous des passe-montagnes.

Ces hommes étaient tous armés. Ils levèrent leurs fusils, les braquant sur la camionnette de radiodiffusion. Sam se rappela les paroles de Dimitry : « S'ils me mettent la main dessus, ils me tuent. »

Il semblait que ce moment était venu.

# 24

Jonah ouvrit les yeux. Il se sentait désorienté. Ses sens mirent un moment à lui revenir, comme c'était toujours le cas quand il passait du monde virtuel au monde réel. Cette fois cependant, il n'avait pas fait une telle transition. Du moins, il n'avait pas l'impression d'avoir changé de monde.

Il dut baisser les yeux pour voir de quoi il avait l'air. Il habitait l'avatar du dragon. Il se trouvait donc encore dans la métasphère, seulement dans une partie différente de celle-ci.

Jonah se trouvait dans un monastère, un genre de temple. Il pouvait entendre le chant d'une prière mélodieuse, mais il n'aurait pas su dire d'où cette mélodie venait. Il y avait des signes chinois gravés dans les boiseries, et un symbole du yin et du yang noir et blanc tissé dans le tapis sur lequel il se tenait. Il vit une lanterne posée sur un autel, des statues en or représentant un dragon et un tigre, des jardinières entretenues avec soin, mais aucune sortie.

Jonah flotta vers une fenêtre, regarda dehors et découvrit un à-pic vertigineux. Il se trouvait bel et bien dans un temple chinois ; s'il tendait le cou pour regarder vers le haut, il pouvait voir les étages successifs d'un toit en pagode. Mais ce temple était perché à flanc de montagne, dans une géographie des plus traîtres.

— Ohé ? appela Jonah sans trop élever la voix, craignant d'être seul dans cet endroit perdu. Monsieur Chang ?

La statuette de chat était encore serrée dans ses griffes, sa tête ouverte. Jonah se concentra sur l'objet, comme si celui-ci avait pu s'animer et lui dire quoi faire.

Une ombre passa et Jonah sursauta. Il rangea vite la statuette dans son casier de stockage pour regarder tout autour.

— Hé ! Il y a quelqu'un ?

Il apparut de derrière un rideau de bambou : un dragon doré, plus imposant encore que l'avatar de Jonah. Son corps était long comme un serpent et deux énormes cornes saillaient sur sa tête. Le dragon doré avait une barbe blanche et fine et des yeux pénétrants. Il regardait Jonah avec les pincées en un mince sourire.

— Je ne crois pas que nous nous soyons déjà rencontrés, petit dragon, dit-il.

— Êtes… Êtes-vous… ? dit Jonah sans pouvoir terminer sa question.

Cela semblait d'ailleurs inutile. *Qui d'autre veux-tu que ce soit,* pensa-t-il, *sinon le mystérieux M. Chang ?*

Il prit une grande inspiration, se disant qu'il vaudrait mieux éviter les bavardages. Le temps manquait. Pour se calmer, il imagina sa mère devant lui, les mains posées sur ses épaules.

— S'il vous plaît, monsieur, dit Jonah. Je vais vous dire qui je suis, je vais tout vous expliquer, mais j'ai besoin de votre aide. C'est urgent. Mes amis sont…

— Vos amis n'ont plus rien à craindre pour le moment, Monsieur Delacroix. J'ai annulé l'assaut sur leur camionnette de radiodiffusion.

— Vous savez… ?

Cette autre question resta sans voix. *Bien sûr qu'il sait qui je suis*, pensa Jonah. C'était M. Chang, après tout. Il avait la réputation d'être un génie aussi brillant que Matthew Granger. C'était l'une des rares choses qu'on savait à son sujet.

M. Chang, contrairement à Granger, s'était toujours tenu loin des feux de la rampe. Les directeurs de son organisation multinationale parlaient en son nom et à sa place.

— Voyez-vous, dit le dragon doré, je crois pour ma part qu'il y aura toujours le temps de prendre un thé et de faire connaissance.

Il avait fait apparaître un plateau d'argent sur lequel on trouvait une théière et deux tasses évasées. Le plateau flottait devant lui et, tandis que M. Chang faisait un geste de sa main griffue, la théière s'inclina pour verser un liquide fumant et vert dans chaque tasse. D'un autre geste, une tasse vint flotter vers Jonah. Jonah n'avait jamais essayé de boire avec une gueule de dragon. Ses bras étaient trop courts pour porter la tasse à ses lèvres, donc il suivit l'exemple de M. Chang et la laissa flotter devant lui. Le thé avait un goût amer et herbacé qui fit grimacer Jonah.

— Le porte-bonheur qui vous a amené jusqu'ici… je l'avais confié à un vieil ami, en cas d'urgence. Et voilà qu'une de ces occasions se présente aujourd'hui, n'est-ce pas ?

– C'est monsieur Peng, dit Jonah, mon professeur à l'école. Je lui ai demandé s'il pouvait...

Le sourire du dragon s'élargit plus encore.

– Nul besoin de m'expliquer, dit M. Chang. Cela dit, savez-vous combien vous êtes spécial, jeune maître Delacroix ? À ma connaissance, votre cerveau est le seul qui sait contenir deux avatars à la fois. Bon, bien sûr, vous savez tout cela. C'est d'ailleurs pourquoi vous avez reçu une bourse d'études chez moi.

Jonah l'ignorait. Tout ce qu'on lui avait dit, c'est que son père avait obtenu « grâce à ses relations » qu'il soit admis à l'Académie Chang. Il ne s'était pas douté que la chose s'était décidée en si haut lieu.

– Bon, maintenant, dit M. Chang, jetant un regard perçant sur Jonah derrière son museau écailleux, peut-être auriez-vous l'amabilité de m'expliquer votre présence à Moscou ? Et pourquoi vouloir s'associer à un jeune voleur dont les activités me causent plus que de petits inconvénients ?

Cela devait être l'effet de la statuette, décida Jonah. Non seulement elle l'avait transporté ici, elle avait également transmis à M. Chang un tas d'informations sur Jonah et son avatar, incluant sa localisation dans le vrai monde.

Il raconta les événements marquants de son histoire à M. Chang : la découverte de l'avatar, l'attaque contre le bus, la mort de sa mère, sa grand-mère l'aidant à trouver les Gardiens, et enfin leur voyage à travers l'Europe jusqu'à Moscou. Il prit soin de souligner que l'alliance des Gardiens avec Dimitry n'était pas voulue, mais s'était plutôt faite en désespoir de cause. En entendant le nom du pirate russe, M. Chang plissa les yeux, et une bouffée de fumée noire et coléreuse s'éleva de ses narines.

— Vous êtes à coup sûr un jeune homme plein de ressources, dit M. Chang quand Jonah eut terminé son histoire.

Jonah le remercia du compliment, un merci sincère. Il était flatté.

— Il reste un point que je ne m'explique pas, dit M. Chang. Vous dites que l'avatar téléversé de votre grand-mère vous a aidé à accéder aux souvenirs de votre père, et qu'à travers ce processus vous avez découvert l'emplacement d'un des Quatre Coins ?

— C'est exact, dit Jonah avec méfiance.

— J'aurais cru que l'esprit de votre père vous les montrerait tous les quatre. Certainement que le souvenir d'un emplacement vous aurait mené au souvenir des autres, ne croyez-vous pas ?

— Je… Je ne vois pas où vous voulez en venir.

Le dragon doré eut un petit rire.

— Vous êtes encore jeune, dit-il, encore incertain du chemin que vous souhaitez emprunter dans la vie, ce qui est sage de bien des façons. Je me réjouis à l'avance de notre rencontre promise dans le vrai monde.

— Vous dites que… commença Jonah. Vous m'avez dit que vos hommes nous laisseront partir ?

— Bien plus que cela, dit M. Chang. Je leur ai demandé de vous escorter jusqu'à l'aéroport de Myachkovo. N'est-ce pas là que votre avion pour Shanghai vous attend ? Je prendrai aussi les arrangements pour votre voyage prochain dans mon pays. Quand saurai-je votre prochaine destination ?

— Je n'en suis pas sûr, dit Jonah. Je ne sais pas où nous allons ensuite.

— Allons, allons, fit M. Chang. Vos associés auront bientôt le pont Chang. Ils connaissent la localisation d'un des Quatre Coins. Où iraient-ils sauf vers ce Coin ?

— Je veux dire…

— Vous voulez dire que vous n'êtes pas certain de me faire confiance, qu'il serait dangereux de partager cette information avec moi.

M. Chang semblait davantage amusé que fâché.

Jonah voulut nier l'accusation, mais ne trouvait pas les mots.

— Laissez-moi voir, dit songeusement M. Chang. Si j'étais dans vos souliers, si j'avais découvert l'emplacement des Quatre Coins… Lequel choisirais-je de dévoiler aux Gardiens ? Quel Coin désirerais-je voir au plus vite entre de bonnes mains ?

Jonah se balançait nerveusement d'un pied à l'autre. Il avait le sentiment que M. Chang pouvait lire ses pensées comme lui-même avait vu les souvenirs de son père.

— Le Coin sud, je dirais, conclut M. Chang. Ai-je deviné juste ? Votre expression légèrement perplexe me dit que oui.

— Comment avez-vous su ? demanda Jonah.

— À la manière dont vous avez parlé de votre grand-mère. Notez que cela aussi, je le comprends. Votre grand-mère est le seul lien qu'il vous reste avec la famille que vous avez perdue. Vous souhaitez la protéger.

— Ils... Ils ont dit que c'est le Coin sud qui gère l'île des Téléversés.

— Je crois qu'ils disent vrai, dit M. Chang. C'est également mon avis que le Coin sud se trouve caché quelque part sur le continent australien.

— C'est le cas, acquiesça tout bas Jonah.

C'était inutile de cacher la vérité à M. Chang, mais il se garderait bien de lui préciser l'emplacement exact.

— Et nous avons besoin de votre aide.

M. Chang inclina sa tête de dragon avec curiosité.

— Nous devons à tout prix atteindre le Coin sud avant Granger, dit Jonah.

Matthew Granger était assis dans la salle de contrôle du Coin sud.

Autour de lui, les installations grouillaient d'activités. Ses Millénaires fouillaient les corridors de service à la recherche de fonctionnaires qui auraient pu leur filer entre les doigts. Il fallait aussi se familiariser avec les systèmes et déplacer les corps.

Il y avait des mesures de sécurité à prendre. Pour commencer, Granger voulait des gardes postés tout autour du périmètre d'enceinte. Ce n'était pas qu'il croyait que les gouvernements avaient la volonté ou les ressources pour reprendre ce qu'ils venaient de perdre. Mais il y avait les Gardiens, et eux, c'était une toute autre paire de manches.

Granger avait chargé deux jeunes de lancer les outils de diagnostic sur le système central. Et ceux-ci se relayaient sans cesse pour lui faire part d'une nouvelle erreur découverte. Les serveurs avaient été négligés et exigeraient de gros travaux d'entretien. Le logiciel qui les faisait fonctionner était périmé et vulnérable aux erreurs. Granger n'était pas surpris.

Il y avait beaucoup à faire.

Pour le moment, toutefois, rien de tout cela ne le préoccupait outre mesure. Matthew Granger était tranquillement assis, tandis que ses gens s'affairaient tout autour. Il consulta la tablette posée sur ses genoux, pianotant avec les doigts sur l'accoudoir de son fauteuil. Il attendait un message.

Celui-ci apparut enfin avec un doux carillon d'ordinateur. Le texte ne comptait que quatre mots et provenait du chef de la force de frappe du nord. Le dernier groupe d'intervention à rendre son rapport.

Le message se lisait ainsi : « IL EST À NOUS ». Granger sourit.

Il resta quelques minutes de plus dans son fauteuil, savourant le moment en privé. Puis, il activa mentalement ses jambes cybercinétiques, se leva debout et s'éclaircit la gorge pour avoir l'attention de tous. La pièce se fit aussitôt silencieuse, et tous étaient pendus à ses lèvres. Il laissa l'impatience contenue se nourrir d'elle-même, avant de la satisfaire d'un sourire qu'il accompagna d'un hochement de tête.

Les Millénaires de Granger explosèrent de joie, applaudissant et criant victoire avant même qu'il n'ait annoncé la nouvelle. Il sentit néanmoins que l'occasion devait être soulignée par quelques mots. *Mais pas ici,* pensa-t-il. Non, son premier discours dans cette nouvelle ère devrait être entendu par le plus grand nombre possible. Il fallait que ce discours passe à l'histoire, pour la postérité.

Granger déchira le coin de l'enveloppe neuve d'un adaptateur ID et se brancha au terminal. Il laissa ses partisans du vrai monde à leurs célébrations tandis qu'il retournait enfin dans le monde qu'il avait créé. Ce monde qui était à nouveau le sien.

# 25

Environ cinq minutes s'étaient écoulées. Des minutes qui donnaient l'impression d'avoir duré cinq heures.

Sam était allongée à l'arrière de la camionnette. Jonah était affalé à côté d'elle, toujours plongé dans sa métatranse. Axel et Bradbury s'étaient eux aussi mis ventre à terre.

Tous s'étaient attendus à ce que les hommes de main de l'organisation Chang ouvrent le feu. Axel fut le premier à relever la tête quand ils ne tirèrent pas. Il regarda par la vitre cassée à l'arrière, vit quelque chose qu'il n'aimait pas et baissa la tête.

— Ils sont toujours là, siffla-t-il. Ils nous surpassent en nombre, en puissance de tir et ils nous encerclent. Bon Dieu, je ne sais pas ce qu'ils attendent pour…

Il fut interrompu par une voix mécaniquement amplifiée.

— Vous là-bas, dans la camionnette, dit la voix. Sortez immédiatement avec les mains en l'air et on ne vous fera aucun mal.

— Ils mentent, dit Dimitry, sa tête penchée, dans le siège du passager. Ils vont nous trouer de balles dès que nous serons sortis.

— Nous n'en savons rien, dit Sam.

– S’ils avaient voulu nous tuer, dit Bradbury, ce serait déjà fait. En tous cas, moi, je l’aurais déjà fait.

– C’est sans doute seulement parce qu’ils ne savent pas encore qui je suis, dit Dimitry, crispé de peur. Quand ils me verront, ils n’hésiteront pas à…

– Avons-nous le choix ? dit Sam, exaspérée. Ils nous offrent une chance de nous en sortir, et moi… je la prends. Je sors la première. Je vais leur parler.

En se relevant, Sam se rendit compte qu’elle tremblait de partout. Elle espérait à moitié que son père la dissuade de mettre ainsi sa vie en danger.

Ce fut plutôt Bradbury qui lui barra le chemin.

– Non, dit-il d’un ton bourru. C’est moi qui devrais y aller. C’est ma responsabilité de protéger…

Dimitry venait de baisser sa vitre et sortait la tête dehors.

– Vous ne nous prendrez jamais vivants ! cria-t-il. Nous avons des explosifs, des tonnes d’explosifs. Nous en avons assez pour faire sauter cette camionnette et vous avec. Alors, c’est vous qui allez lâcher vos armes et reculer, s’il vous plaît.

Sam le regarda avec horreur. Elle ne savait pas si Dimitry bluffait ou non. Dans un cas comme dans l’autre, ce n’était pas bon, pas bon du tout.

Tout le monde était figé et retenait son souffle. La voix amplifiée se fit à nouveau entendre :

– Je répète : nous ne vous ferons aucun mal. Nos ordres viennent de monsieur Chang lui-même.

Il y eut une pause, puis la voix continua :

— Il semblerait que nous ayons un ami en commun : un certain monsieur Jonah Delacroix. Où est-il ?

Jonah avait espéré que la figurine de chat le ramène à l'école, près de son halo de sortie.

— Cet appareil fonctionne dans un seul sens, expliqua M. Chang. Mais vous retrouverez votre chemin jusqu'au halo par cette voie.

Il guida Jonah vers une tapisserie pendue au mur. On y voyait un dragon rappelant l'avatar de M. Chang, entouré d'or et de pierres précieuses.

Derrière la tapisserie, il y avait une porte secrète.

— Merci, dit Jonah avant de franchir la porte.

Jonah émergea dans une allée déserte et se retourna pour découvrir un mur de briques derrière lui. Le mur était solide au toucher ; il ne reviendrait pas au temple dans la montagne par ce chemin-là. Plutôt que de marcher dans les rues, Jonah s'envola pour découvrir les environs.

Il se trouvait dans une zone à thématique chinoise. Il vola entre les gratte-ciel et sous des arches décorées avec des lanternes en papier qui chantaient. Il fut salué gaiement par plusieurs autres dragons de couleurs et de tailles différentes.

Désespérant de revenir auprès de Sam dans le vrai monde, il grimpa plus haut et vola plus vite qu'il ne l'avait jamais fait. Il traversa les nuages numériques, puis aperçut l'île de l'Académie Chang au loin.

Il remarqua au dernier instant qu'un halo de sortie s'était ouvert devant lui.

Il vira pour l'éviter et poursuivit son vol. Un moment après, cependant, un autre halo s'ouvrit à la droite de Jonah. Il pouvait maintenant en voir deux, puis trois, suspendus dans les airs autour de lui.

Dans la bouche du halo le plus près, un avatar se formait : une immense araignée noire. Elle avait de longs crochets et huit yeux luisants comme le charbon : quatre sur les côtés de la tête et quatre autres formant un carré, fixant directement Jonah.

Son cœur ne fit qu'un tour. Il reconnaissait l'araignée. C'était sûrement l'avatar le plus reconnaissable dans tout le monde virtuel.

Matthew Granger l'avait trouvé, et il était venu en personne pour lui régler son compte.

Jonah contourna le halo. Il fallait qu'il déguerpisse de là avant que l'araignée ne se forme complètement, avant que les sens de Granger soient complètement transférés du monde réel à ce monde-ci. Il évita de justesse une autre araignée noire, grimpant devant un autre halo de sortie – puis il y eut une autre araignée et encore une autre.

Il y avait des araignées sous Jonah, aussi, au sol. La métasphère grouillait d'araignées.

Jonah n'avait nulle part où s'échapper. Matthew Granger était partout.

La sensation était grisante.

Granger pouvait voir l'ensemble de la métasphère depuis des milliers de points de vue à la fois. Il pouvait l'entendre aussi : des milliards de voix s'élevant en surprise et criant leur adulation – et, aussi bien sûr des voix en colère contre lui. *Il y en aura toujours qui résisteront au progrès,* se dit-il.

Il ferma les yeux, se concentrant sur la tâche qui l'amenait là et partout dans la métasphère. Il pouvait décider des images qu'il voulait voir, comme s'il avait eu en main le déclencheur d'un appareil à diapositives. Il pouvait choisir par lequel des multiples yeux de ses avatars il voulait regarder.

Granger voyait ainsi son monde virtuel. Depuis les centres d'appels jusqu'aux zones de jeux, il avait l'attention de tous les avatars. Des concerts étaient interrompus ; toutes les transactions à la bourse avaient cessé.

Tout le monde attendait d'entendre ce qu'il avait à dire.

Les araignées parlèrent toutes d'une seule voix, la voix de Granger.

— Pour ceux d'entre vous qui ne me connaîtraient pas, dirent les araignées, ou qui m'auraient oublié après tout ce temps, laissez-moi me présenter. Je suis Matthew Granger.

Jonah, comme tout le monde, écoutait, s'étant arrêté en plein vol. Il n'avait pas vraiment d'autre choix. Les araignées étaient partout.

— Il y a presque 20 ans, j'ai créé le Web 4.0, la version beta de ce que nous appelons aujourd'hui la métasphère. Mon intention d'alors était de créer une vie meilleure pour tous, un monde meilleur que celui que nous connaissions. Ce devait être un monde ordonné, un monde efficace, un monde dans lequel — pour parler sans mettre de gants blancs — les choses fonctionnent.

Au début, Jonah avait été soulagé que les araignées ne soient pas venues pour lui. Mais maintenant, l'anticipation lui nouait l'estomac. Pour que Granger agisse ainsi, pour qu'il se montre au monde entier, il devait avoir une bonne raison. Quelque chose de gros se tramait.

– Il y a trois ans, reprirent les araignées, on m'a pris ce monde. Nos gouvernements, ces organisations non contentes d'avoir ruiné leur propre monde, croyaient pouvoir faire un meilleur travail que moi pour gérer la métasphère. Nous avons vu combien ils avaient tort.

Plusieurs avatars acclamèrent ces paroles. Malgré ses efforts, Jonah ne trouva pas de raison d'être en désaccord avec eux.

– Eh bien, ces temps obscurs sont révolus. Vous savez sans doute déjà qu'il y a trois jours, dans la foulée de la chute du gouvernement des États-Unis, que je me suis échappé de la prison où j'étais injustement enfermé. Et je n'ai pas chômé depuis, croyez-moi. Nous avons parcouru le monde réel, mes partisans et moi. Nous sommes retournés aux sites des quatre parcs de serveurs que j'ai construits, il y a deux décennies de cela, pour faire fonctionner la métasphère. Nous avons repris ces sites des mains des gouvernements qui…

Les mots suivants de Granger furent noyés dans un rugissement assourdissant.

Jonah n'avait jamais entendu s'élever un si grand nombre de voix en même temps. C'était comme si le monde entier avait crié. Il y avait des cris de célébration, d'autres de fureur, chaque faction déterminée à se faire plus bruyante que l'autre.

– Mes amis, tonna la voix de Matthew Granger pardessus le brouhaha général et à travers la gueule de ses innombrables avatars, les Quatre Coins sont à nouveau en ma possession. J'ai repris les commandes. Aujourd'hui marque le commencement d'une nouvelle ère lumineuse.

Jonah devait retourner auprès des autres.

Il continua sa route vers l'Académie Chang. Sur son passage s'alignait une foule d'araignées noires. Elles flottaient dans les airs et sur l'eau. Jonah ne pouvait pas échapper à leurs voix qui s'élevaient à l'unisson.

Bradbury fut le premier sorti de la camionnette, les mains dans les airs. Quand il vit que les hommes de la société Chang ne l'abattaient pas sur-le-champ, Axel suivit son exemple.

Deux hommes de Chang s'approchèrent et les fouillèrent. Ils confisquèrent le fusil de Bradbury et le pistolet d'Axel, puis leur montrèrent le chemin des limousines.

Les six autres hommes de main n'avaient pas bougé. Ils étaient accroupis derrière leurs véhicules, leurs armes pointées sur les prisonniers.

Sam émergea la suivante. Les deux premiers hommes accomplirent la fouille et, ne trouvant aucune arme, ils rengainèrent les leurs.

— Il est à l'intérieur, dit Sam. À l'intérieur de la camionnette, et à l'intérieur de la métasphère. Et je vous avertis, nous n'irons nulle part avant qu'il ne soit sorti de sa métatranse.

Dimitry et Andrey débarquèrent respectivement par les portières du conducteur et du passager. Dimitry gardait la tête basse, évitant de croiser les regards des hommes de Chang. Aucun d'eux n'eut de réaction en le voyant. Ainsi, soit qu'ils ne le reconnaissaient pas, soit qu'ils savaient qui il était et s'en fichaient complètement, ce qui était plus probable.

Sam entendit un gémissement provenant de l'intérieur de la camionnette. Avant que quiconque ne l'arrête, elle avait couru vers le véhicule et ouvert grandes les portes arrière.

Jonah revenait à lui et se découvrait de nouvelles ecchymoses sur le corps. Sam l'aida à s'asseoir, débrancha son cordon Ethernet et l'amena à l'extérieur.

— Qu'est-ce qui s'est passé ? demanda Jonah, encore un peu faible et sonné. En fait, non, laisse tomber. Il faut que je te dise, Granger... Matthew Granger a repris la métasphère.

Jonah raconta son histoire en marchant entre la camionnette et les limousines. Dimitry et Andrey écoutaient eux aussi, tout comme les hommes de Chang, qui sortirent de derrière leurs véhicules et abaissèrent leurs armes. Axel et Bradbury vinrent les rejoindre ; personne n'essaya de les en empêcher.

Ils commencèrent à poser des questions à Jonah. Un homme de Chang au visage émacié et portant une oreillette s'approcha pour dire qu'il avait vérifié et que Jonah disait vrai.

Le groupe d'anciens ennemis restèrent un temps silencieux.

— Alors, qu'est-ce qu'on fait maintenant ? demanda Sam.

— Nos ordres, dit l'homme au visage maigre de la société Chang, sont de vous escorter jusqu'à l'aéroport de Myachkovo.

— Pourquoi ? demanda Jonah. À quoi ça sert maintenant ? C'est trop tard !

Dimitry dévisagea Jonah d'un regard noir. Sam savait ce que le pirate russe pensait. Ces « ordres » étaient tout ce qui le gardait en vie. Et c'était probablement vrai pour le reste d'entre eux.

— Non, dit Axel. Ce n'est pas encore fini, seulement notre mission vient de changer. Oui, Granger a l'avantage de l'initiative. Il a les Quatre Coins à présent. Mais avant lui, c'était les gouvernements. Nous avons toujours su que cette bataille allait venir. Si nous étions arrivés les premiers, nous aurions dû défendre nos acquis. Mais maintenant…

— Maintenant, dit Sam avec une petite voix, terminant les pensées de son père, nous attaquerons. Nous devrons combattre les Millénaires, de front.

# 26

L'avion à réaction de Dimitry était plus gros que celui d'Hiram, et d'un confort incroyable. L'appareil offrait un vaste habitacle pour les passagers, avec huit fauteuils rembourrés disposés autour de tables en verre. Il y avait un réfrigérateur garni de boissons et d'en-cas.

C'était ainsi que Jonah s'était imaginé l'appareil de Granger, celui que son père avait piloté. À voir tout ce luxe, Jonah se dit que Dimitry devait faire beaucoup d'argent avec son petit commerce de piratage.

Dimitry était aux commandes de l'appareil. Jonah aurait aimé le laisser sur le tarmac, avec Andrey. Pas de chance. Dimitry avait cette manière de regarder Sam qui avait le don d'irriter Jonah. D'ailleurs, Dimitry l'avait déjà invitée à se joindre à lui dans le cockpit.

— Plus tard, peut-être, avait-elle répondu, feignant un bâillement.

Ils volaient depuis 20 minutes quand Axel décida d'aller en ligne. Il trouva un terminal sous son siège et déroula le cordon Ethernet.

— Je veux seulement vérifier l'état des lieux, tâter le pouls de la métasphère, dit-il. Et du reste, j'ai vraiment besoin d'un verre, et je ne peux pas me permettre d'en siffler un vrai. Je dois garder les idées claires.

— Et où comptes-tu aller ? demanda Sam.

Axel tiqua, lui faisant la grimace.

— J'imagine que je n'irai pas à l'Icare.

— Tu devrais te tenir loin du secteur, dit Sam. Nous savons qu'il y a des espions millénaires dans les parages, et ils nous ont vus suivre l'avatar de Jason Delacroix.

— Je connais un endroit, loin des sentiers battus, et où on vous sert à boire sans poser de questions, dit Axel. Tu m'accompagnes, petite ?

Sam répondit qu'elle l'accompagnerait, pour une heure. Et c'est seulement en la voyant se brancher au terminal que Jonah comprit qu'il se retrouverait seul avec Bradbury. Il faillit demander à Sam s'il pouvait venir avec elle, mais il était fatigué et décida de se reposer. Il se dit après tout que rien ne l'obligeait à parler à Bradbury.

Bradbury démonta le fusil qu'on lui avait récemment rendu. Il le nettoya et le huila, vérifiant que les hommes de la société Chang ne l'avaient pas endommagé. Jonah se cala dans son fauteuil et s'endormit sans s'en rendre compte.

À un certain moment, entre deux rêves, Jonah se réveilla à moitié.

Il pouvait entendre des voix. Axel était un peu trop bavard et bruyant, et peinait à articuler. Il avait sans doute bu jusqu'à saouler son avatar et en ressentait encore les effets. Bien sûr, de retour dans le vrai monde, il redeviendrait très vite sobre.

Axel parla de feux d'artifice et de manifestations de joie dans les rues. La moitié de la métasphère, disait-il, célébrait le retour de Granger. Bradbury semblait ennuyé par la nouvelle. Il dit quelque chose à propos de moutons, de la manière dont certaines personnes étaient trop bêtes pour savoir ce qui était bon pour elles. Sam raconta qu'elle et Axel avaient été témoins de violentes manifestations. Des gens protestaient et certains avatars s'étaient même battus.

Jonah retrouva lentement le sommeil. Il fut réveillé par Sam pour découvrir des rayons de soleil filtrant par les hublots de l'avion.

— Mon père dit que nous atterrirons dans 40 minutes, lui annonça Sam. J'ai pensé que tu voudrais faire un brin de toilette et manger quelque chose avant d'arriver.

Axel n'était plus dans le compartiment des passagers. Il devait se trouver aux commandes, car Dimitry dormait dans son fauteuil. Sam le réveilla aussi. Bradbury avait déniché une bouilloire et faisait infuser une carafe de Stimucaff, un succédané de café.

Dimitry adressa quelques mots en russe à Sam, des mots qui la firent rire. Sam surprit Jonah en répondant dans la même langue que le pirate.

— Qu'est-ce qu'il a dit ? demanda Jonah à Sam.

— Oh, rien d'important, répondit-elle. Il joue au macho, c'est tout, crut-elle bon d'ajouter.

Jonah aimait mieux quand Sam restait froide à l'égard de leur pilote. Mais ce n'était pas le genre de remarque qu'il était en droit de faire. *Ce n'est pas comme si elle était ma copine ou quelque chose du genre !*

Bradbury tendit une tasse de Stimucaff à Dimitry.

— Les autorités chinoises ne nous ont pas fait de problèmes ?

Dimitry secoua la tête.

— Les Chinois nous ont contactés par radio dès notre entrée dans leur espace aérien, mais j'ai pu les berner. J'ai dit que nous transportions un important homme d'affaires américain.

— Et tu es certain qu'ils t'ont cru ? demanda Sam.

— Dans le cas contraire, dit Bradbury, ils nous auraient déjà abattus.

— Ou peut-être que monsieur Chang leur a demandé de nous laisser atterrir, dit Jonah qui ne voulait pas que Dimitry ait tout le mérite.

Après tout, c'était Jonah qui avait trouvé M. Chang dans la métasphère.

Ils se posèrent dans un autre aéroport privé, à l'extérieur de Shanghai.

Ils firent leurs adieux avant de quitter l'avion. Dimitry semblait pressé de retourner à Moscou et à ses affaires en cours. Il avait une camionnette à remplacer, disait-il, et il secoua la tête en pensant aux sommes qu'il devrait débourser. Il souhaita bon vent aux Gardiens, et embrassa Sam sur la joue.

Il se tourna vers Jonah et dit :

— Mon jeune et ingénieux camarade. Si ce n'avait été de toi, je ne serais plus de ce monde aujourd'hui. Je te suis à jamais redevable.

Jonah resta bouche bée. C'était la première fois que Dimitry lui adressait la parole, et Jonah ne s'était pas attendu à de si bons mots. Il se sentait presque coupable d'avoir éprouvé de l'aversion pour le Russe.

— Qu'est-ce que tu as dit à Sam, tout à l'heure, en russe ?

— Je lui ai demandé de ne pas poursuivre sa mission et de plutôt revenir avec moi à Moscou.

Jonah cessa aussitôt d'éprouver de la culpabilité. Il ne l'aimait pas, ce Russe, il ne l'aimait pas du tout.

— Et qu'est-ce qu'elle a répondu ?

— Pourquoi ne pas lui demander toi-même ? répliqua-t-il.

Jonah débarqua après les autres.

Ils avaient à peine mis le pied sur le tarmac que deux limousines noires vinrent à toute vitesse à leur rencontre. Jonah figea sur place, se rappelant les camions télécommandés qui avaient voulu le tuer sur la piste de Dover. Quatre hommes sortirent de la première limousine, tous vêtus de treillis et armés, comme les hommes de Chang à Moscou.

Jonah se sentit désespéré en les voyant marcher vers l'avion. En fin de compte, il semblait que M. Chang l'avait trahi. Il s'apprêtait à lever les mains pour se rendre, mais les quatre hommes passèrent devant lui sans s'arrêter.

— Hé ! Qu'est-ce qui se passe ici ? cria Axel en partant sur les pas des hommes armés, Bradbury s'empressant de le retenir.

Dimitry, lui, avait vite saisi le péril de la situation. Il se tenait l'instant d'avant dans la porte de l'avion derrière Jonah et les autres. Or, Jonah regardait à présent et il n'était plus là. Les hommes de la société Chang entrèrent dans l'avion à ses trousses.

Un vieux Chinois débarqua de la deuxième limousine. Il portait un complet gris et une casquette de chauffeur, qu'il inclina en direction de Jonah.

— Maître Delacroix et compagnie, je présume ? Si vous aviez l'amabilité de me suivre, s'il vous plaît, mon patron est impatient de faire votre rencontre.

Jonah regarda Sam, puis regarda Axel et regarda ensuite l'avion derrière. Il n'y avait rien à faire sauf d'accepter l'invitation du chauffeur.

Jonah fut arrêté dans ses pas par le bruit d'un coup de feu.

Il se retourna.

— Maître Delacroix, dit le chauffeur. Monsieur Chang préférerait que vous ne vous impliquiez pas dans ses affaires privées.

Jonah bégaya :

— Mais…

Bradbury le prit par le bras et l'amena vers la limousine.

— Le gentleman a raison, dit-il d'un ton bourru. Dimitry n'est pas l'un des nôtres. Nous avions une entente avec lui. Cette entente est conclue. Ce qui lui arrive désormais ne nous concerne pas.

— Et nous avons une entente à régler avec monsieur Chang, ajouta Axel.

Jonah était choqué par leur attitude indifférente. Il se tourna vers Sam pour avoir son soutien. Elle avait l'air tout aussi consternée que lui par la tournure des événements, mais elle n'osait pas dire un mot. En croisant le regard de Jonah, Sam secoua la tête.

Il comprit le message : « Que peut-on faire, de toute façon ? »

Le chauffeur leur tint la porte arrière de la limousine. Bradbury poussa Jonah à l'intérieur. Les autres se joignirent à lui. Ils s'assirent sur le fauteuil en L, fait de cuir véritable, autour d'un minibar et d'une console de divertissement. Jonah se tortilla sur son siège pour voir par la fenêtre latérale.

Les hommes de Chang sortaient de l'avion. À son grand soulagement, Dimitry sortait avec eux. Il avait les mains sur la tête, et quatre fusils pointés sur lui, mais il était en vie – pour le moment, du moins.

La limousine s'éloigna de la piste, laissant le pirate russe à son sort. Jonah ne put s'empêcher de songer à ce qui se serait passé si les hommes de la société Chang étaient venus pour le prendre, lui, à la place de Dimitry. Est-ce qu'on l'aurait abandonné, lui aussi ?

Car à bien y penser, Jonah n'était pas vraiment « l'un des leurs » non plus.

Les rues de Shanghai étaient plus tranquilles que Jonah ne l'aurait cru.

Il avait appris à l'école que la Chine avait la plus grande population de tous les pays – mais que le peuple chinois, cherchant à échapper à la surpopulation des grandes villes, avait été l'un des premiers à embrasser le mode de vie de la métasphère.

Jonah avait entendu parler de gens ici qui se nourrissaient par perfusion pour rester des journées entières en ligne. Ils dormaient même dans Internet, enregistrant leurs rêves pour les visionner ultérieurement. Comme les négociateurs dans la Tour de la Cité de Londres, ils engageaient les services de domestiques – les bannis de connexion et les métaphobes comme la mère de Jonah – pour prendre soin de leurs corps en métatranse.

Shanghai présentait une architecture hétéroclite qui alliait des résidences citadines Art déco jusqu'aux plus modernes tours de verre et d'acier. Tandis qu'ils approchaient du district de Pudong — Jonah suivait leur progression grâce à une carte interactive produite par la console de la limousine —, les gratte-ciel se firent de plus en plus hauts et majestueux, jusqu'à ce qu'on ne vit plus qu'eux, les plus petits bâtiments étant enterrés par la grandeur des tours.

Durant le trajet, ils ne croisèrent que deux voitures, et celles-ci étaient également des limousines de la société Chang.

Ils ralentirent devant une tour bleue et grise, la Tour Shanghai. Jonah s'émerveilla de son architecture tandis qu'ils se dirigeaient vers l'entrée. Il n'y avait pas plus grand édifice au monde que celui-ci, jadis dépassé en hauteur par les tours de Dubaï, avant leur effondrement. La tour s'élevait en spirale vers les nuages.

— La tour vous rappelle quelque chose? demanda le chauffeur avec un sourire complaisant. L'édifice a été conçu à l'image d'un dragon lové.

Il introduisit ensuite Jonah et les trois Gardiens dans le vestibule de la tour. Ils furent accueillis par un garde et escortés vers l'ascenseur.

Ils montèrent plus d'une centaine d'étages en silence, et Jonah grimaça en sentant ses oreilles se boucher. Sam remarqua son inconfort et lui adressa un sourire. Elle lui dit de faire comme elle, de se boucher le nez et de souffler fort. Son visage devint rouge écarlate et ses joues se gonflèrent. Jonah éclata de rire. Bradbury lui jeta un regard sombre, mais pour une fois, Jonah n'avait que faire de ce que l'ingénieur maussade pensait. C'était bon de rire, ne serait-ce qu'un bref instant.

Les portes de l'ascenseur s'ouvrirent et ils sortirent dans un grand atrium baigné de soleil. Derrière eux, le cœur de la tour grimpait encore vers le ciel. Ils se trouvaient à présent dans un vaste espace en forme d'anneau entre la façade extérieure et les murs du cœur en verre de la tour. Il y avait des arbres dans l'atrium, mais aussi des tables et des chaises disposées dans la circonférence de l'espace circulaire.

L'agent de sécurité resta dans l'ascenseur. Les portes glissèrent devant lui et Jonah entendit la cabine redescendre. Tout d'abord, il crut qu'on les avait laissés seuls. Mais bientôt, un garçon vint leur souhaiter la bienvenue. Il avait l'âge de Jonah, était chinois d'origine et affichait un sourire espiègle. Il se déplaçait avec une confiance que Jonah lui envia immédiatement. Il portait un complet noir et une cravate sur laquelle un dragon était brodé avec du fil de soie rouge.

Il s'inclina devant ses quatre visiteurs.

— Bonjour, Mademoiselle Kavanaugh. Bonjour, messieurs. J'ai cru que ce lieu ferait une plus agréable rencontre que le tarmac de l'aéroport.

— Je n'ai jamais vu d'édifice aussi haut, dit Sam. La vue est à couper le souffle.

— Nous ne sommes pas ici pour admirer le paysage, dit Bradbury sans ménagements. On nous a promis que monsieur Chang nous rencontrerait en personne.

— Bien entendu, dit le garçon. Monsieur Bradbury, je présume ? Ce qui m'amène à croire que votre ami ici est monsieur Kavanaugh, et que vous… dit-il en se tournant vers Jonah avec un sourire plus chaleureux et large. Vous devez être Maître Delacroix — ou préférez-vous que l'on vous appelle Jonah ? C'est un réel honneur de faire votre connaissance dans le vrai monde.

— Je, euh… enchanté ! fit Jonah. Mais, j'ai peur de ne pas comprendre…

— Bien entendu. J'ai négligé de me présenter. Veuillez pardonner mes mauvaises manières. Parfois, il m'arrive d'oublier que mon corps physique est différent de mon moi virtuel.

Le garçon n'avait pas l'air contrit. Il semblait s'amuser de la confusion de Jonah.

— Vous voulez dire que vous êtes…

Sam fut la première à le dire.

— Vous êtes Monsieur Chang, n'est-ce pas ?

Le garçon fit une autre révérence.

— À votre service, dit-il.

# 27

Tout là-haut dans le ciel, ils s'assirent sous un arbre en pot, autour d'une table de réunion.

Axel peinait encore à digérer les dernières nouvelles.

— Donc, vous êtes Monsieur Chang, répéta-t-il. Le président-directeur général de la société Chang. Le troisième homme le plus riche du monde.

— Le deuxième, si ma mémoire est juste, dit le garçon chinois. Si l'on prend en compte les derniers résultats en bourse.

— Vous n'êtes qu'un gamin! dit Axel.

— Ce que mon père tente de dire, le reprit Sam avec diplomatie, c'est que la société Chang fait des affaires depuis plus de 20 ans. Et vous ne pouviez évidemment pas être à sa tête au moment de…

— Mon père a fondé la compagnie, expliqua le garçon. Il s'appelait monsieur Chang lui aussi, bien entendu. J'ai hérité de la société Chang le jour de mon 14e anniversaire.

— Et vous avez diversifié ses activités, doublant leur importance en moins de deux ans et demi, dit Sam.

— J'ai eu d'excellents tuteurs, dont mon père. À l'école, j'ai appris tout ce qu'il me fallait savoir sur la science et la technologie. À la maison, on m'a initié au monde des affaires.

Jonah avait de la difficulté à le croire. Lui-même n'avait encore aucune idée de ce qu'il voulait faire dans la vie et les événements des derniers jours n'avaient fait qu'ajouter à sa confusion. Et voilà que ce jeune M. Chang avait déjà tout compris de la vie.

– Ainsi, c'est vous l'inventeur du pont Chang, dit Bradbury.

– Droit au but, se réjouit M. Chang. Mon père aurait approuvé. Bien entendu, depuis que Jonah et moi avons discuté dans la métasphère, les choses ont quelque peu changé.

– Pas en ce qui nous concerne, dit Axel. Nos plans demeurent les mêmes.

– C'est presque une joie de l'entendre. Vous vous doutez sûrement que le retour de Matthew Granger à la tête du monde virtuel est, si vous me le permettez, plutôt mauvais pour mes affaires.

– C'est de mauvaises nouvelles pour tout le monde, généralisa Bradbury. Et c'est pour ça que nous sommes ici, Monsieur Chang. Il faut agir maintenant. Il nous faut votre invention.

M. Chang porta la main dans la veste sous son veston. Il en sortit une petite boîte mince en argent. Elle n'était pas plus large qu'un disque dur portable. On y voyait une rangée de lumières DEL sur la face avant, et trois ports à l'arrière. Il y avait un hologramme dessiné sur sa surface, une image représentant un dragon doré, lové sur lui-même, semblable à l'avatar de M. Chang.

– C'est tout ? dit Jonah.

— En effet, dit M. Chang. Vous vous attendiez à quelque chose de…

— Plus gros, dit Sam. Définitivement plus gros.

— Je dois reconnaître que c'est étonnant, gamin, dit Axel, s'empressant de se corriger, je veux dire, Monsieur Chang. Si cette boîte fait la moitié de ce que vous prétendez qu'elle fait, alors je me fous de l'âge que vous avez et de savoir quelles écoles vous avez fréquentées. Vous êtes un génie !

Bradbury avait pris le dispositif. Il le retournait dans tous les sens, l'inspectant attentivement.

— Et comment ça marche ? demanda-t-il.

— Le pont Chang doit être physiquement mis en interface avec les serveurs de n'importe lequel des Quatre Coins, expliqua M. Chang. Une fois cette connexion complétée, tout le reste se fait automatiquement. Le dispositif prendra un peu moins d'une minute à faire son travail.

— Moins d'une minute ? dit Bradbury en regardant M. Chang d'un air suspicieux. C'est tout, pour sauvegarder un quart de toutes les données de la métasphère ?

— Juste ciel, non ! Ce serait évidemment chose impossible.

Axel et Bradbury échangèrent un regard. Ils se levèrent tous les deux d'un coup. Jonah remarqua la main de Bradbury qui remuait en direction de son fusil caché, et il sentit sa gorge se nouer. Il regarda tout autour, pour voir si les hommes de Chang venaient sur eux. Il n'en vit aucun, mais il y en avait sûrement tout près. Jonah ne voulait pas se retrouver au milieu d'une autre fusillade.

— Quel genre de couleuvres essaies-tu de nous faire avaler, gamin ? grogna Axel.

– Je ne vois pas ce que vous voulez dire, répondit M. Chang qui demeurait assis, posé et calme.

– Nous ne sommes pas venus ici pour rien. On nous a dit que vous aviez en votre possession un appareil capable de sauvegarder la métasphère, un appareil qui pourrait…

– Monsieur Kavanaugh, je vous en prie, dit M. Chang. La taille de la métasphère se mesure en geopoctets et même en saganoctets. Le dispositif capable de stocker une telle quantité de données aurait la taille d'une île. Il aurait la taille des Quatre Coins combinés.

– Je le savais depuis le début, grincha Bradbury. J'ai toujours dit que c'était trop beau pour être vrai. Nous perdons notre temps, Axel.

– Non, attendez, dit Sam. Monsieur Chang, il devient évident qu'il y a un malentendu ici, mais je suis certaine que nous pouvons encore…

– À l'évidence, oui, l'interrompit M. Chang, et à mon grand regret, sachez-le. Je peux vous assurer, mademoiselle Kavanaugh, que mon intention n'a jamais été de vous tromper.

– Bien sûr que non.

– Cela dit, la nature de notre alliance a exigé que, jusqu'à ce moment même, nos communications se limitent à des messages relayés par des agents intermédiaires.

– Donc, vous dites que ce n'est pas votre faute, grogna Bradbury. C'est que l'un de vos gens ou les nôtres ont mal transmis l'information ?

Bradbury avait l'air loin d'être convaincu.

– Il nous a fait courir partout pour rien, dit Axel, et pendant ce temps Granger en a profité pour…

— Mais au juste, qu'est-ce qu'il *fait*, ce machin ?

Axel s'était tu au beau milieu de sa phrase et Jonah avait parlé tout bas. À présent, tous les yeux étaient tournés vers lui. Il s'éclaircit la voix.

— Je pensais au pont Chang, dit Jonah. Vous saviez exactement pourquoi nous le voulions — nous en avons parlé lors de ma visite dans le temple, dans la métasphère — et vous avez dit, si ma mémoire est bonne, que votre invention nous aiderait. Alors, si le pont Chang n'est pas une unité de sauvegarde, qu'est-ce que c'est ?

M. Chang lui sourit.

— Vous êtes un jeune homme fort perspicace, Jonah Delacroix.

— Alors ? fit Bradbury, à bout de patience.

— Mon pont Chang, dit M. Chang, opère précisément comme son nom l'indique. Il doit jeter un pont entre la métasphère et un nouveau monde virtuel.

— Un nouveau... fit Axel qui dut s'asseoir tant il était dépassé par les événements.

— Un monde meilleur, précisa M. Chang. Comprenez-moi bien, je ne dis pas que Matthew Granger n'est pas un génie, mais en maintenant un monopole sur les métatechnologies, en muselant toute forme de compétition, il a limité le développement de sa propre création. Quant aux gouvernements du vrai monde, moins on parlera de leur gestion de la métasphère, mieux ce sera.

— Et ce nouveau monde, dit Sam, il... existe, déjà ?

— La Changsphère a une puissance de traitement des données 10 fois plus grande que la métasphère. L'expérience de l'utilisateur en est donc augmentée par un multiple de...

– Votre « Changsphère » ! s'exclama Bradbury.

– Voyez le concept comme le yang du yin de la métasphère, expliqua M. Chang, comme si ses visiteurs comprenaient ce qu'il voulait dire par là.

– Non, non, non, non, *non* ! fit Axel, la figure cachée dans ses mains, de frustration. Non, ce n'était pas notre entente, « Chang-boy ». Nous devions rendre la métasphère gratuite pour tous, pas seulement troquer le dictateur d'un monde pour un autre.

Les yeux de M. Chang devinrent noirs.

– Je n'ai aucun désir de pouvoir, Monsieur Kavanaugh. J'aurais pensé que vous me jugeriez mieux que cela. Les codes sources de la Changsphère seront disponibles sur demande, et nous encouragerons le développement des applications par de tierces personnes. Et plus important que tout, les utilisateurs auront le choix… entre le vieux monde et le nouveau. Le monopole de monsieur Granger sera enfin chose du passé.

– Mais ce monde sera encore dirigé par un seul homme, par vous dans ce cas, protesta Axel.

– À travers les rouages de ma société, oui. Je crois que le monde, que tous les mondes, en fait, ont besoin d'être dirigés par un homme de vision, sinon ils stagnent et s'effritent. Nous avons tous vu comment…

– Même en admettant que vous soyez un homme de confiance, proposa Bradbury, avez-vous pensé au futur ? Qu'arrivera-t-il quand le prochain mégalomane venu héritera de votre *Yang*sphère ?

– Même si cela devait arriver, dit M. Chang, ce ne serait pas avant très longtemps, et d'ici là il y aura probablement un autre monde virtuel en compétition avec le mien. La boucle sera bouclée et le monde continuera de tourner.

Tout cela semblait fort raisonnable selon Jonah. En fait, il aimait ce qu'il entendait. M. Chang offrait un tout nouveau monde à explorer... Et peut-être même qu'il avait raison, que son monde serait meilleur... Jonah devinait quand même l'insatisfaction d'Axel et de Bradbury ; ceux-là n'étaient pas convaincus. Dans leur vision des choses, la métasphère devait être sauvegardée, non pas remplacée par un nouveau modèle.

M. Chang se leva debout.

— Bien entendu, je comprendrais qu'il vous faille réfléchir à ma proposition. Prenez tout le temps qu'il vous faudra. Cependant, gardez à l'esprit que mon invention vous offre ce que vous cherchez. Elle vous libérera d'un monde dirigé par Matthew Granger.

— Où se trouve-t-elle ? demanda Sam. Si la Changsphère existe déjà, où est-elle ?

— À quel autre endroit, ma chère ? dit M. Chang. Comme je vous l'ai dit, elle aurait « la taille d'une île ». Et je suis persuadé que vous avez eu connaissance, via les services de nouvelles en ligne, d'un achat que j'ai fait il y a 18 mois environ. Une acquisition dont je suis particulièrement fier, étant ma première au nom de la société Chang.

— Hong Kong ! se rappela Axel. Vous avez acheté Hong Kong !

— Et, souffla Sam, vous l'avez transformée... La ville tout entière ? Vous en avez fait un parc de serveurs géant ?

M. Chang se contenta de sourire, adressant un salut en s'inclinant avant de quitter ses hôtes. Il franchit une porte et disparut dans le cœur de la Tour Shanghai. Durant la minute qui suivit son départ, et peut-être davantage encore, personne n'osa ouvrir la bouche.

– Bon d'accord, fit Sam pour rompre le long silence. Papa, je sais que tu ne vas pas aimer ce que je vais dire, mais…

– Tu as foutrement raison que je ne vais pas aimer, grogna Axel. Nous nous sommes crapahutés à travers la moitié du globe pour rencontrer un gamin tout juste sorti des couches, un gamin qui nous dit que l'appareil qu'on nous a promis n'existe même pas ! Et dites-moi que personne n'a avalé cette affaire de « malentendu » ?

Bradbury secoua la tête.

– Monsieur Chang savait très bien ce que nous voulions. Et il nous a fait croire à nous et à tous les Gardiens qu'il pouvait nous aider.

– Pourquoi nous dire la vérité maintenant ? demanda Jonah.

– Parce que nous avons douté de sa parole dès que nous avons eu son invention en main, dit Bradbury. Monsieur Chang savait sacrément bien que nous l'examinerions et que nous comprendrions sa véritable utilité.

– Mais pourquoi ? Pourquoi ne pas nous le dire dès le début ?

– Nous n'aurions pas accepté, dit Axel. Mais maintenant que Granger occupe les Quatre Coins, il sait que nous n'avons plus le choix.

– Et puis quoi encore ? fit Bradbury. Nous n'allons quand même pas hausser les épaules et jouer le jeu de monsieur Chang. Allons-nous vraiment créer un portail vers son monde virtuel, vers sa *Yang-ville* parce que c'est le mieux que nous ayons à faire, parce que c'est mieux que de ne rien faire ?

— Eh bien... en fait, c'est mieux non ? se hasarda à dire Sam. Et en donnant un choix aux gens, nous ôtons un peu de pouvoir à Granger...

— Je n'en crois pas mes oreilles, s'énerva Axel. J'ai passé ma vie à me battre pour un principe, pour que le monde virtuel soit gratuit. Pas de demi-mesure, pas de compromis. Je refuse de simplement... de passer le pouvoir à monsieur Chang ou à quiconque, d'ailleurs.

— Tu saisis que nous avons quand même besoin de lui, dit Sam.

— Il s'est proposé de nous amener jusqu'en Australie, fit remarquer Jonah.

— Tous les contacts que nous avons en Chine se rapportent à monsieur Chang. Sans lui...

Bradbury se renfrogna.

— Ils marquent un point, Axel.

— O.K., O.K., c'est bon, soupira Axel. Pour le moment, il faut plier l'échine et faire des sourires... dire « Oui, monsieur », « Non, monsieur », « Ce sera tout, monsieur » à ce gamin de Chang. Nous le prendrons, son bidule. Et j'irai moi-même le lui dire.

— Mais ? fit Sam qui savait que son père n'avait pas terminé.

— Mais il faudra me passer sur le corps avant que je n'accepte d'installer son machin, ajouta Axel. Dès que nous n'aurons plus besoin de monsieur Chang, nous détruirons le pont Chang. Totalement. Définitivement.

# 28

Je remets entre vos mains le sort du monde, Maître Delacroix, dit M. Chang.

Il remit solennellement le dispositif à Jonah, et ce, même si Axel avait tendu les mains avant lui.

— J'en ferai bon usage, promit Jonah, qui culpabilisait de tromper ce nouvel ami ; surtout que monsieur Chang avait gardé le secret sur le fait que Jonah connaissait l'emplacement des trois autres Coins.

— Vous voyagerez vers l'Australie sur l'un de mes vaisseaux de fret. Il se trouve en ce moment à quai et prendra la mer dès votre embarquement.

— Par la mer ? s'inquiéta Axel. Mais ça prendra des jours…

— Quatre jours et demi, précisa M. Chang.

— Nous donnerions à Granger le temps de se retrancher, argua Axel. C'est beaucoup trop long !

— Mais beaucoup plus sûr qu'un voyage par la voie des airs, dit M. Chang.

En aparté, Bradbury murmura à l'oreille d'Axel :

— Ce n'est pas de notre sécurité qu'il se soucie, c'est de sa petite boîte grise.

M. Chang raccompagna le groupe vers l'ascenseur et Jonah n'en pouvait plus de taire cette question :

– Qu'allez-vous faire de Dimitry ? demanda-t-il.

– J'en ferai un exemple pour les autres, répondit M. Chang.

– Vous n'avez pas à... à le tuer, vous savez.

– Vous avez raison. J'ai en effet un choix à faire, dit M. Chang en souriant. C'est bon d'avoir le choix, n'est-ce pas, Maître Delacroix ?

Les portes de l'ascenseur s'ouvrirent, et Jonah et ses trois alliés Gardiens les franchirent. Tandis qu'ils descendaient vers le rez-de-chaussée, Jonah médita sur les dernières paroles de M. Chang sans trop savoir quoi en penser.

La limousine les attendait à la porte.

M. Chang avait dû transmettre ses instructions au chauffeur, car celui-ci savait où se rendre sans qu'on le lui dise. Il conduisit Jonah et les autres vers l'est jusqu'à la côte.

Il était presque le soir quand ils atteignirent les docks du port en eaux profondes de Yangshan. Le squelette des grues et des mâts de charge s'animait contre le ciel assombri.

Des hommes dans des vêtements de travail rouges criaient des ordres aux opérateurs de grue. Les grues grinçaient en levant de gigantesques conteneurs en métal au-dessus d'un imposant cargo, les empilant sur le pont comme un jeu de blocs.

Axel se frayait un chemin d'un pas assuré dans le remue-ménage, les autres derrière lui. Ils montèrent sur la passerelle du cargo et furent accueillis tout en haut par un homme mince et barbu. Il portait un uniforme rouge, avec un logo de dragon doré cousu sur la pochette.

— Je suis le capitaine Teng, dit-il. Notre destination est Sydney et j'ai instruction de vous assurer un voyage sans heurt. Mon navire n'offre pas le confort des bateaux de passagers, mais nous mettrons à votre disposition des couchettes et des douches.

Jonah se rendit compte qu'il portait les mêmes vêtements depuis quatre jours, et qu'il ne s'était pas lavé depuis tout ce temps. Cela devait devenir évident.

Teng ordonna à un jeune membre d'équipage appelé Quek de les accompagner jusqu'à leurs cabines, un pont sous celui qui supportait le château de poupe et les conteneurs.

— Est-il possible d'avoir un accès Internet ? demanda Sam.

Quek fit oui de la tête tandis qu'il les faisait descendre un escalier en fer sous le pont supérieur.

— Il va falloir lever une armée, papa, chuchota Sam à l'oreille d'Axel.

— Alors plus vite nous serons en ligne, mieux ce sera, répliqua-t-il.

Jonah découvrit avec bonheur qu'il aurait un lit à lui seul. Sa chambre était sombre mais propre, et on avait eu l'attention de lui fournir des vêtements de rechange. Il pensa avec envie à la longue douche chaude qu'il prendrait avant de s'étendre pour se reposer un peu. Ces derniers jours, Jonah n'avait pas eu une minute à lui, toujours emporté d'un événement à l'autre, passant d'une crise à l'autre. Il avait grand besoin d'un peu de temps pour réfléchir à tout ce qu'il avait vécu.

On termina le chargement du navire et les écoutilles furent fermées. Maintenant, le cargo manœuvrait dans les eaux du port. C'était un vieux modèle au diesel. Jonah fut autant surpris que gêné par les grandes cheminées noires qui crachaient des nuages de fumées polluantes dans l'air.

Jonah grimpa sept volées de marches, montant dans le château vers la passerelle de commandement qui surplombait les rangées serrées de conteneurs. Il tourna la tête vers les lumières de Shanghai qui s'estompaient tandis que le navire quittait le port. Le cargo prit de la vitesse, les eaux orientales de la mer de Chine s'ouvrant devant lui. Sa proue vira pour pointer au sud-ouest.

Durant les quatre jours suivants, Sam, Axel et Bradbury passèrent le clair de leur temps en ligne.

— Nous activons différentes cellules, y intégrant de nouveaux agents quand c'est possible, avait expliqué Sam.

Ils restaient en métatranse des heures durant, négociant des ententes et l'achat d'équipement. Au début, Jonah avait été mis à l'écart de ces sessions, mais au troisième jour passé en mer, Axel l'invita finalement à y participer.

— Nous voulons que tu t'imprègnes de la cause, avait-il dit.

Mais Jonah n'était pas convaincu. C'était peut-être seulement pour s'éviter le barrage de questions que Jonah leur servait à chaque fois qu'ils se déconnectaient.

Le rendez-vous avait été fixé dans un bar louche que fréquentait une bande bigarrée et colorée d'avatars. Deux d'entre eux — un gros cochon blanc aux bajoues pendantes et un humatar portant des dreadlocks et couvert de tatouages animés – semblaient être des acteurs extrêmement haut placés dans le mouvement des Gardiens. On ne divulgua pas leur nom à Jonah et il évita de poser la question.

Bien sûr, Jonah était familier avec l'avatar de griffon d'Axel et la licorne de Sam. Cependant, il n'avait jamais rencontré Bradbury dans la métasphère. Ainsi, il fut surpris de découvrir que l'ingénieur bourru prenait la forme d'un cheval de race clydesdale, sa robe brun noisette, ses pattes et son museau blancs. Il lui semblait étrange que le subconscient de Bradbury puisse s'identifier à cette représentation.

À plusieurs reprises, Bradbury se racla la gorge et émit l'avis que « le gamin » ne devrait pas être là. Jonah lui en voulait d'avoir cette attitude amère. D'accord, il n'était pas un Gardien, mais ne s'était-il pas prouvé assez digne de confiance ? Ne les avait-il pas sauvés des hommes de la société Chang à Moscou ? Cela dit, le cochon blanc semblait particulièrement heureux de faire sa connaissance – quoique, bien sûr, le cochon s'intéressât réellement aux informations que Jonah détenait, aux souvenirs de son père, même, plutôt qu'à sa personne.

Voilà pourquoi Jonah préférait garder ses informations pour lui-même, du moins en partie.

Jonah apprit qu'un groupe de Gardiens se rassembleraient à un endroit appelé Woomera, du moins ceux qui pouvaient s'y rendre à temps et qui étaient prêts à se battre. De là, Axel mènerait un assaut sur le Coin sud à Ayers Rock.

Il y eut quelques débats à savoir s'il était sage d'aller de l'avant. Les Gardiens avaient mis tous leurs espoirs dans l'acquisition du pont Chang, et on les avait déçus. Dans les circonstances, même s'ils prenaient le Coin sud, ils n'avaient aucun moyen d'en sauvegarder les données. Ils ne pourraient pas transférer les opérations du Coin sud dans l'un des parcs de serveurs qu'ils avaient en attente. S'ils réussissaient l'assaut, il leur faudrait encore défendre leur position dans les installations d'Ayers Rock, par la force et indéfiniment.

Axel fut le premier à signaler que plus ils retardaient, plus les Millénaires seraient prêts à défendre leur position au cœur de la roche. Il était certain qu'ils augmentaient en ce moment même leurs effectifs et amélioraient leur sécurité

Plus les Gardiens agissaient tôt, disait Axel, mieux ce serait.

De retour dans le monde physique, Bradbury prit Jonah en aparté.

— Ce n'est pas ta guerre, dit-il avec sa brusquerie habituelle.

— Mais… fit Jonah.

— Je suis sérieux, gamin, dit Bradbury. Tu as bien fait jusqu'ici, je ne dis pas le contraire, mais tu n'es qu'un gamin.

— J'ai arrêté d'être un enfant quand ma mère m'a poussé en bas de la Tour de la Cité, dit Jonah sur la défensive, et Sam n'est pas beaucoup plus vieille que moi…

— Samantha s'entraîne depuis qu'elle est toute petite pour défendre la cause, dit Bradbury. Elle est une mécanicienne de talent, une pilote prometteuse et elle est probablement plus mature qu'Axel ne le sera jamais. Elle est aussi totalement dévouée à la cause. En toute honnêteté, pourrais-tu en dire autant?

Jonah ne le pouvait pas, et son hésitation trahit ses doutes.

— Comprends que c'est une faveur que je te fais, gamin, dit Bradbury. Ça va se corser bientôt, et tu n'es pas préparé. Si tu veux une autre raison, écoute un peu ça : l'échec, ce n'est pas une option pour nous. Cette mission, ce n'est que le début. Il reste encore trois autres Coins à découvrir, trois autres parcs de serveurs à ravir des mains de Granger. Et tu es la seule personne au monde à pouvoir nous les pointer.

Jonah n'était pas venu aussi loin pour se faire tasser, mais, en même temps, il se demandait si Bradbury n'avait pas raison. Les conseils de l'ingénieur pouvaient peut-être lui sauver la vie.

Hormis cette rencontre dans le bar miteux, Jonah s'était tenu loin de la métasphère. Les tensions dans le monde virtuel donnaient lieu à des escalades dangereuses. Une fois, Jonah avait essayé de retourner au parc Vénus, après avoir vu la balafre grise qu'était devenue la boutique de cadeaux familiale. Mais de violentes protestations et des émeutes avaient éclaté dans tout le parc. La métasphère avait toujours été comme une deuxième maison pour Jonah, mais depuis la prise de pouvoir de Granger, tout lui semblait changé. Il ne se sentait plus le bienvenu. En fait, il ne se sentait plus chez lui nulle part.

Lors de la troisième nuit de leur voyage, Jonah et les autres furent invités à la table du capitaine pour un dîner privé. Ils avaient été convoqués dans une pièce aménagée directement sous la passerelle de commandement. Le capitaine arriva avec du retard, et leur apprit qu'il y avait eu des attaques terroristes dans la métasphère. Une banque virtuelle appartenant à Matthew Granger avait été détruite par une bombe-virale. L'explosion avait fait une vingtaine de victimes parmi les avatars, corrompant leurs données ou les détruisant complètement.

Pour le repas, il y avait du poisson sauté, pêché à la ligne depuis la proue du navire. Le soleil couchant venait baigner la pièce aux murs de métal blanc, leur donnant des teintes orangées. Jonah dévora cette nourriture de vraies protéines et se convainquit même d'avaler le thé vert au goût amer. C'était son premier véritable repas depuis longtemps, des années peut-être. Cela dit, le repas était savoureux, mais il y avait un malaise autour de la table.

— Ces Gardiens vont trop loin, se plaignit le capitaine Teng. Ils ne peuvent pas continuer à faire des blessés, des morts, et espérer que la population continue de les soutenir.

Jonah se rendit compte que M. Chang n'avait pas tout dit à son capitaine au sujet des quatre passagers invités, et personne à table n'avait envie de le mettre au parfum. En écoutant le capitaine, Jonah repensa aux propos qu'il avait tenus quelques jours auparavant devant ses camarades de classe. Sans connaître la moitié de ce qu'il savait aujourd'hui, Jonah avait ridiculisé les Gardiens pour soutenir corps et âme le mouvement des Millénaires.

Cela dit, Jonah n'allait pas parler d'allégeance ce soir, et ses compagnons non plus. Plutôt, ils mangèrent poliment et échangèrent quelques menus propos avec le capitaine.

Pour le petit déjeuner le lendemain matin, on eut droit à l'habituel Nutri-Pro en sachet dans le carré des officiers. Jonah, Sam et Bradbury restèrent en petit groupe dans un coin de la salle à manger.

— Mon père est déjà en ligne, dit Sam. Il n'arrivait apparemment pas à dormir, à ce qu'il m'a dit. J'ai promis de le rejoindre dans la métasphère à 9h pour que nous finissions le recrutement. Tu veux venir?

Bradbury répondit pour Jonah.

— Le gamin avait prévu de visiter l'île des Téléversés aujourd'hui... pas vrai, gamin?

Le sous-entendu ne pouvait pas être plus clair. Bradbury voulait que Jonah accède à nouveau aux souvenirs de son père, pour trouver les trois autres Coins. Il ignorait bien sûr que Jonah possédait déjà cette information.

*Je ne peux pas leur dire tout de suite,* pensa-t-il. Jonah avait décidé d'attendre la fin de la bataille à venir. Il voulait voir ce que les Gardiens allaient faire du Coin sud avant de leur parler des autres. Il voulait être sûr qu'il faisait la bonne chose en leur révélant l'information.

Il décida d'agir selon la suggestion de Bradbury, pour sauver les apparences. De toute façon, pensait Jonah, cette idée d'aller visiter sa grand-mère venait à point nommé — il lui demanderait de l'aider à méditer. Les souvenirs de son père pouvaient peut-être encore lui apprendre quelque chose, lui donner une vue d'ensemble qui lui manquait clairement.

Il retourna à sa cabine et se brancha à la métasphère.

Cette fois, Jonah s'était mentalement préparé à apparaître dans l'eau.

Il se retrouva plutôt à l'endroit exact qu'il croyait quitter. En sursautant, il tomba de sa chaise et heurta le plancher dans un bruit sourd. Il se trouvait encore dans le vrai monde, dans son vrai corps, dans la cabine du cargo. La tentative de connexion avait échoué.

Il attendit que les murs arrêtent de tourner autour de lui, puis se releva péniblement. Il vérifia les coordonnées de son point d'origine. Il avait définitivement entré les bons chiffres. Normalement, il aurait dû être poussé par des vagues virtuelles sur le littoral de l'île.

Quelque chose clochait. On lui bloquait l'accès.

Le cargo noir de Chang soufflait sa fumée entre deux longues langues de terre, l'entrée du tentaculaire port de Sydney. La ligne d'horizon de la ville se dressait contre un ciel sévère et bleu de fin de matinée, encore à bonne distance devant eux. Jonah se pencha sur la rambarde en métal du pont à tribord.

Pour lui, ce voyage ne finirait jamais assez tôt.

À deux reprises, il avait essayé de se rendre sur l'île des Téléversés. À chaque fois, il avait échoué. Après avoir attendu le retour des autres, il avait demandé à Bradbury de jeter un œil à son terminal. Sam lui avait dit que c'était inutile. On avait déjà identifié le problème, et ce n'était pas un simple bogue du matériel informatique.

L'accès à l'île avait été bloqué par Matthew Granger.

De manière officielle, il s'agissait d'une mesure de sécurité. Granger disait vouloir protéger les Téléversés d'une menace terroriste, imminente s'il fallait le croire. Mais les Gardiens savaient que c'était un faux prétexte, et que Granger tenait délibérément les morts en otages. C'était un chantage pour que les protestations cessent, pour qu'on accepte sa domination. Personne ne pourrait plus voir leurs défunts avant que ces conditions ne soient respectées.

En y pensant, Jonah brûlait de rage à l'intérieur. Sa grand-mère était tout ce qu'il lui restait de sa famille – même si elle n'était qu'un écho numérique. Granger lui volait ce dernier lien familial.

Pour la toute première fois, il se trouva en total accord avec les objectifs des Gardiens. Il commençait à comprendre leur passion. Pourquoi un seul homme *devrait* – un homme comme Granger, qui plus est – détenir un si grand pouvoir sur la vie des gens ? Plus vite les Gardiens s'empareraient du Coin sud, plus vite ils libéreraient le quart de la métasphère qui prenait en charge l'île des Téléversés, et mieux Jonah se sentirait.

Il était perdu dans ses pensées, mais leva les yeux en entendant des bruits de moteurs. Un hydravion à flotteurs volait bas au-dessus d'eux. Jonah montra l'appareil à un homme d'équipage de Teng, qui devint livide en l'apercevant dans les airs.

– Un avion d'observation ! chuchota l'homme d'équipage avant de souffler furieusement dans son sifflet.

Jonah avait remarqué un autre navire dans le port : un yacht motorisé avec de grandes voiles blanches. Maintenant, ce yacht venait droit sur le cargo, fonçant à tribord. Un cri d'alarme s'éleva, et d'autres cris lui firent écho. L'équipage courait en tous sens à bord du cargo.

Le yacht venait à l'abordage. Jonah pouvait voir des gens sur son pont. Ils étaient armés de mitraillettes, et l'un d'eux levait un lourd cylindre sur son épaule. *Ça ne dit rien qui vaille*, pensa Jonah.

– Attention, appel à l'équipage du vaisseau de la société Chang, dit une femme à bord du yacht qui levait un porte-voix devant sa bouche. Vous allez éteindre vos moteurs polluants et nous allons monter à bord. Tout manquement ou refus d'obtempérer nous forcera à ouvrir le feu. Il n'y aura aucun autre avertissement.

Jonah n'en croyait ni ses oreilles, ni ses yeux.

Ils étaient attaqués par des pirates !

# 29

Jonah n'eut pas le temps de réagir sauf pour ouvrir toute grande la bouche.

Il y eut des martèlement de bottes, puis soudain le pont fut rempli d'hommes armés de la société Chang. C'était étrange, car Jonah n'avait pas croisé un seul home armé depuis le début du voyage.

L'un d'eux lui cria de bouger de là. L'instant d'après, l'air s'emplissait des détonations d'un échange soutenu de coups de feu. Les hommes de Chang tiraient sur le yacht, et les gens du yacht ripostaient.

Jonah n'eut pas besoin qu'on le lui dise deux fois. Il courut se mettre à l'abri. La porte menant aux cabines, à l'abri des balles, se trouvait à quelques mètres devant.

Si près et inatteignable à la fois. Une balle siffla à son oreille, ricocha sur une cloison à côté de lui, et il perdit courage, se couchant ventre à terre.

Le cargo avait ralenti sa course pour entrer dans le port, mais Jonah pouvait maintenant sentir un début d'accélération. On essayait de semer le bateau ennemi. Jonah n'osa pas relever la tête pour voir si la manœuvre fonctionnait. Il avait les yeux rivés sur cette porte. Il y eut un arrêt des tirs et Jonah se raidit, se préparant à tenter l'échappée.

Une nouvelle rafale de balles vint exploser au-dessus de la tête de Jonah. Deux hommes de la société Chang tombèrent. Le premier trébucha vers l'arrière, puis vint atterrir juste à côté de Jonah. Ses yeux aveugles fixaient le ciel. Il était mort.

Et Jonah se sentit cloué au sol.

Il s'aplatit contre le métal froid du pont et attendit. À son grand soulagement, les combats se déplacèrent, s'éloignant de lui sur le pont, vers l'arrière du bateau. Il supposa que le cargo devançait le yacht avec ses puissants moteurs – mais les pirates ne renonçaient pas et mitraillaient de plus belle leur immense cible.

Jonah rampa vers la porte. Il lui fallut une éternité pour l'atteindre, l'ouvrir, son front trempé de sueur, son cœur battant à tout rompre.

Il se dirigea vers la cabine de Sam et fut soulagé de la voir qui en sortait. Elle avait passé la majeure partie de la nuit en ligne et avait dormi tard. Ses yeux verts étaient rougis, sa combinaison noire fripée comme si elle avait dormi habillée.

Elle vint vers Jonah et continua son chemin vers l'extérieur, le forçant à suivre.

– Qu'est-ce qui se passe ? demanda-t-elle.

Jonah la prit par le poignet et la retourna pour la regarder en face.

– Tu ne peux pas monter là-haut, c'est trop dangereux !

Jonah lui expliqua ce qu'il avait vu.

– C'est bien notre veine ! marmonna-t-elle. Un yacht motorisé, dis-tu ? Avec des bandes noires et vertes sur la coque ?

— Je n'en suis pas certain, dit Jonah. Mais je crois que oui.

— GuerreVert, dit Sam. L'organisation patrouille le port et attaque les navires à moteurs diesel. Quand nous étions en France, Delphine n'arrêtait pas de se vanter du nombre de bateaux qu'ils avaient réussi à couler.

— Donc, ils… Ce sont des éco-terroristes, et pas des pirates ? Ils n'en ont pas après la marchandise ?

Sam secoua la tête.

— Ils prennent tout ce qui leur tombe sous la main, pour financer leurs opérations. Mais le chargement n'est pas leur objectif premier. Ils ne s'arrêteront pas avant d'avoir…

Il y eut un sifflement, suivi d'une explosion, presque directement au-dessus de leurs têtes. Jonah sauta sur Sam en voulant la protéger de la déflagration. Le navire trembla sous la force de l'impact, et Jonah et Sam se retrouvèrent projetés au sol, dans un enchevêtrement de bras et de jambes.

— Des lance-roquettes ! s'exclama Sam en se relevant. Ils nous tirent dessus avec des lance-roquettes !

— Qu'est-ce que tu allais dire ? cria Jonah. Les gens de GuerreVert n'arrêteront pas avant… avant d'avoir fait quoi ?

— Avant d'avoir envoyé par le fond de la baie ce gros bateau bouffeur de pétrole, répondit Sam avant de secouer sa tête, son visage devenant soudain pâle. Papa ! Mon père et Bradbury, ils sont sûrement encore dans la métasphère. Ils n'ont aucune idée du danger.

Jonah comprit. Il hocha la tête.

— Il faut les sortir de là, dit-il, et vite !

Ils se mirent à courir dans le corridor.

Une deuxième explosion secoua le bateau comme ils arrivaient devant la cabine d'Axel.

Jonah tentait encore de retrouver l'équilibre quand une troisième et plus grosse explosion lui fit perdre pied. Pour la deuxième fois, Jonah alla s'écraser par terre.

Sam avait pu rester debout. Elle tourna la poignée de la cabine. La porte était verrouillée. Elle se mit à frapper dessus avec ses poings.

— Ça ne marchera pas, dit Jonah. S'ils n'ont rien entendu du raffut dehors, ils ne t'entendront pas cogner.

Sam en était déjà venue à cette même conclusion et essayait plutôt de forcer la porte. Elle échoua à ses deux premières tentatives. Jonah s'essaya aussi, mais ne réussit qu'à se faire mal à l'épaule. Sam trouva un extincteur, le décrocha du mur. Elle attaqua la porte avec l'instrument jusqu'à ce que le verrou cède dans un bruit d'éclat.

Ils se glissèrent dans la cabine. Axel était étendu dans son lit, en métatranse. Jonah crut d'abord qu'il était seul.

C'est alors qu'il entendit Sam haleter.

Le lit cachait Bradbury, mais ils pouvaient le voir à présent, affalé au sol à côté d'une chaise renversée. Le cordon Ethernet courait au sol jusqu'au terminal informatique. Il s'était enroulé dans les pattes de la chaise. L'adaptateur blanc en son extrémité tournait lentement dans les airs, et Jonah pouvait voir que du sang le souillait.

Il y avait aussi du sang dans le dos nu de Bradbury.

— Il est déconnecté !

Sam s'était agenouillée devant Bradbury.

— On ne pourrait pas simplement le rebrancher ? demanda Jonah, qui savait fort bien que ce n'était pas aussi simple.

L'avatar déconnecté de Bradbury devrait être ramené vers son halo de sortie. Et ni Sam ni Jonah ne pouvaient se permettre d'ouvrir une session ; cela prendrait une éternité qu'ils n'avaient pas.

— Aide-moi, Jonah. Il a toujours veillé sur moi et mon père, et s'il reste une chance de…

Jonah faillit dire « Pourquoi ? À quoi ça servirait ? », mais il s'arrêta juste à temps. Il y avait encore une chance, bien que mince, que le corps de Bradbury soit plus tard réuni avec son avatar, et que son esprit retrouve son intégrité. Mais jusqu'à ce que cela se produise, son corps resterait dans un état végétatif profond.

Sam s'efforçait de ramener Bradbury sur ses pieds, déterminée qu'elle était à sauver ce corps inconscient. Jonah s'empressa de l'aider.

— Prends ses jambes ! cria-t-il en levant l'homme comateux par le dessous des bras.

À deux, ils traînèrent Bradbury jusqu'à la porte. Rendue là, Sam hésita, lançant un regard inquiet vers Axel.

— Je m'occupe de lui, dit Jonah. Toi, va t'occuper de ton père.

— Vraiment ? dit Sam. Tu crois que tu peux y arriver…

— J'en suis sûr, dit Jonah.

Il voulut presque aussitôt dire le contraire. Bradbury était un poids mort. Jonah le transportait en le tirant par les bras dans le corridor.

Il n'avait fait que deux pas quand le cargo fut à nouveau touché.

Le plancher se déroba sous les pieds de Jonah. Il tenta de protéger Bradbury, qui ne le pouvait pas lui-même. Et ce faisant, Jonah fut projeté contre la cloison de métal. Le plus gros coup fut à la tête et il saignait.

Jonah cligna des yeux pour retrouver une vision claire. Il reprit prise sur Bradbury et continua sa route. Il sentit bientôt une odeur de fumée et n'entendit plus le vrombissement des moteurs du cargo. Pire encore, le plancher s'inclinait vers lui, rendant sa marche difficile. Le navire commençait à prendre l'eau. Ils coulaient !

Jonah hissa Bradbury en haut d'une volée de marches en acier et sortit en trébuchant sur le pont, se relevant au milieu d'une scène chaotique où les gens couraient en tous sens, dans une cacophonie de voix étranglées. Jonah ajouta sa voix aux autres, criant à l'aide. Deux hommes de la société Chang virent le triste état dans lequel il se trouvait et s'occupèrent de Bradbury, l'évacuant avec d'autres blessés.

Le pont se fit plus calme, et Jonah ne voyait plus le yacht de GuerreVert. Leur mission était un franc succès et ils s'étaient retirés.

Les hommes de la société Chang mirent Bradbury dans une chaloupe de sauvetage rouge. L'embarcation était déjà pleine, mais les autres passagers se serrèrent pour lui faire une place. Après un moment, la chaloupe fut mise à l'eau, et la suivante se remplissait déjà.

Jonah sentit une main sur son épaule, celle du capitaine Teng.

— Qu'est-ce que tu fais encore ici, Jonah ? cria-t-il. N'as-tu rien entendu de mes instructions ? Les femmes et les enfants d'abord !

— Je ne suis pas un… commença Jonah, mais le capitaine le poussa avec fermeté vers la deuxième chaloupe de sauvetage avant d'aller aider quelqu'un d'autre.

— Attendez ! héla Jonah pour retenir le capitaine. Sam ! Elle est toujours dans la cabine d'Axel. Elle…

Personne ne l'écoutait.

*Elle sera sortie en moins de deux,* pensa Jonah. *C'est obligé. Elle était juste derrière moi. Il fallait seulement qu'elle réveille Axel. Ils viendront tous les deux !*

Mais les secondes passaient et les amis de Jonah ne montraient pas signe de vie.

L'eau s'engouffrait dans la cabine.

Sam en avait déjà jusqu'aux chevilles. Elle secoua encore une fois Axel, pour peu que cela puisse aider. Elle savait qu'il ne ressentait rien. Elle lui avait envoyé un message instantané dans une fenêtre de dialogue — depuis plusieurs minutes déjà, lui semblait-il. Et s'il ne l'avait pas lu ?

Son terminal était encastré dans le mur, au ras du sol, derrière la tête de lit. L'eau montait et venait lécher la face avant de l'appareil. Sam avait roulé toutes les serviettes qu'elle avait pu trouver, dans l'espoir de protéger le terminal, mais c'était peine perdue. Si jamais les composantes étaient endommagées…

Qu'est-ce qu'il *faisait* là-dedans ?

Bradbury avait laissé son trench-coat sur une coiffeuse. Sam en fouilla les tiroirs et y trouva un câble pour connecter le terminal de son père à l'écran mural de la cabine. Elle déroula le câble et fit le branchement. L'écran s'alluma, affichant l'image d'un griffon volant désespérément en terrain montagneux, entre deux pics enneigés.

Le griffon transportait un cheval clydesdale sous lui.

— Sam !

Jonah venait de réapparaître dans l'embrasure de la porte.

— Qu'est-ce qui se passe ?

— Jonah, qu'est-ce que tu fais ici ? Tu n'aurais jamais dû revenir ! Tu…

— Je ne pouvais pas te laisser derrière. Il est où, Axel ? Il n'est pas encore…

— Il est dans la métasphère, dit Sam, le désespoir faisant trembler sa voix.

— J'aurais dû savoir. Jamais il n'aurait abandonné Bradbury, sachant qu'il est déconnecté. Il essaye de le ramener à son halo de sortie, mais c'est inutile. Le poids le ralentit.

Sur l'écran, l'avatar de Bradbury pendait dans les serres du griffon. Il se débattait faiblement, essayant d'aller errer par lui-même, confus. Et le griffon perdait un temps fou à l'en empêcher.

Sam pianota quelque chose sur l'écran, et les coordonnées du point d'origine d'Axel apparurent. Sur son visage, Jonah vit l'ampleur de son désespoir.

— Il est encore trop loin, dit-elle d'un air hébété. Il n'y arrivera pas.

Le navire fut secoué et versa un peu plus encore. Une nouvelle vague d'eau vint éclabousser la cabine. Ils avaient maintenant de l'eau jusqu'aux genoux.

— Nous… Nous devons le déconnecter, lui aussi, dit Jonah.

— Non, protesta Sam.

— Nous allons tous mourir si nous ne le déconnectons pas, argua Jonah.

Le terminal gorgé d'eau faisait des étincelles et fumait. L'image à l'écran vacillait, puis revenait mais à une résolution moindre. Sam se hâta d'aller au chevet d'Axel.

— Je m'excuse, papa, dit-elle en le retournant sur le dos.

Elle referma les doigts sur le câble ID d'Axel. Elle hésita. Elle dut fermer les yeux, se répéter qu'elle n'avait pas le choix. Si elle ne le faisait pas, son père mourrait à coup sûr. Elle serra les dents, et elle tira.

Elle avait débranché Axel.

Le cargo gîtait dangereusement.

Jonah et Sam s'agrippaient au métal froid de la main courante pour se hisser dans le passage incliné, tenant le corps comateux d'Axel entre eux.

Jonah se dit qu'ils avaient eu de la chance d'avoir leurs cabines du côté tribord ; elles auraient été submergées depuis longtemps autrement. Il était aussi soulagé d'être revenu pour Sam. Elle n'aurait jamais pu sauver Axel toute seule. Elle serait morte en essayant.

Cela dit, ils étaient loin d'être tirés d'affaire. Ils avaient de l'eau jusqu'aux genoux et elle montait vite.

— Dépêche-toi, Jonah ! cria Sam. Ça devient plus creux.

À chaque pas qu'ils faisaient, la pente devenait plus inclinée. Jonah perdit pied, et Axel lui glissa des mains.

— Papa !

Jonah vit passer sur les traits de Sam la plus abjecte horreur tandis que son père disparaissait sous l'eau. Dans son état, Axel n'aurait même pas l'idée de retenir son souffle. Il allait se noyer dans la seconde !

Sans hésiter, Jonah prit une grande respiration et plongea sous l'eau. En battant des bras, il cherchait désespérément Axel et le trouva, le ramenant vite à la surface. Quel soulagement de voir qu'il respirait encore !

Il n'y avait plus personne sur le pont. Les chaloupes de sauvetage avaient disparu. Une épaisse colonne de fumée s'élevait depuis la poupe du cargo.

En cherchant autour, Jonah aperçut un gilet de sauvetage près des instruments de largage des chaloupes. Sam l'aida à l'enfiler sur le corps inanimé d'Axel et, même à deux, ils eurent beaucoup de mal. Il fallait sauter maintenant. D'une seconde à l'autre, le navire basculerait, les entraînant avec lui par le fond.

Ils sautèrent ensemble, Axel entre eux. La chute les éloigna du cargo condamné et ils frappèrent l'eau de plein fouet. Jonah avait gardé son souffle, mais le choc de l'impact expulsa tout l'air de ses poumons.

Il n'avait jamais nagé dans de la vraie eau, avec le corps gourd qu'il avait dans le vrai monde. L'idée le fit paniquer, et il se trouva à caler sous l'eau.

L'eau était froide et Jonah en avalait en essayant de respirer. Elle avait un goût de sel, contrairement aux océans dans la métasphère, et lui brûlait la gorge. Ses vêtements l'entraînaient vers le bas. Il essaya d'enlever ses souliers en donnant des coups de pied, mais les lacets étaient trop serrés.

Axel avait dérivé loin de Jonah, mais Sam s'occupait de lui. En nageant un dos crawlé assuré, elle traînait Axel, une main sous son menton pour garder sa tête hors de l'eau. Jonah devait se débrouiller seul. Il s'efforça de retrouver son calme. Il *pouvait* nager, l'idée c'était de se rappeler quoi faire de ses bras et de ses jambes.

Il se mit à battre des bras pour s'approcher de Sam. Il pouvait voir que le rivage n'était pas tellement loin.

Et quand Jonah y arriva enfin, ses muscles lui faisaient mal et son estomac se soulevait douloureusement. Il doutait d'avoir la force de grimper hors de l'eau.

Une main vint alors vers lui et Jonah l'attrapa.

Sam aida Jonah à sortir de l'eau, gravissant une pente rocailleuse et abrupte, jusqu'à un coin d'herbages. Il s'effondra là sans regret. Il lui fallut un certain temps avant de retrouver la force de s'asseoir.

Axel était couché à côté de lui, sur le dos. On aurait dit qu'il n'avait pas quitté la cabine et qu'il dormait paisiblement. Sam s'assit dos à Jonah, ses genoux remontés contre sa poitrine, trempée et grelottante malgré le soleil qui plombait.

Jonah suivit son regard qui allait au large du port, juste à temps pour voir la proue du cargo de la société Chang sombrer et disparaître de la surface de l'eau. Dans un dernier souffle, le navire cracha un geyser blanc d'eau bouillonnante. Puis tout sembla immobile et rigide comme la mort.

# 30

Jonah repéra une chaloupe de sauvetage et se leva pour lui faire signe.

Le capitaine Teng devait avoir fait le compte des passagers et, se rendant compte qu'ils manquaient à l'appel, ordonné qu'on lance des recherches. Deux membres d'équipage aidèrent à hisser Axel à bord de la petite embarcation rouge. Jonah et Sam étaient tous deux las et abattus, mais au moins ils n'auraient pas à marcher jusqu'à Sydney. La ville semblait encore très loin de l'autre côté de la baie.

Ils se retrouvèrent bientôt à voguer sous la célèbre arche unique du pont de Sydney, le Harbour Bridge, passant devant l'Opéra de Sydney et son architecture qui rappelle la carapace des tatous. Ce bâtiment n'avait bien entendu plus sa vocation d'autrefois. Jonah se rappelait de ses cours à l'école que l'emblématique bâtiment avait été réaffecté et servait maintenant d'usine de dessalement.

Le capitaine Teng les attendait au bout d'un vieux quai, s'épanchant en excuses pour les avoir laissés derrière — encore qu'il n'hésita pas à rappeler à Jonah qu'il l'avait envoyé vers l'une des embarcations de secours.

Le capitaine examina la condition d'Axel en secouant tristement la tête.

— Où pouvons-nous ouvrir une session Internet ? demanda Jonah. Il faut que nous trouvions l'avatar d'Axel — et celui de Bradbury — avant qu'ils ne se perdent dans la...

— Nous n'avons plus le temps, dit Sam, sa voix calme mais ferme.

Elle se tourna vers le capitaine.

— Jonah et moi, nous avons un avion à prendre.

— C'est du délire ! s'écria Jonah.

En trois occasions, il avait vu des camarades de classe être accidentellement déconnectés. Et à chaque fois, on avait dû vite réagir avant que leurs avatars lobotomisés ne se perdent dans la métasphère. Lors du plus récent incident, Jonah avait aidé M. Peng et deux autres jeunes à transporter Kylie Ellis dans la cour d'école. Ils avaient attendu là que quelqu'un retrouve son corps dans le vrai monde pour la rebrancher afin de réactiver son halo de sortie. Ensuite, ils l'avaient poussée dedans.

L'avatar d'Axel n'était pas entouré d'amis quand Sam l'avait déconnecté — il était seul avec un Bradbury tout aussi catatonique. Sam savait cela. Elle savait que plus ils retardaient leur intervention, plus ce serait difficile de retrouver les deux avatars errants. Jonah avait déjà entendu parler d'avatars déconnectés qu'on avait perdus pour toujours, ceux-là étaient condamnés à errer dans la métasphère comme des fantômes tandis que l'on alimentait leur corps physique avec des tubes.

— Je connais mon père, dit obstinément Sam, et il voudrait que nous continuions la mission. Il ne voudrait pas que nous la compromettions pour... pour le sauver.

— C'est possible, dit Jonah, mais *peut*-on même continuer sans lui ? Et sans Bradbury ?

— Nous n'avons pas le choix, dit Sam. Il y a des gens qui comptent sur nous. Le *monde entier* compte sur nous pour…

Ce disant, elle jeta un œil au capitaine Teng et ne termina pas sa phrase.

— Quand même, comment pourrons-nous…

— S'il te plaît, Jonah !

Jonah regarda Sam. Elle avait les poings serrés et le corps tout crispé, comme pour ne pas s'effondrer sur place. Il pouvait voir combien cette décision de laisser son père lui était difficile, mais voyait également combien elle était déterminée. C'est alors qu'il eut une idée.

— Capitaine Teng, dit-il. Peut-être que vous pourriez…

Le capitaine avait anticipé sa demande et hocha solennellement la tête.

— Je ne sais rien de votre mission, dit-il, et peut-être est-ce mieux ainsi. Cependant, cette mission qui est la vôtre est importante aux yeux de mon employeur, monsieur Chang, autrement il n'aurait pas décalé le calendrier de navigation pour vous accommoder. Par conséquent, je demeure à votre service.

Le capitaine Teng expliqua que son équipage et lui resteraient dans un dortoir à Sydney, jusqu'à ce qu'un autre cargo de la société Chang vienne les prendre. Il semblait résigné à la situation, comme s'il avait déjà perdu des navires de cette même manière par le passé. C'était probablement le cas, pensa Jonah.

— Vous êtes sérieux ? dit Sam. Nous pouvons vous laisser mon père et Bradbury ? Vous prendrez soin d'eux… de leurs corps ?

— Mes hommes auront beaucoup de temps à eux, dit Teng. Je leur ferai chercher les avatars perdus de vos amis dans la métasphère.

On aurait dit que Sam allait pleurer tant son cœur était soulagé. Elle regarda Jonah droit dans les yeux et articula un merci silencieux. Elle salua le capitaine d'un hochement de tête respectueux et reconnaissant. Il lui offrit une tablette numérique, sur laquelle elle tapa les descriptions des avatars d'Axel et de Bradbury, ainsi que leurs dernières coordonnées connues.

Ensuite, Jonah et elle prirent congé, et le capitaine leur souhaita la bonne fortune. Jonah ne put s'empêcher de se demander si Teng se serait montré plein de sollicitude s'il avait connu leur réelle identité et leur objectif.

Jonah vit bien peu de choses de Sydney. Sam l'amena à pied vers une piste d'atterrissage en périphérie de la ville où le nom « Kavanaugh » leur permit de passer sans heurt les contrôles de sécurité. Leur avion, expliqua Sam, avait été affrété par un richissime Australien qui souhaitait garder l'anonymat. Il n'y avait qu'un problème, et pas qu'un tout petit : ils n'avaient personne pour piloter l'avion.

— C'était un des contacts de mon père, dit Sam, alors ils avaient sûrement planifié que ce serait lui qui le piloterait.

— Je croyais qu'Axel t'avait appris à piloter, dit Jonah avec espoir.

— Quelques leçons élémentaires, et j'ai pris les commandes en plein vol, mais je n'ai rien des talents de mon père.

De frustration, Jonah frappa une main sur le fuselage de l'avion — et le choc déversa brutalement un flot de souvenirs sous son crâne. Il paralysa. Jonah ferma les yeux, plissant les paupières, submergé par l'avalanche d'images qui se déchaînait dans sa tête.

— Est-ce que ça va ? demanda Sam. Qu'est-ce que tu as ?

Il se rappela la technique de méditation que sa grand-mère lui avait apprise. Il prit le dessus sur les images fugitives et se décrispa de les voir ralentir. Jonah fit courir la paume de sa main sur le fuselage lisse de l'avion tandis que des couches successives de souvenirs lui étaient dévoilées derrière ses paupières fermées. Il chercha à voir s'il n'y avait pas le long du fuselage quelques vis mal vissées, puis il alla inspecter le tube de Pitot.

Il grimpa dans l'avion et prit ses aises dans le siège du pilote. Sam le suivit dans le cockpit. Tandis qu'il démarrait les moteurs, il passa en revue les instruments comme si c'était la chose la plus normale au monde. Il regarda chaque jauge, portant une attention particulière tandis que leurs aiguilles s'animaient. Le tableau de bord semblait plus que familier. Jonah posait des gestes intuitifs.

— Je peux le faire, annonça-t-il.

— Quoi ?

— Je peux faire voler cet avion, dit-il.

Sam regarda Jonah comme s'il venait de déclarer être un kangourou.

— Jonah, tu me fais peur.

— Sam, c'est tout là-dedans ! dit Jonah en se tapotant la tempe. Dans les souvenirs de mon père ! Je peux y accéder, de la même manière que j'ai su où se trouvait le Coin sud.

L'avion était un vieux bimoteur qui ressemblait beaucoup au premier appareil dans lequel Jonah avait volé — l'avion avec lequel Hiram avait transporté les Gardiens depuis la France jusqu'en Russie. Cette fois, cependant, c'était Jonah qui se trouvait aux commandes.

Tandis qu'il faisait lentement rouler l'avion sur la piste, Jonah sentait les souvenirs de son père se déverser en un flot constant dans sa mémoire. Il savait d'instinct les gestes à poser. Il testa le palonnier de gouverne, s'assurant que l'avion pouvait tracer un mouvement de lacet, et nota la direction des vents, sud-sud-ouest, en consultant le cône en tissu rouge et blanc du manche à air.

Jonah mit la manette des gaz à fond et l'avion s'élança sur la piste, dont la fin arrivait vite, et, le temps d'un instant, Jonah revint au fil de ses pensées conscientes, se retrouvant instantanément terrifié par le fait qu'il les tuerait tous les deux s'il ne décollait pas.

*Tu peux le faire.*

Il évoqua les souvenirs de son père et ceux-ci guidèrent ses bras qui s'étaient mis à doucement tirer sur la colonne de direction. Le sol se déroba sous les pieds de Jonah.

*Je le fais.*

Il maintint l'avion dans un angle constant, mais sentit la colonne de direction lui résister. Jonah ajusta instinctivement le compensateur, réduisant la pression et lui évitant ainsi de forcer constamment sur le manche. Il pouvait maintenant manoeuvrer l'avion de quelques gestes légers.

Quand il mit l'avion en palier, Jonah sentit le tirage de la colonne de direction et redressa l'avion pour le stabiliser à 7000 pieds. Ses muscles semblaient posséder leur propre mémoire. Son corps savait quoi faire pour garder l'avion en vol.

*Je vole. Dans le vrai monde !*

Il se détendit dans son siège et jeta un œil sur la ville qui se faisait toujours plus petite au sol.

– Tu l'as vraiment fait, dit Sam.

– Merci à mon père, répliqua Jonah. J'avais ses souvenirs comme guide.

En disant cela, Jonah se rendit compte que les souvenirs de son père commençaient à se mêler aux siens. Quand il baissa les yeux sur l'altimètre, qui montrait une altitude stable à 7000 pieds, il lui sembla avoir fait des millions de fois cette vérification de routine. Une petite ouate de nuage blanc passa à toute vitesse devant leurs yeux. Jonah était maintenant convaincu d'avoir été un pilote de la RAF. Il était chez lui dans le cockpit.

Sam s'occupa de la navigation, suivant le plan de vol qu'elle avait établi avec Axel, et après 15 minutes ils sortirent de l'espace aérien de Sydney. Il n'y avait plus rien désormais sous eux sauf les sables du désert. Il n'y avait pas de trafic dans les airs. Aucune turbulence non plus : c'était un jour ensoleillé et clair, et leur vol était parfait, rectiligne en palier.

C'était une journée idéale pour voler, mais Jonah se faisait du souci pour Sam. Elle avait le regard fixe, droit devant, les yeux vitreux, semblant perdue dans ses pensées.

*Je n'aurais pas dû parler de mon père*, se dit Jonah.

– Tu as fait le bon choix, voulut-il la rassurer. Nous retrouverons ton père, je te le promets.

– Je me sens si impuissante, expliqua Sam. Et tu veux me dire quel genre d'avion n'a pas de terminal informatique ?

Jonah regarda alentour, mais le cockpit n'en comptait aucun.

— Le capitaine Teng les retrouvera, dit Jonah qui le souhaitait ardemment.

— J'espère que tu as raison, chuchota Sam. Je me brancherai quand nous serons à Woomera.

— Tu sais, j'ai entendu dire que certains avatars, une fois déconnectés, eh bien, ils ne font que... que rester là à flotter. Ils ne bougent pas d'un poil.

Sam eut un sourire forcé.

— Ce n'est pas le genre d'Axel. Il est plutôt du type vagabond. Je l'ai vu errer toute ma vie. Et c'est fou, j'ai seulement l'impression de l'avoir compris tout récemment, de commencer à le connaître. Je n'ai jamais vraiment connu ma mère. Je ne peux pas... Je ne peux pas le perdre, lui aussi. C'est mon père. J'en ai encore besoin, fit-elle, mais sa voix s'estompa. Jonah, dit-elle après un moment, je suis vraiment désolée. Je ne voulais pas... Je n'ai pas pensé avant de parler.

— C'est bon, je vais bien, dit Jonah, qui repensait à sa propre mère et à son père, comme Sam l'avait deviné.

Et c'était vrai qu'il allait bien. D'entendre Sam parler comme ça, d'en apprendre davantage sur ses aspirations et ses peurs — tellement semblables aux siennes d'ailleurs — lui donnait le sentiment d'être moins seul.

— C'est juste que, Axel et toi, dit-il, vous m'avez toujours semblé comme... eh bien, comme des amis. J'en oublie parfois qu'il est ton...

Sam sourit, mais cette fois son sourire était sincère, et tendre.

— Je pense que mon père n'a jamais su comment agir avec une petite fille. Il a fait de son mieux, mais durant des années, c'est comme si nous ne nous étions pas connus.

Durant longtemps, lui et moi, nous parlions à l'heure des repas, mais seulement parce qu'il fallait bien dire quelque chose, puis nous allions en ligne, chacun de notre côté.

— Je me rappelle que ma mère m'a dit un jour, reprit Jonah, que le monde avait changé si vite qu'elle ne pouvait plus comparer son enfance à la mienne. Qu'elle n'arrivait plus à suivre.

Sam hocha la tête.

— Bien sûr, ça n'a jamais aidé que mon père passe tout son temps avec les Gardiens. D'ailleurs, il y a eu un temps où on ne se voyait plus pour dîner.

— Quand t'a-t-il dit pour… tout ça ?

— Le jour de mon 11e anniversaire, répondit Sam. Depuis un bon moment déjà, je posais des questions qui dérangeaient — comme, pourquoi mon papa passe beaucoup de temps à piloter des avions quand tous les avions sont cloués au sol ? Ce jour-là, Axel m'a demandé de m'asseoir. Il a dit que j'étais assez grande pour comprendre. Il m'a expliqué ce qu'il faisait en réalité — certaines choses qu'il faisait, à tout le moins.

— J'ai tout de suite pensé que c'était génial. Mon père, l'agent secret. Ensuite, je n'ai plus arrêté de le harceler de questions sur son travail. Il a accepté de m'apprendre la mécanique parce que je disais vouloir joindre les Gardiens un jour. Bien sûr, il disparaissait encore — parfois des jours durant —, mais quand il était à la maison, nous avions des choses à nous dire. Nous avions quelque chose en commun.

— Mon père ne m'a jamais rien dit, avoua Jonah avec un soupir. J'aurais aimé qu'il le fasse. J'aurais aimé pouvoir en parler avec lui.

Jonah ne vit pas immédiatement le petit village solitaire niché dans un coude entre deux routes de désert. Sam le lui fit remarquer.

Ils firent du rase-mottes au-dessus des toits, trouvèrent un terrain d'aviation au nord-ouest de la ville. Jonah orienta l'avion sur la seule piste d'atterrissage et commença à abaisser le nez de l'appareil.

Le sol approchait beaucoup plus vite qu'il ne l'aurait souhaité. L'angle d'approche semblait mauvais. Une voix dans sa tête lui dit de redresser, de reprendre la manœuvre. Il devait faire confiance à cet instinct.

Jonah se réaligna après avoir retourné l'avion. Sa confiance de tout à l'heure faisait maintenant place à une peur panique. Sam posa sa main sur la sienne.

– Prends ton temps, lui dit-elle. Tu peux le faire.

Lors de sa deuxième approche, Jonah guida l'avion dans une légère trajectoire descendante. Il compensa pour les forts vents de travers et garda les ailes bien droites tandis que la terre rouge du désert s'élevait devant ses yeux.

L'avion fit deux bonds sur son train d'atterrissage avant de se poser sur la piste. La sensation rappela à Jonah le sentiment qu'il avait eu en atterrissant sur ses patins après le vol en deltaplane. Il secoua la tête pour chasser le souvenir de cet horrible matin et pensa qu'il venait de piloter, et de faire atterrir, son tout premier avion. Il ramena la manette des gaz au point mort, appuya sur les freins, amenant tout doucement l'avion à l'arrêt. Il regarda Sam, un grand sourire soulagé aux lèvres.

Sam lui sourit en retour.

Quelqu'un venait en courant sur la piste : une fille petite au physique maigre et nerveux avec la peau foncée et une crinière de cheveux noirs.

Jonah éteignit les moteurs et prit une grande inspiration. Il avait réussi à piloter un avion grâce aux souvenirs de son père, et désormais il possédait une réelle expérience de vol. Dérouté, Jonah pensa qu'il ne savait pas où la mémoire de Jason s'arrêtait et où la sienne commençait.

Sam l'attrapa par le bras, l'arrachant à son moment d'introspection.

– Eh bien, commandant, dit-elle, tu es prêt pour la suite ?

Jonah la regarda avec des yeux vides. Jonah n'avait pas du tout réfléchi à ce qui arriverait une fois qu'ils se seraient posés. Il avait pris l'habitude de se faire dire quoi faire, de simplement suivre ce qu'Axel et les autres décidaient.

– Nous avons rassemblé une armée ici, dit Sam. Nos gens n'attendent plus qu'un chef. Ils s'attendent bien sûr à voir mon père débarquer. Il va falloir les persuader que, comme il n'a pas pu faire le voyage, *nous* pouvons faire le travail à sa place.

Jonah ravala sa salive.

– Nous ? Mais nous…

– J'ai assisté à toutes les réunions, comme mon père, dit Sam. Je connais le plan de A à Z. En fait, connaissant mon père, je le maîtrise certainement mieux que lui. Je croyais que tu comprenais, Jonah. Je croyais que tu savais…

– J'imagine que je voyais quelqu'un d'autre mener…

– Il n'y a personne d'autre, dit Sam. Il n'y a que toi et moi. Nous sommes en charge, Jonah, tous les deux. L'attaque sur le Coin sud est prévue pour la nuit prochaine. Nous devons diriger l'armée dans l'assaut.

# 31

La fille jetait des regards méfiants à Jonah et à Sam tandis qu'ils sortaient de leur avion.

— Où est Axel Kavanaugh ? demanda-t-elle avec un accent que Jonah n'avait jamais entendu.

Elle était jeune, plus jeune que Jonah, et celui-ci supposa qu'elle était autochtone d'Australie, d'une descendance qui remontait sûrement aux premiers habitants de ce continent.

— Je suis Sam Kavanaugh, et voici Jonah Delacroix.

— Je m'appelle Kala. Mais où est Axel ?

Sam expliqua qu'Axel ne viendrait pas.

— Mon peuple a accepté de se joindre à Axel, dit Kala. Pas à deux enfants.

Jonah ne pouvait pas croire qu'*elle* avait le culot de *les* traiter d'enfants, mais plus encore, il pensa qu'elle aurait dû démontrer un peu plus de sympathie envers Sam et l'épreuve qu'elle traversait.

— Les anciens reconsidéreront l'entente, maugréa Kala avant de guider Jonah et Sam vers deux véhicules bizarres.

Jonah n'avait jamais rien vu de tel. On aurait dit un hybride entre une voiture de course, un bateau et une fusée. Leur luisante carrosserie métallique était allongée, étroite et très basse au sol, reflétant le rouge de la terre du désert. Ils étaient munis de 4 roues géantes et d'une voile haute de 10 mètres en forme de nageoire et dressée au dessus du cockpit.

Un conducteur attendait dans l'un des étranges véhicules. Kala lui fit signe tandis que Jonah, Sam et elle embarquaient dans l'autre engin.

Bientôt, ils filaient dans le désert. Jonah était impressionné par les vitesses qu'ils atteignaient et se demanda pourquoi il n'entendait aucun bruit de moteur.

— C'est incroyable ! s'émerveilla-t-il. Nous voguons sur la terre !

— Un char à voile, expliqua Sam. Et jamais on ne s'inquiète de manquer d'essence avec ces engins. C'est génial !

— Le vent est un grand don, expliqua Kala d'un ton énigmatique.

Ils étaient assis l'un derrière l'autre. Derrière Jonah, Sam dit :

— La tribu de Kala possède une flotte de ces chars. C'est un élément tactique crucial de notre plan.

Deux douzaines de personnes vinrent à la rencontre du char à voile qui arrivait voile gonflée dans le village. La plupart d'entre eux étaient des aborigènes. Jonah supposa que peu de Gardiens, habitants des villes éloignées, avaient eu le temps ou les moyens de venir jusqu'ici.

La foule réagit avec consternation, comme Kala l'avait fait, en apprenant que les alliés qu'on attendait depuis longtemps étaient deux adolescents. À leur place, Jonah n'en aurait pas été moins déçu. Voyant leur mécontentement, et inquiète qu'ils puissent abandonner la mission, Sam se leva à la proue du char à voile et s'adressa à la foule réunie.

— Je m'excuse pour l'absence de mon père, dit-elle. J'aurais moi aussi aimé qu'il puisse se joindre à nous. Mais Jonah et moi sommes ici pour le représenter, et notre objectif demeure le même.

Un murmure dubitatif s'éleva dans la foule, mais Sam continua sans se laisser démonter.

— Dans exactement 36 heures, nous libérerons Uluru. Nous chasserons les hommes qui piétinent son cœur et profanent son âme.

Jonah ne savait pas du tout de quoi elle parlait. Qu'est-ce qu'était « Uluru » ? Il était toutefois impressionné par l'assurance que Sam démontrait. Elle se montrait en pleine possession de ses moyens.

Mais Kala n'était pas impressionnée et se renfrogna.

— Nous avons mille fois entendu ces promesses, dit-elle.

— Je sais, dit Sam. Je sais qu'on vous a déjà promis mille choses, mais…

— Vous vous étiez engagés à ce qu'Uluru soit restituée à ceux à qui elle revient de droit. Voilà pourquoi mon peuple a accepté de se joindre à vous dans cette bataille.

— Et c'est encore et toujours notre intention, dit Sam. Mon père vous l'a juré quand nous nous sommes rencontrés dans le monde virtuel. Cependant… Les circonstances ont changé, et il faudra être patient. Avant que nous…

Ces paroles déplurent visiblement à la foule. Croyant qu'il devait aider d'une quelconque manière, Jonah prit la parole :

— Sam est sincère. Vous pouvez lui faire confiance.

— Uluru sera vôtre à nouveau, dit Sam. Je vous le jure, ce but demeure inchangé.

— Nous vous ferons confiance, dit Kala d'une voix autoritaire. Pour le moment.

Le reste de la foule accepta cette décision et se dispersa non sans ronchonner un peu. Kala et quelques autres restèrent derrière, invitant Jonah et Sam à faire l'inspection de la flotte de chars à voile, sur lesquels on fixait à ce moment même d'étranges instruments à l'arrière de la coque. Jonah ne voyait pas ce que ce pouvait être. Il lui fallut un certain temps pour comprendre de quoi il s'agissait.

— Sam, ce sont… des catapultes ?

— Tu ne pensais quand même pas que nous allions entrer par la porte de devant, non ?

Jonah se rendit compte qu'il ne savait absolument rien de leur fameux plan.

Jonah était heureux d'entrer à l'intérieur, à l'abri du soleil et des vents arides du désert.

Dehors, Sam et lui avaient vu des magasins condamnés, des terrains de squash, un poste de police. L'un des membres de la tribu de Kala les avait accompagnés dans le village et invités à pénétrer dans une maison de bardeaux blancs. Il n'y avait pas de meubles dans la maison, mais des couvertures et des oreillers avaient été disposés dans chacune des quatre chambres qu'elle comptait. Une chambre chacun, pour Jonah et Sam. Deux autres pour Axel et Bradbury.

— C'est quoi, cet endroit ? demanda Jonah.

– Ça s'appelle Woomera, répondit Sam. C'est un lieu où on faisait autrefois des tests de lancement de fusées, loin des populations des villes. Ils ont construit le village pour les soldats et les travailleurs de la base. Mais elle est abandonnée depuis des décennies.

– Et maintenant les gens de la tribu de Kala vivent ici ? dit Jonah.

– Certains d'entre eux, oui, dit Sam d'un air distrait. Est-ce que tu vois un terminal quelque part ?

Tandis qu'ils parlaient, elle était descendue dans les chambres au sous-sol et fouillait partout.

– Il faut que j'aille en ligne. Mon père...

– Je pense qu'ils n'ont même pas l'électricité, dit Jonah. J'ai essayé d'allumer le climatiseur dans ma chambre, et puis rien. Il n'y a pas d'eau non plus.

– J'aurais dû le savoir, dit Sam entre ses dents serrées. Woomera a été déconnectée de la toile à la fermeture de la base. De toute façon, il n'y aurait pas eu de terminaux installés à l'époque. C'était il y a si longtemps.

– Alors, comment Axel les a-t-il rencontrés en ligne ? demanda Jonah. Ils doivent nécessairement avoir un accès quelque part.

Elle le laissa en plan et sortit en courant de la maison.

Jonah décida de la suivre. Le soleil se couchait à l'horizon, les ombres des bâtiments en bardeaux s'étirant lentement à leurs pieds. Jonah ne comprit pas tout de suite où Sam allait : vers les chars à voile. Les véhicules étaient de loin plus récents que les installations du village, et Jonah supposa, comme l'avait cru Sam, qu'ils seraient munis d'une liaison satellite.

Les mécaniciens travaillaient encore sur les chars, fixant les dernières catapultes. Quand Sam leur expliqua ce qu'elle voulait, ils furent heureux de l'aider. Mais le premier terminal qu'elle essaya refusait de démarrer ; apparemment, la batterie se rechargeait grâce à la rotation des roues et elle était à plat.

Bientôt, toutefois, Sam se trouvait assise dans un deuxième cockpit et se branchait à la métasphère.

Jonah veilla sur son corps affalé tandis qu'elle entrait en métatranse. Il s'inquiéta de ne pas connaître les alentours et s'ennuya vite, ne sachant pas quoi faire de ses 10 doigts. Il espéra que personne ne vienne lui poser des questions. Il s'en voulut de ne pas avoir abordé le sujet avec Sam durant le vol en avion. S'il l'avait fait, il aurait sans doute pu glaner quelques réponses.

Sam était partie depuis environ une heure. Jonah n'aurait pas su dire si c'était bon ou mauvais signe. Il faisait noir à présent, et il attendait toujours le retour de Sam quand Kala vint courir dans la nuit. Elle avait l'air agacé, encore que Jonah avait cru comprendre que c'était là son état naturel.

— Tout le monde vous attend, dit Kala que Jonah regarda sans savoir répondre, l'air ébahi. Le briefing, ajouta-t-elle, impatiente.

C'était la première fois que Jonah entendait parler d'une telle chose.

— Où est ta copine ? Celle qui sait ce qu'elle fait ! s'énerva Kala.

— Sam n'est pas ma… se lança Jonah avant que Kala ne le coupe.

— Envoie-lui un message ! Mon peuple attend.

Jonah ne voulait pas déranger Sam.

– Elle sortira quand elle sera prête, dit-il.

Les quelques minutes suivantes parurent des heures pour Jonah. Kala faisait les cent pas devant lui, jetant des regards agacés vers Sam en pleine métatranse, et soupirant de frustration. Jonah était sur le point d'envoyer ledit message quand les paupières de Sam se mirent à remuer.

Il aida Sam à débarquer du char à voile tandis qu'elle se réhabituait à son corps physique. Il vit à son expression que les nouvelles n'étaient pas bonnes.

– On n'a trouvé aucun signe d'eux, raconta-t-elle. Ni l'un, ni l'autre. Papa ou Bradbury. Le capitaine Teng a assigné tous ses hommes à la tâche. Ils élargissent la zone des recherches.

– Ça t'en a pris du temps, dit Kala d'un ton qui en disait long sur son exaspération. Juste pour apprendre ça.

Jonah fut piqué par la rudesse de Kala. Il ouvrit la bouche pour dire quelque chose, mais Sam ne releva pas le commentaire et reprit ses explications.

– J'ai rencontré quelques-uns de nos contacts chez les Gardiens. Je les ai mis au parfum de notre situation. Ils vont faire circuler la description des avatars d'Axel et de Bradbury. Il y aura des milliers de paires d'yeux sur le cas d'ici demain, à cette heure même. J'espère seulement…

Kala tira la manche de Sam et tourna les talons, marchant d'un pas assuré et convaincue qu'on allait la suivre.

– Briefing, dit-elle avec fermeté.

Une soixantaine de personnes les attendaient sur un vieux terrain de squash. La plupart étaient des hommes, la plupart étaient jeunes, et l'assemblée comptait environ deux tiers d'aborigènes. La moitié de ces gens étaient assis dans des chaises blanches pliantes, le reste attendait debout.

Une jeep à toit ouvert devança l'arrivée de Jonah, Sam et Kala qui approchaient du court. Elle s'arrêta dans un crissement de freins et quatre Australiens énergiques en habits de combat sortirent du véhicule. Ils déchargeaient maintenant toutes sortes d'armes.

Les gens vinrent depuis le court de squash pour se réunir autour de la jeep. Les hommes en treillis distribuaient des fusils à qui en voulait, partageant quelques conseils quant au maniement des armes.

L'arrivée de Jonah et de Sam passa presque inaperçue.

Une table avec des chaises derrière avait été disposée pour eux à un bout du terrain. Tandis qu'ils prenaient place, Jonah observa les gens tout autour. *C'est donc ça, notre armée,* pensa-t-il.

— Tu sais, chuchota-t-il à Sam, je ne sais pas du tout ce que c'est, notre plan.

— Je m'occupe de parler, promit Sam. Toi, continue de me soutenir.

— Qu'est-ce qu'elle disait tantôt, Kala ? À propos d'un endroit appelé Uluru qu'il faut redonner à ses propriétaires légitimes ?

— Elle parlait d'Ayers Rock, répondit Sam. Uluru, c'est le nom que la montagne portait à l'origine, le nom que les aborigènes lui ont donné. C'était — en fait, ce l'est encore — un site spirituel important pour eux.

— Ce n'est pas une centrale d'énergie solaire maintenant ? dit Jonah, content de démontrer qu'il n'était pas complètement ignorant des affaires du vrai monde.

Sam hocha la tête.

– Uluru a été acheté par une petite compagnie américaine qui produit de l'énergie. Personne ne se doutait, à l'époque en tout cas, que cette compagnie appartenait à Matthew Granger… mais, bien sûr, c'était le cas. La centrale n'est qu'une façade, une couverture.

– Il a acheté Uluru, Ayers Rock je veux dire, pour construire le Coin sud qu'il a caché sous le roc.

– Les aborigènes ont toujours clamé qu'on les avait malhonnêtement dépossédés de leur terre, dit Sam. Et connaissant Granger, je suis sûre qu'ils l'ont été.

– Ça veut dire que l'entente qu'Axel a conclue avec Kala, c'était pour…

– Quand les Gardiens ont contacté le peuple de Kala, dit Sam, nous pensions encore que le pont Chang était une unité de sauvegarde. Nous croyions qu'une fois le Coin sud en notre possession nous pourrions transférer ses opérations vers notre propre parc de serveurs, et ce, dans le mois qui suivrait l'assaut. Les aborigènes australiens auraient alors pu se réapproprier Uluru.

– Et maintenant ? dit Jonah.

Sam n'avait plus le temps de répondre.

Kala venait de demander le silence et elle présentait à présent Jonah et Sam au bénéfice de ceux qui les voyaient pour la première fois. Sam la remercia et se leva devant eux.

– Nous allons reprendre Uluru par la force, commença-t-elle. Tous ceux qui ne se sentent pas prêts à se battre peuvent partir dès maintenant.

Personne ne bougea et Jonah sentit une terrible angoisse monter en lui.

– Comme vous le savez tous, Uluru a été creusée en son cœur et remplie de milliers d'ordinateurs. Le point d'accès à ces installations se trouve tout en haut de la montagne. Et la montagne, c'est leur plus grand avantage. Nous ne pouvons pas grimper là-haut à pied. Nous serions des cibles faciles pour les Millénaires postés en haut. Voilà pourquoi les chars à voile ont été munis de catapultes. Il nous faudra avancer assez près d'Uluru et franchir le périmètre de sécurité pour pouvoir lancer notre attaque sur les hauteurs.

Sam continua son discours, parlant des clôtures électrifiées qui entouraient leur cible et des gardes millénaires qui offriraient une féroce résistance pour la défendre. Elle dressa un plan sommaire du Coin sud à l'intérieur d'Ayers Rock, une description qui se fondait sur des renseignements obtenus auprès de transfuges millénaires et de quelques travailleurs ayant participé à sa construction.

Kala parla à l'occasion, pour assigner des tâches précises à certains groupes de gens – tandis que Jonah faisait exactement ce que Sam attendait de lui : il restait assis et écoutait Sam parler. Il feignait celui qui a tout entendu déjà et se plaisait parfaitement dans ce rôle – lequel n'impliquait aucune prouesse autre que celle d'avoir l'air convaincu.

Plus Sam parlait, plus Jonah comprenait ce qui allait se passer demain et plus les fourmillements que Jonah ressentait au ventre devenaient les tremblements d'une peur sourde.

# 32

Jonah ne dormit pas beaucoup cette nuit-là.

Ce n'était pas seulement que le plancher était dur et inconfortable, encore que cela n'avait pas dû aider. Il s'inquiétait surtout pour l'attaque du lendemain.

Il n'y avait pas réfléchi avant que Sam ne tienne son discours, avant de savoir exactement ce qui l'attendait.

Jonah essayait de se répéter qu'il avait connu d'autres situations risquées – en fait, il avait vécu une foule de telles situations dernièrement. Mais avant, il n'avait pas pu les prévoir. Il n'avait pas eu le temps de réfléchir, de s'inquiéter comme il le faisait maintenant ; il n'avait pu que réagir.

C'était donc différent cette fois. Jonah avait vu les armes – un vaste éventail allant de la simple lance aux mitrailleuses – que les Gardiens et leurs alliés s'étaient partagées entre eux. Par le fait même, il avait pris conscience que les Millénaires seraient eux aussi bien armés, avec l'avantage d'occuper une position difficilement prenable.

Quand Sam eut terminé ses explications, Kala s'était adressée aux gens de sa tribu. Ses paroles avaient été crues, voire viscérales, comparativement à celles de Sam. Elle leur avait rappelé pour quelle cause ils se battaient – la réappropriation de leur terre sacrée – et ne s'était pas gênée pour évoquer le fait que certains d'entre eux devraient mourir pour cette dite cause.

Jonah se souvint de ce que Bradbury lui avait dit, à bord du cargo de la société Chang : « Ça va se corser bientôt, et tu n'es pas préparé. »

Il savait à présent que Bradbury n'avait pas exagéré. Il avait eu raison de dire que Jonah n'avait pas ce qu'il fallait pour prendre part au combat. Évidemment, Jonah n'avait rien dit de tout cela à Sam. Et comment Jonah amènerait-il le sujet maintenant ? Que pourrait-il dire sans avoir l'air d'un lâche ?

Il aurait tellement voulu voir sa grand-mère ! Pas seulement pour le réconforter – car il est vrai qu'elle arrivait toujours à rendre les événements positifs – mais aussi pour son bien-être à elle. *Qui irait la visiter,* se demanda Jonah, *si quelque chose m'arrivait ?* Et dans l'état de confusion où elle se trouvait, saurait-elle seulement qu'on l'avait abandonnée ?

Peut-être, pensa Jonah, qu'elle serait heureuse à vivre avec ses souvenirs. Il fallait l'espérer.

Et, soudainement, tandis que Jonah était étendu par terre, seul dans le noir, il eut une idée.

Ils quittèrent Woomera à l'aube : 20 chars toutes voiles tendues, filant dans les régions désertiques d'Australie. Ils jouissaient d'un vent particulièrement propice. Mais même dans ces conditions favorables, il leur faudrait toute la journée pour se rendre à destination.

Jonah était assis à l'arrière d'un cockpit à trois places et Sam occupait le siège devant lui. Leur conducteur était un aborigène âgé, avec deux lignes blanches peintes sur chaque joue. Ils étaient nombreux parmi les autochtones à s'être peint le visage ce matin-là, certains arborant des masques élaborés aux couleurs vives.

Jonah ressassait encore l'idée qu'il avait eue. Elle lui posait un gros problème, un problème auquel il ne trouvait pas de solution.

Il regarda par-dessus son épaule, un regard nerveux vers la catapulte fixée à l'arrière du char à voile. Dans moins de 12 heures, on demandera à Jonah de monter dans cette catapulte. Il sera alors projeté à plus de 350 mètres dans les airs, l'envoyant voler vers une immense formation rocheuse.

Et du reste, il y aurait une armée ennemie pour l'accueillir au sommet de la grosse roche, des hommes très certainement prêts à le canarder. Il serait peut-être même abattu en plein vol, avant même d'atterrir.

— Qu'est-ce qui pourrait mal tourner ? se dit-il tout bas à lui-même.

Jonah se pencha en avant et donna une petite tape sur l'épaule de Sam.

— Ces installations, dit-il, celles du Coin sud… tu disais qu'elles fonctionnent entièrement à l'énergie solaire ?

— C'est exact, dit Sam. L'Australie a fermé la dernière de ses centrales thermiques à combustibles fossiles il y a 10 ans de ça. À quoi tu penses ?

— Nous devons arriver à Uluru au crépuscule, dit Jonah. Donc, si nous pouvions vider leurs batteries solaires, ils ne pourraient pas les recharger à la hâte.

— J'imagine que non, dit Sam.

— Et ce serait tout à notre avantage, pas vrai ? De vider leurs batteries ? Ça impliquerait que les Millénaires ne pourraient plus électrifier leurs clôtures, ni rien de ce qu'ils ont en réserve pour nous.

— Ça pourrait aider, en convint Sam. Ça pourrait même nous aider beaucoup. Mais comment comptes-tu faire ?

— L'île des Téléversés se trouve dans le quart de la métasphère que le Coin sud gère.

— Exact, acquiesça Sam.

— Et tous ces gens sur l'île... Ils ont téléversé leurs esprits, stocké tout ce qui faisait leur identité vers les serveurs du Coin sud, et il y a de nouveaux avatars qui s'y installent à chaque jour. Trop, en fait. L'île ne dispose pas de la puissance de traitement pour les gérer tous. Pas tous en même temps. C'est pourquoi... c'est l'une des raisons qui... c'est ce qui explique que les Téléversés sont toujours si confus.

— Dis-m'en plus, insista Sam.

— Pense à ce qui arriverait, proposa Jonah, si tous les habitants de l'île, si les Téléversés essayaient tous de penser en même temps. S'ils se *souvenaient* soudainement.

Sam se mit à réfléchir à la question.

— Ça *pourrait* fonctionner, dit-elle enfin. La demande en énergie serait certainement suffisante pour causer une panne de courant. Ça ferait tourner tous les disques durs du Coin sud. Le seul problème, c'est que...

— C'est qu'on ne peut pas aller sur l'île, termina Jonah, à cause de l'embargo de Granger. Je sais. J'y ai pensé toute la nuit, et je crois avoir trouvé une solution. En tous cas, j'ai une idée que j'aimerais mettre au banc d'essai. J'ai seulement besoin d'ouvrir une session, de retourner en ligne.

— D'accord, fit Sam, nous avons accès à un terminal de la métasphère. Et je sais maintenant que ce serait bête de te sous-estimer, alors...

Jonah apparut dans la métasphère en plein ciel.

Il déploya ses énormes ailes et laissa le vent virtuel les gonfler. Il descendit dans un vol plané au-dessus des eaux calmes et bleues de la mer.

Il lui semblait n'avoir plus volé depuis une éternité. Il ferma les yeux, sentit le soleil sur sa figure et la brise sur son museau. Il s'abandonna à ses plaisantes sensations et en oublia presque ses ennuis.

Ce moment parfait connut une fin abrupte. Jonah pouvait déjà voir l'île, une silhouette sombre sur l'horizon. Son sang ne fit qu'un tour. Il s'était imaginé que l'île serait entourée d'une barrière. Il n'avait pas vraiment cru qu'il pourrait aller s'y poser en volant.

L'île était frangée de brume. Jonah ne savait pas trop ce que cela voulait dire, mais la scène ne lui inspirait rien qui vaille. Il continua son vol, et un brouillard l'enveloppa bientôt.

Il ne voyait plus l'île à présent. Il savait toutefois qu'elle se trouvait droit devant. Si le but de ce brouillard était de le dérouter, de le désorienter, cela ne marcherait pas.

Le brouillard était froid, un froid glacial. L'humidité s'immisçait sous la peau charnue de Jonah et lui gelait les os. Le brouillard devenait plus épais aussi. Il était presque opaque. Jonah ne voyait pas plus loin que son museau. Il serra les dents, battit des ailes, résolu à continuer sa route.

Puis, soudain, le brouillard se leva. L'air était chaud à nouveau, et le ciel, bleu comme la mer.

Et l'île des Téléversés avait disparu.

Jonah s'arrêta en plein vol et fit volte-face, confus. L'île était directement derrière lui. Mais maintenant, il pouvait à peine deviner sa forme à travers le brouillard qui s'y accrochait obstinément. Il devait l'avoir survolée, pensa-t-il — mais comment avait-il fait ? L'île était trop large ; il n'avait pas volé assez longtemps pour la traverser.

Jonah baissa la tête et s'élança à nouveau vers l'île.

Cette fois encore, le brouillard se referma sur lui, lui glaçant les os, l'aveuglant. À nouveau, quand il se dissipa, l'île des Téléversés se trouvait derrière Jonah — si près, à en pleurer, et pourtant toujours inatteignable.

Jonah alla voler à l'orée de la brume. S'il s'était trouvé devant une barrière solide, il aurait pu essayer de l'enfoncer. Il aurait pu utiliser le virus de déconstruction d'Harry. Il considéra l'idée de répandre le virus dans le brouillard. Mais il en savait trop peu sur sa composition. Et si, ce faisant, il endommageait l'île elle-même ?

Il n'osa pas prendre cette chance.

Fort heureusement, Jonah avait une autre option. L'ultime option. Sa dernière.

Il pouvait lui-même se téléverser.

À l'autre bout de la mer, au large de l'île des Téléversés, les terrains de la grande gare maritime étaient bondés d'avatars qui criaient et brandissaient des pancartes.

Comme Jonah s'en approchait, il vit du ciel que la protestation visait l'embargo qui isolait l'île et empêchait la circulation des avatars. Il se posa parmi les protestataires qui se pressèrent autour de lui, l'entraînant dans une bousculade. Un vautour à l'air patibulaire planta son bec directement dans la face de Jonah et lui demanda s'il était « Gardien ou Millénaire ».

— Matthew Granger a tué ma mère, dit Jonah d'un ton amer. Qu'est-ce que vous en pensez ?

Clairement, c'était la bonne réponse. Les avatars se séparèrent et il fut en mesure d'atteindre les portes coulissantes de la gare maritime.

L'atmosphère à l'intérieur de la gare n'aurait pas pu être plus contrastante. Tandis que les portes se refermaient derrière Jonah, elles bloquèrent totalement les bruits de la manifestation. À l'intérieur, l'air frais avait un goût presque stérile. Il y avait des banquettes en plastique et des écrans qui affichaient l'horaire des traversées du jour sur la barge mortuaire. Le prochain départ était prévu dans 45 minutes.

On voyait ça et là quelques groupes de gens debout dans la gare : des proches endeuillés réunis pour dire au revoir à un ami ou à un membre de la famille. Il y en avait qui pleuraient. Jonah pouvait voir la barge funèbre derrière les baies vitrées, et il frissonna à sa vue. L'embarcation mouillait tout au bout d'une longue jetée en bois. Elle était effilée et noire, et un seul pavillon y flottait. Sur ce drapeau, sur fond noir, il y avait le symbole en blanc de l'infini.

Tandis que Jonah était absorbé par la scène, un petit groupe triste de parents s'avançait en flottant vers la barge. À tour de rôle, ils embrassèrent et étreignirent l'aïeul, un vieux crapaud bleu au dos voûté, qui se détourna finalement d'eux et alla, mi-bondissant mi-boitant, jusqu'à la passerelle d'embarquement. Les proches du mort revinrent en marchant sur la jetée et trouvèrent un endroit en front de mer où ils feraient un dernier au revoir à l'être cher qui s'était embarqué pour le grand voyage.

L'homme que l'avatar du crapaud bleu représentait se trouvait probablement étendu sur l'un des fauteuils confortables mis à sa disposition dans le centre de téléversement. Quand ses proches retourneraient dans le vrai monde, il serait parti, son corps physique pris en charge par les gens des pompes funèbres du centre. Mais ils auraient cette certitude apaisante que, dans le monde virtuel, son avatar vivrait encore.

Comme Jonah l'avait supposé, Matthew Granger n'avait pas ordonné l'interruption des navettes entre l'île et le continent. En permettant que les barges funèbres poursuivent le transport des avatars, il ajoutait du poids à son chantage en asseyant son pouvoir plein et entier sur l'île. Il avait donc laissé ouverte cette seule voie d'entrée vers l'île, en toute assurance et sans crainte que personne ne survive à la traversée. Pas de survivants, pas de trouble-fêtes.

Jonah allait faire le pari insensé que Granger se trompait.

Il attendit qu'un autre groupe sorte pour sortir lui-même, suivant assez loin derrière. Jonah sentait qu'il ne passait pas inaperçu dans la peau de l'immense avatar de dragon. Il espérait que personne ne vienne lui poser des questions pour lesquelles il n'y avait pas de réponses faciles.

Il s'avança loin sur la jetée, flottant aussi près de la barge mortuaire qu'il s'en sentait le courage. Il attendait impatiemment que les endeuillés fassent leurs adieux à une fée vieillissante qui ne scintillait plus beaucoup. Il regarda la fée monter à bord de la barge pour être accueillie en haut de la passerelle par une fenêtre de dialogue rouge. Jonah était trop loin pour lire le message, et la fée ferma la fenêtre d'un geste du doigt.

La fée embarqua dans la barge. Ses proches revinrent sur la jetée, croisant Jonah au passage. Le dragon rouge attira quelques regards, comme il l'avait craint, mais dans les yeux de ces gens, il ne vit que de la sympathie pour lui. Bien sûr, on croyait que Jonah se préparait lui-même au grand téléversement.

Il se doutait de ce que la fenêtre rouge disait. On procédait déjà au scan et à l'indexation de l'avatar de la fée, avant qu'elle ne mette le pied dans l'embarcation. Elle venait de confirmer le lancement du processus de téléversement, lequel aurait cours durant la lente traversée vers l'île. À présent, rien ne pouvait plus arrêter le processus.

Jonah revint dans la gare. Il avait besoin de temps pour penser. Il regarda par les fenêtres et vit d'autres avatars s'embarquer sur la barge. Le pont de celle-ci se remplissait vite.

Il prit une décision et franchit les portes coulissantes, se frayant un chemin parmi la foule de manifestants à l'extérieur, ignorant leurs chants bruyants. Il se faufila pour tourner le coin du bâtiment et trouva là un endroit où il pourrait atteindre l'eau sans se faire voir. Il s'avança dans les flots.

Il hésita un moment avant de plonger la tête sous l'eau, se rappelant comment il avait failli se noyer dans les eaux du port de Sydney. Mais il n'était plus dans le vrai monde. Dans la métasphère, Jonah n'avait pas besoin de respirer s'il ne le souhaitait pas.

Il battit des ailes sous l'eau pour se propulser. Il s'assura de longer les fondations de la gare maritime sur sa droite, les suivant jusqu'à voir devant lui les traverses de bois. Levant la tête, Jonah aperçut les planches de la jetée au-dessus de sa tête. L'eau sous ses ailes l'entraînait vers la surface ; il fallait une attention de chaque instant pour combattre cette poussée et demeurer submergé.

Il nagea jusqu'au bout de la jetée, où une longue ombre étroite s'étira sur lui. Le fond plat et noir de la barge mortuaire. Jonah glissa sous la coque, puis fit surface.

Il se trouvait à présent de l'autre côté de la barge. Comme il l'avait espéré, l'embarcation le cachait complètement des visiteurs endeuillés — et de tout employé curieux — dans la gare.

Jonah s'éleva en flottant, jusqu'à ce qu'il puisse voir le pont de la barge. Il y avait des avatars partout, mais pour la plupart, ils regardaient vers la gare, saluant les gens et les lieux qu'ils s'apprêtaient à quitter pour toujours. Jonah sentit son cœur s'emballer. Son plan allait vraiment fonctionner ! Il commença à grimper à bord...

...et soudain une fenêtre de dialogue rouge apparut devant son museau.

« ATTENTION, disait le message. VOUS ÊTES SUR LE POINT DE TÉLÉVERSER VOTRE AVATAR VERS LA MÉTASPHÈRE. LE PROCESSUS EST IRRÉVERSIBLE. SOUHAITEZ-VOUS CONTINUER ? O/N. »

Frustré, Jonah appuya brusquement sur « NON ». La fenêtre disparut, mais Jonah fut repoussé d'environ un mètre par des mains invisibles. Il flottait maintenant au-dessus de l'eau. Il s'élança à nouveau vers la barge, mais la fenêtre de dialogue réapparut aussitôt, et la même force invisible le repoussa aussi doucement mais soudainement à l'extérieur de la barge.

Il essaya de contourner la fenêtre. C'était comme pousser contre un immense oreiller invisible. Impossible d'avancer.

Il recula d'une centaine de mètres, et la fenêtre disparut. Jonah baissa la tête et se précipita de toutes ses forces, battant l'air de ses puissantes ailes, s'élançant droit devant, vers la barge. Une fois de plus, il fut doucement repoussé ; et la fenêtre de dialogue réapparut devant lui, obsédante.

« SOUHAITEZ-VOUS CONTINUER ? O/N. »

Jonah s'attendait à cette impasse et il avait tout essayé pour éviter le choix qui l'effrayait trop.

Il se souvint de ce que M. Chang avait dit dans le temple : « À ma connaissance, votre cerveau est le seul qui sait contenir deux avatars à la fois. » Il se souvint des problèmes rencontrés par Bradbury lors de la tentative avortée pour fouiller sa matière grise. Le programme n'avait pas pu indexer les deux avatars – celui de Jonah et celui de son père – qui étaient encore tous les deux stockés dans son cerveau. C'était la présence de deux avatars qui avait fait échouer la fouille.

Jonah se fia à cette intuition que le programme de téléversement ne pourrait prendre en compte qu'un seul avatar.

« SOUHAITEZ-VOUS CONTINUER ? O/N. »

On remontait déjà la passerelle sur le pont. Jonah devait se décider. Pouvait-il le faire ou non ? *Sam compte sur moi,* pensa-t-il. Il fallait absolument atteindre l'île, pour elle. Et pour les Gardiens, et la tribu de Kala... Il eut une pensée pour son père, Jason Delacroix, qui avait mis sa vie en péril pour la cause des Gardiens. Jonah avait le sentiment qu'il devait se montrer brave, qu'il le devait à son père.

Il tendit une griffe tremblotante qu'il passa sur « OUI ». Le message dans la fenêtre changea. « INDEXATION EN COURS... » se lisait-il maintenant, et sous la boîte de dialogue il y avait la barre verte d'un indicateur d'état d'avancement.

Puis la fenêtre disparut, comme simultanément la force qui l'avait repoussé. Et Jonah embarqua à bord de la barge, priant en silence que, ce faisant, il ne commettait pas un suicide.

Il n'avait rien senti ; il était le même.

Mais comment savoir si le téléversement avait cours, si son esprit était aspiré hors de son corps physique, un souvenir à la fois ? Il commencerait d'abord à se sentir confus, supposait-il, comme sa grand-mère.

Jonah décida de faire un test. Il choisit un souvenir au hasard : un voyage que, étant enfant, il avait fait à la plage avec son père et sa mère. Une plage du vrai monde. Il avait plu toute la journée. L'eau était sale. Après l'expérience, la famille s'était juré de passer toutes leurs vacances subséquentes dans la métasphère. Tout revenait à Jonah, des souvenirs clairs comme de l'eau de roche. Une journée spéciale. Le souvenir d'être aimé.

Il se sentit soudain étourdi et dut même s'asseoir sur un banc. Il éprouvait l'inquiétante sensation que des doigts de métal lui jouaient dans le cerveau, décortiquant tout ce qu'il contenait. Jonah essaya de se convaincre qu'il s'imaginait des choses.

Debout vers la proue de la barge, un passeur sous une grande cape poussait la barge à l'aide de sa longue perche.

Les avatars à bord lançaient des derniers baisers et agitaient la main à ceux restés à terre tandis que l'embarcation s'éloignait tout doucement de la rive. Venant d'on ne sait où, une musique jouait doucement.

Jonah se concentra aussi fort qu'il le put, s'efforçant de ne pas perdre connaissance. L'effort eut l'effet contraire et ses étourdissements empirèrent. Il avait maintenant l'impression que les doigts de métal ne fouillaient plus mais tiraient, écrasaient, déchiraient.

Sa tête le faisait tant souffrir qu'il perdit le souffle, roulant sur le côté. Il avait les larmes aux yeux, mal à l'estomac. Il craignait d'avoir fait une grosse erreur. Il pouvait sentir qu'on arrachait de l'information à son cerveau et il essaya de s'accrocher à des pensées, à des souvenirs et à des rêves avec tout ce qu'il lui restait de force. Il faiblissait.

Il pensa qu'au moins il serait réuni avec sa grand-mère. Ils pourraient vivre de leurs souvenirs téléversés dans une béate confusion.

Comme Jonah était sur le point de défaillir, la douleur disparut, aussi soudaine qu'elle était venue.

*C'est ça ? C'est terminé ?* se demanda-t-il. Il ouvrit un œil, hésitant. Il aperçut une fenêtre rouge, mais sa vision était trouble et il se trouvait incapable de lire le message. Il cligna deux fois des yeux et regarda à nouveau.

« ERREUR INCONNUE, disait le message. SÉQUENCE DE CODE DE L'AVATAR NON RECONNU. PROCESSUS DE TÉLÉVERSEMENT INTERROMPU. VEUILLEZ CONTACTER L'ADMINISTRATEUR SYSTÈME. »

Une vague de soulagement traversa le corps tout entier de Jonah. Il avait gagné son dangereux pari. Il s'essuya le front du revers de la main, chassa la fenêtre de dialogue d'un geste mou et se remit debout. Il hésita. Puis baissa les yeux pour se regarder, s'étonnant à moitié de voir ses deux mains.

Des mains, des mains sans griffes.

Il tenta de ployer les muscles de ses ailes, mais ne les sentit plus. Il n'était plus un dragon désormais. Jonah était de retour dans son ancien avatar, son humatar. Il se regarda à nouveau. *Ça doit être à cause du programme de téléversement,* comprit-il. Le processus avait séparé Jonah de l'avatar de son père, téléversant le dragon tout en laissant la forme humaine derrière.

Jonah chercha les souvenirs de son père dans sa tête, mais n'en trouva qu'un lointain écho, comme la trace d'une empreinte digitale sous son crâne. Il se sentait étrangement incomplet, démuni. Bien sûr, il n'avait jamais demandé à posséder les souvenirs de son père, mais à présent… à présent il savait que ces souvenirs lui manqueraient.

Une question lui vint à l'esprit. Si l'avatar de son père n'était plus en lui, qu'est-ce qui pouvait bien lui être arrivé ? Où est-il parti ? Puis il entendit une voix.

— Jonah ? Mon fils ? Est-ce que c'est vraiment toi ?

# 34

Jonah découvrit le dragon rouge debout à côté de lui, le dévisageant avec ses grands yeux jaunes.

Contrairement à cette première fois dans la cave secrète de la boutique de cadeaux, l'avatar du dragon ne récitait pas un message enregistré. C'était son père. Ou du moins, l'écho numérique de son père.

— C'est vraiment toi, dit le dragon. Tu m'as trouvé. Je savais que tu me trouverais. J'ai tant de choses à te dire. C'est tellement bon de te voir, mon fils.

Jonah avait le cœur dans la gorge.

— Papa ? murmura-t-il. Je ne peux pas croire que tu sois là ! J'ai cru que je ne te reverrais plus…

Il courut se jeter dans les bras du dragon rouge — et, durant quelques secondes d'allégresse, Jonah était redevenu un enfant, serrant les ailes parcheminées de son père, protégé de tous les dangers dans ses bras.

— Tu aurais pu me dire, papa, fit Jonah, à propos des Gardiens, à propos des Quatre Coins. J'aurais compris.

— Tu as toujours été un enfant brillant, dit Jason Delacroix.

— Je me suis retrouvé dans un terrible pétrin sans toi, mais tout va s'arranger maintenant.

— Il va falloir penser à ce que nous pouvons faire pour l'école. L'école virtuelle.

— Tu es là maintenant, papa. Je t'ai retrouvé. Tu peux me dire quoi faire.

— Tu aimerais aller à l'Académie Chang, n'est-ce pas ? La métasphère, c'est là que se trouve l'avenir.

Jonah se retira de l'étreinte.

— Papa, je... Je suis un adolescent maintenant. Tu m'as inscrit à cette école, il y a des années de ça.

Jonah vit bien que ce qu'il disait n'avait pas de sens pour son père. Jason regardait autour de lui, comme s'il découvrait les environs pour la toute première fois.

— C'est beau ici, dit-il. Où sommes-nous ?

C'était l'évidence même. Il était aussi confus que les autres avatars à bord de la barge, peut-être même plus encore. Jonah l'avait deviné dans leurs expressions, dans le flou de leurs regards, tandis qu'ils s'éloignaient plus encore en mer. Le processus de téléversement brouillait leurs idées. *Peut-être que c'est pour le mieux,* pensa Jonah. Mais son père...

Son père était mort depuis longtemps. Il était comme sa grand-mère maintenant, vivant dans ses souvenirs. Cela dit, ce n'était quand même pas rien de l'avoir retrouvé.

— Tout va bien, papa, dit Jonah dans un sourire. Nous faisons un petit voyage en bateau, c'est tout. Juste nous deux, toi et moi. Tout va bien.

— Je savais que tu me retrouverais, dit Jason.

Leur « petit tour en bateau » prenait une éternité.

Au début, Jonah crut que c'était lui qui avait sous-estimé la distance entre l'île des Téléversés et la côte. Une autre heure passa, cependant, et toujours rien en vue à l'horizon.

Il pensa alors que la barge était prise dans une boucle de sa programmation. Elle traversait encore et toujours la même étendue de mer.

*Est-ce que c'est Granger qui bloque l'accès ?* se demanda Jonah. Ou était-ce Jonah lui-même ? Était-ce par sa seule présence sur la barge qu'il retenait l'embarcation sur place – lui, le seul avatar avec une conscience vivante ? Car même le passeur sous sa cape, comme il l'avait découvert, était une intelligence artificielle.

Est-ce que l'île refusait le passage des vivants par ce canal, par cette voie ?

Il se dit à lui-même de garder son calme, d'arrêter d'imaginer le pire. Il y avait au moins 30 avatars à bord, hormis le sien. Il faudrait bien sûr du temps aux serveurs du Coin sud pour les téléverser tous, pour transférer autant d'informations. C'était logique que le voyage vers l'île prenne aussi longtemps.

Entre-temps, son père était là.

Le cœur plein d'affection, Jonah regarda son père déployer ses ailes, s'étirer les pattes, renverser la tête en arrière pour souffler dans les airs une grande gerbe de feu.

– J'ai envie de voler, avait-il dit. J'ai l'impression de n'avoir plus volé depuis des siècles.

Il s'était ensuite envolé, et Jonah avait paniqué, une sensation comme un couteau dans le ventre. Et si son père s'éloignait de la barge pour se perdre en mer ?

Fort heureusement, la barge possédait sa propre barrière invisible – Jonah présuma qu'elle servait à garder les avatars à bord durant le processus de téléversement – et son père fut doucement ramené sur le pont.

Il avait depuis répété trois fois cette même tentative, toujours avec le même résultat, mais il n'était pas pour autant découragé ou abattu. À chaque fois que le père de Jonah était forcé d'atterrir, il passait simplement à un autre fil de pensées et oubliait aussitôt sa déception. Ce n'était jamais long, cependant, avant que l'envie de tendre ses ailes ne le reprenne.

— Il y a une chose qu'il fallait que je te dise, dit-il.

— Ce n'est pas grave, papa.

— C'était une chose très importante.

— Je le sais déjà.

— Ne devrais-je pas être au travail ? demanda son père.

— C'est ton jour de congé.

Jonah s'étonna de la facilité avec laquelle il venait de mentir à son père. Il avait pris l'habitude avec sa grand-mère : dire ce qui pouvait l'apaiser. Tout sauf la vérité.

— Non, non, dit son père en secouant la tête, ça ne peut pas être vrai. Monsieur Granger m'a demandé de l'amener en avion… à un endroit dont je ne peux pas parler. Personne d'autre ne peut piloter l'avion. Personne d'autre ne sait où…

— Tu ne travailles pas pour Granger, souviens-toi.

Son père fronça les sourcils, perplexe.

— Ce que je veux dire, c'est que tu ne travailles pas vraiment pour lui. Tu es un Gardien. Tu as accepté de jouer les agents doubles en t'engageant comme pilote pour Matthew Granger. C'est ce que tu voulais me dire, papa. Tu as laissé une copie de ton avatar dans la boutique de cadeaux, pour que je le trouve et…

Son père sourit.

— C'est là que se trouve l'avenir, dit-il, dans la métasphère. La boutique, Jonah, ce sera ton héritage. Et un jour…

— Tu te rappelles les Gardiens, n'est-ce pas ?

— Des anarchistes, cracha son père. Si nous leur laissons la métasphère, ce sera la mêlée générale, le chaos. Les Millénaires ont raison. Tout monde a besoin d'ordre. Tout monde a…

— Non, papa. Je sais que ce n'est pas ce que tu penses. Je ne suis plus un enfant. Tu n'es plus obligé de faire semblant maintenant. Tu peux me dire la vérité.

— Je me rappelle quand tu es né, Jonah. J'avais peur, tellement peur. Je savais dans quel genre de monde nous t'élèverions, et je savais que ça ne pouvait qu'empirer.

— Donc, tu as décidé de rendre le monde meilleur. Axel ! Tu dois te souvenir d'Axel !

— Il faut que j'aille à l'Icare ce soir, dit son père. Axel veut me parler de quelque chose, et c'est important. J'irai te voir à l'extérieur de la métasphère quand j'aurai terminé avec lui.

— Je sais déjà ce qu'Axel veut te dire, insista Jonah. Il a rejoint les Gardiens, et il veut que tu en fasses autant. Il veut que tu acceptes le travail avec Matthew Granger, en tant qu'agent secret. Il veut que tu découvres où sont les…

Mais son père n'écoutait plus. Il avait cet éclat dans les yeux, celui qui disait qu'il essaierait à nouveau de voler. Il regarda autour de lui, puis vers le ciel. Jonah soupira, et se cala dans la banquette. Il avait l'impression d'être dans un cul-de-sac.

Puis, son père le regarda et, plutôt que de déployer les ailes, il vint s'asseoir à côté de lui.

— J'ai dû prendre une décision aujourd'hui, dit-il.

— Quelle décision ? demanda Jonah.

— Je ne peux pas t'en parler, fiston. Je veux par contre que tu saches que ça n'a pas été facile pour moi. En fait, c'est le choix le plus dur que j'aie eu à faire de ma vie.

— Alors… Alors comment as-tu fait ? Comment as-tu su…

— La bonne chose à faire ? termina son père en lui souriant. Je ne sais pas comment. Et même maintenant je doute encore.

— Alors comment…

— J'y ai réfléchi longtemps, fils, je peux au moins te dire cela. Et sache que tu faisais partie de l'équation, tu en étais une grande partie même. Je t'aime, Jonah. Et je ne peux pas vivre avec l'idée de te quitter… mais cette décision que j'ai prise, elle implique qu'un jour je devrai peut-être le faire.

— Alors change d'idée, murmura Jonah. Ne me laisse pas !

— J'ai pensé au monde dans lequel nous vivons, reprit son père, et au futur que j'aimerais voir pour ce monde — pour toi, mon fils. J'ai écouté les conseils d'amis. Je suis même allé sur l'île pour parler à ma mère, ta grand-mère.

— Et qu'est-ce qu'elle t'a dit ?

— Elle n'a pas compris, répondit son père. Je savais qu'elle ne comprendrait pas. J'ai seulement pensé que ça m'aiderait de discuter avec elle, et je ne me trompais pas. Elle m'a fait comprendre quelque chose. Je sais ce que maman m'aurait dit, si elle avait pu. Je pense que je l'ai toujours su — parce qu'une part d'elle n'est pas sur l'île, cette partie qui vit là, expliqua son père en pointant son cœur.

— D'accord, mais qu'est-ce qu'elle t'*aurait* dit, mamie ? demanda Jonah avec empressement. Qu'est-ce qu'elle t'aurait dit de faire ?

— Rien, dit Jason. Il s'agit bien de ça. C'est ce que j'ai compris. Bien sûr, elle ne se serait pas privée de me dire ce qu'elle pensait des Gardiens et des Millénaires. Mais elle aurait continué en disant que c'était ma vie, mon choix. Elle n'a pas toutes les réponses, pas plus que moi d'ailleurs. Elle m'aurait dit que j'étais assez vieux pour prendre mes propres décisions — et qu'elle savait que je ferais le bon choix, un choix en accord avec ma conscience.

— Je comprends, dit tout bas Jonah.

— Tu as toujours été un garçon brillant. Ça me fait chaud au cœur de te voir, mon fils.

Son père s'était levé et regardait le ciel, secouant ses ailes.

— J'ai envie de voler, dit-il. J'ai l'impression de n'avoir plus volé depuis des siècles.

— Bientôt papa, dit Jonah. Tu pourras voler autant que tu le souhaites, je le promets.

Un nuage humide et froid descendit sur la barge.

Certains passagers s'en plaignaient. Jonah gardait son souffle, attendant la suite. Il sourit tandis que le brouillard se levait en volutes pour révéler une forme familière sur la mer calme et bleue : l'île des Téléversés. Il avait envie de crier victoire, de lever les poings dans les airs. Il était passé ; il avait réussi !

Des avatars se réunissaient sur la plage — par centaines, par milliers — pour accueillir les nouveaux venus. La barge vint doucement s'arrêter, son nez dans le sable, et les passagers débarquèrent. Ils riaient, volaient, appréciaient les chauds rayons du soleil. Aucun d'eux ne semblaient reconnaître l'endroit. Pourtant, la plupart d'entre eux devaient avoir visité l'île par le passé, mais ils n'en gardaient apparemment aucun souvenir. Ils étaient complètement téléversés.

Le père de Jonah fit le tour de la plage, ses énormes ailes tendues pour attraper les courants d'air virtuels. Il fila à l'intérieur des terres et disparut dans une forêt épaisse. Jonah ne s'en troubla pas outre mesure. Il savait qu'il allait le retrouver bientôt.

Entre-temps, il avait du travail à faire — une mission importante — et, pour la première fois, il n'entretenait aucun doute quant à la marche à suivre ou au bien-fondé de son entreprise.

Il s'élança dans les airs et survola la plage en direction d'un lieu qu'il connaissait bien. Elle était là, mamie, se prélassant au soleil, sans le moindre souci, semblait-il. Elle eut l'air surpris de le voir atterrir à côté d'elle.

— Jonah, barrit-elle… Mon petit Jonah, comme tu as grandi !

Elle l'enroula dans sa grande trompe, l'attirant dans le creux de son cou.

— Mamie, dit Jonah. Je… J'ai tellement de choses à te raconter. C'est papa. Il est ici ! Il est arrivé sur l'île. Nous allons pouvoir lui parler à nouveau.

Les yeux de mamie se plissèrent d'amusement.

— Mais bien sûr, quelle idée ? Je parlais justement à ton père… Ma foi, c'était il y a quelques jours à peine.

— Bien sûr que oui, dit Jonah en lui souriant. Que je suis bête.

— Il m'a parlé de l'école de pilotage. Je m'inquiète pour ton père, tu sais, quand il quitte la maison aussi longtemps. C'est dangereux de piloter des avions, mais si c'est ce qui le rend heureux... Laisse-moi donc te regarder, mon petit Jonah. Bon Dieu, tu as tellement changé !

– Mamie, dit Jonah. J'ai besoin... Je veux dire que *nous* avons besoin, papa et moi... Nous avons besoin de ton aide.

– Si je peux me rendre utile, fit mamie. Dis-moi. Tu sais que je ferais tout pour toi.

– Il faudrait que tu réunisses le plus d'avatars que tu peux, et que tu leur demandes de se souvenir.

– Et de quoi voudrais-tu qu'ils se souviennent, mon chéri ?

– De tout.

# 35

Matthew Granger avait à peine fermé l'œil quand le téléphone au chevet de son lit gazouilla. Il attrapa le combiné et aboya méchamment dans le microphone :

– Quoi encore ?

Une programmeuse visiblement nerveuse s'excusa de troubler son sommeil. Mais, continua-t-elle, elle suivait les ordres explicites que Granger avait lui-même donnés.

Quand il reposa le combiné, Granger n'était plus fâché.

Il sourit intérieurement en s'étirant pour prendre ses jambes cybercinétiques qu'il fixa à ses moignons. *C'est enfin le moment que j'attendais,* se dit-il. Le jour était enfin venu.

Les senseurs à grande portée – remis en fonction quelque trois jours auparavant par Granger – avaient détecté l'approche d'une vingtaine de véhicules dans le désert. Les Gardiens venaient enfin.

Granger les avait espérés plus tôt. Il les avait surestimés. Ses ennemis lui avaient laissé amplement le temps de se préparer à leur venue.

C'était parfait, pensa Granger. Cette fois, il dirigerait personnellement ses Millénaires dans la bataille. Les Gardiens seraient écrasés, et la nouvelle de leur défaite se répandrait dans tout le monde virtuel. Ce serait un exemple pour tous les autres dissidents. Ce serait la preuve qu'il ne fallait pas se frotter à un homme comme Matthew Granger. Cette victoire montrerait au monde entier que sa position, son pouvoir, était inattaquable.

Le soleil se couchait. L'attaque était pour bientôt.

Depuis quelques kilomètres déjà, Ayers Rock était visible à travers le pare-brise en plastique clair du cockpit du char à voile. Le voyage paraissait beaucoup plus long que Sam ne se l'était imaginé. En fait, c'est qu'elle avait sous-estimé l'immensité de la montagne. Elle pouvait maintenant voir les clôtures de sécurité qui la ceignaient – et les installations solaires en son sommet.

Elle se retourna pour regarder Jonah. Il était toujours affaissé dans son siège, en métatranse.

Elle baissa les yeux sur le pistolet qu'elle avait sur les genoux. C'était le pistolet de son père. Sam l'avait pris dans la poche d'Axel avant de le laisser aux soins de Teng. Elle allait bientôt devoir s'en servir.

Au cours des deux derniers jours, depuis qu'elle avait perdu son père dans la métasphère, Sam avait joué la comédie. Elle avait dû porter le masque d'une confiance qu'elle n'avait pas. Elle avait dû paraître forte, sinon les Gardiens ne l'auraient jamais suivie.

Mais la vérité, c'était que Sam n'avait jamais utilisé une arme à feu pour se défendre, et encore moins pour tuer.

Oui, elle savait comment faire. Son père l'avait initiée et entraînée au maniement d'une foule d'armes différentes. Ils avaient passé des heures dans les champs de tir virtuels et participé à plusieurs simulations en situation de combat. Sam savait démonter le pistolet d'Axel, le nettoyer et le remonter en un temps record. Mais de là à le pointer sur quelqu'un – un être humain qui respire et vit, pas des pixels générés par ordinateurs –, de là à appuyer sur la gâchette...

Sam ne savait pas si elle en était capable.

Il n'y avait qu'une manière de franchir les clôtures électriques : un point de contrôle barrant la grand-route du désert et gardé par deux silhouettes en habits de combat noirs. Sam pouvait voir d'autres gens – à cette distance, des points gros comme des fourmis – descendant sur le flanc de la montagne.

Elle se retourna vers Jonah.

– Si tu prévois faire quelque chose, dit-elle entre ses dents serrées, encore qu'elle savait qu'il ne l'entendait pas, maintenant serait le bon moment.

Le soleil brillait encore sur l'île des Téléversés.

Jonah était douloureusement conscient que le temps pressait dans le vrai monde. C'était le coucher du soleil dans le Territoire du Nord, en l'Australie. Il ne restait plus beaucoup de temps, et il était loin d'avoir terminé ce pour quoi il était venu sur l'île.

Les avatars des morts étaient en route. Jonah les attendait en forêt, dans une clairière. Ils arrivaient enfin, se réunissant autour de lui, 40 ou 50 avatars. C'était quelque chose à voir. Et cela voulait dire que sa grand-mère relayait encore son message. Elle n'avait pas oublié, contrairement à ce que Jonah avait craint.

Bien vite, ils se mirent à le bombarder de questions.

– Es-tu le petit humatar qui a une histoire à raconter ? demanda un mille-pattes géant.

— Es-tu le garçon qui peut nous aider à nous souvenir ? demanda un rhinocéros.

Jonah grimpa sur une souche d'arbre et tendit les mains pour obtenir le silence. Il commença ensuite à raconter une histoire aux Téléversés, s'exprimant en des termes qu'ils sauraient comprendre.

— Il y a une araignée maléfique qui a tissé une toile autour de votre île, leur dit-il. Elle empêche vos proches de venir vous voir et les fait chanter. Elle les force à l'obéissance.

Les avatars téléversés prirent un moment pour soupeser ses mots, puis s'accordèrent à dire qu'aucun d'entre eux n'avait reçu de visiteurs depuis très longtemps.

Jonah ne nomma pas le vilain de son histoire. Il savait que la majorité des gens de son auditoire avaient soutenu Matthew Granger de leur vivant. Heureusement, les Téléversés, étant donné leur état de confusion, étaient prêts à croire quiconque semblait sûr de ce qu'il disait.

— Je veux que vous m'aidiez à défaire cette toile d'araignée maléfique, dit Jonah. Et tout ce que vous avez à faire, c'est de fermer les yeux, de prendre de grandes respirations et d'écouter ma voix...

Il leur apprenait la technique de méditation de sa grand-mère.

— C'est bien, et maintenant... maintenant, je veux que vous pensiez à quelqu'un que vous aimez. Cette personne, vous ne l'avez peut-être pas vue depuis un moment. Choisissez un souvenir que vous partagez avec cette personne. Un souvenir heureux. Un bon souvenir.

Certains Téléversés s'étaient déjà désintéressés de Jonah et s'éloignaient, oubliant tout de l'histoire de l'araignée. Mais le reste du groupe…

Les autres faisaient ce que Jonah demandait d'eux — et ils se souvenaient. Et non seulement cela, ils y prenaient visiblement plaisir ; on voyait des sourires illuminer leurs visages ravis, et des soupirs de joie s'élevaient dans l'air humide de la forêt.

Jonah pouvait partir à présent, et aucun d'eux ne remarquerait son absence. Les Téléversés demeureraient dans cet état méditatif bien longtemps après son départ, longtemps après qu'il eut raconté son histoire à de nouveaux groupes rassemblés dans d'autres clairières.

Il parcourut ainsi l'île à la recherche d'avatars téléversés, les invitant à se souvenir par la méditation.

Mais la technique de Jonah avait un problème : ses auditoires étaient trop peu nombreux. L'île comptait des millions d'habitants, et il avait communiqué son histoire à une infime fraction d'entre eux.

Le plan de Jonah n'était cependant pas un échec — son histoire se répandait, mais peut-être trop lentement.

Le char à voile de Sam prenait la tête, accélérant vers Ayers Rock.

Il y avait maintenant au moins 20 gardes en poste entre les 2 clôtures électriques. Ils levèrent leurs fusils et l'air s'emplit de la rumeur encore distante des coups de feu.

Le conducteur de Sam tira la poignée de déverrouillage, et le toit du cockpit se rétracta. Les yeux de Sam furent piqués par le vent ensablé. Elle n'avait pas constaté qu'ils allaient aussi vite.

Avant qu'ils n'atteignent la clôture extérieure, le conducteur fit tourner ses roues. Le char à voile dérapa sur ses pneus, décrivant un virage à presque 90 degrés sur la droite.

Ils filaient maintenant en parallèle aux clôtures. Sam s'accroupit devant son siège et pointa le pistolet de son père par-dessus la coque du char à voile. Une balle siffla au-dessus de sa tête, faisait presque une raie dans ses cheveux. Sam avait du sable dans les yeux, ce qui la gênait pour viser. Les Gardiens attendaient de voir son prochain movement.

— Les Millénaires ont ouvert le feu les premiers, se dit-elle à elle-même.

Elle pressa sur la gâchette à quatre, à cinq, à six reprises — à chaque fois qu'elle voyait dans sa mire une silhouette noire. La plupart des balles de Sam ricochèrent sur la clôture extérieure dans une pluie d'étincelles bleues, avant de pouvoir atteindre leur cible. Il y avait encore du courant dans ses fils de fer. Jonah avait échoué ; les batteries du Coin sud n'étaient pas à plat.

*Mais dans ce cas*, pensa Sam, *pourquoi il ne revient pas ?*

Les autres chars à voile avaient suivi l'exemple du char de Sam. Ils se déployaient en longeant la clôture électrique : 20 cibles difficiles, rasant le sol et se déplaçant à haute vitesse. Ils mitraillaient la clôture avec leurs armes qui, pour la majorité, étaient de beaucoup plus lourdes et puissantes que le pistolet de Sam.

Elle entendit le crachotement des mitrailleuses, et le sifflement puis l'éclatement d'un obus de lance-roquette. Un nuage de poussière s'éleva du sol et une section de la clôture extérieure se tordit en un amas de métal. Les Millénaires derrière celle-ci se dispersèrent et se mirent à couvert, autant que couvert il y eut, derrière des poteaux de clôture, où ils recommencèrent à faire feu.

Le char à voile de Sam fit demi-tour et revint pour une autre salve de tirs. Ce faisant, Sam vit le pneu avant d'un autre char éclater, transpercé par un tir de mitraillette. La crevaison envoya le véhicule dans un dérapage impossible à maîtriser. Sam écarquilla les yeux en apercevant un Millénaire qui levait un bazooka sur son épaule.

*Le char à voile endommagé n'a aucune chance,* pensa-t-elle.

— Tirez-vous de là ! cria-t-elle.

Les trois occupants du char à voile sautèrent du cockpit et coururent le plus loin possible, tandis que leur véhicule était soufflé par l'explosion. Sam reçut une pluie de débris.

Sam tira une seconde volée de six balles. La quatrième toucha un Millénaire à la poitrine, l'envoyant s'écraser dans un jaillissement de sang : le premier homme que Sam abattait — ou à tout le moins qu'elle blessait sérieusement. Elle s'efforça de ne pas y penser. Sa victime lui aurait réservé le même sort sans réfléchir, se dit-elle.

Sam insérait un nouveau chargeur dans son pistolet quand elle eut cette pensée : la clôture, elle n'avait pas fait d'étincelles quand ses dernières balles avaient ricoché sur le métal. Sam ignorait si c'était à cause des dommages que la clôture avait subis, ou à cause de ce que Jonah avait fait. D'une manière ou d'une autre, cela voulait dire la même chose.

Elle alluma la radio du cockpit et attrapa le combiné pour un appel à tous.

— Les clôtures électriques sont hors tension ! annonça-t-elle. Je répète, les clôtures électriques sont hors tension !

Les Gardiens savaient quoi faire.

Les 19 chars restants – celui de Sam y compris – interrompirent leur attaque. Ils rebroussèrent chemin, filant vers le désert comme pour une retraite, mais bientôt ils firent demi-tour. Le conducteur de Sam ferma le toit du cockpit et enfonça violemment la pédale des gaz.

Les chars à voile foncèrent à toute vitesse vers la première clôture rendue inopérante, ne comptant plus sur leurs voiles pour se propulser mais bien sur la puissance des batteries, prenant avantage de la distance qu'ils avaient à parcourir pour gagner en vitesse. En les voyant venir, plusieurs Millénaires prirent leurs jambes à leur cou. Quelques rares hommes restèrent en poste, et poivraient de balles les véhicules en approche, mais sans grand résultat. Un projectile heurta le toit au-dessus de la tête de Sam, mais ne le transperça pas.

Elle entendit une explosion à sa gauche : une roquette millénaire. Elle n'avait pas le temps de laisser la poussière retomber pour évaluer les dégâts.

Le nez du char à voile de Sam frappa la première des deux clôtures.

Jonah entendit sa propre voix devenir traînante.

Il ne savait pas trop ce qui lui arrivait. La fatigue, peut-être ?

Il se trouvait dans une énième clairière, s'adressant à une nouvelle assemblée d'avatars téléversés. Il sentait que c'était sans espoir. L'attaque sur le Coin sud devait déjà avoir commencé. Mais il fallait qu'il continue d'essayer, advienne que pourra.

Il pressait les Téléversés de fouiller dans leurs souvenirs – pas seulement d'évoquer des images et des sons, mais aussi des odeurs, des saveurs et des textures. Il leur disait de construire une évocation mentale aussi vivante que possible du passé. Jonah leva la main, pour frotter ses yeux las, mais le mouvement de son bras était lent, léthargique.

Il regarda ses doigts de près. Il les remua. Il y avait un décalage évident entre sa décision et la réponse de son avatar.

Une ombre vint sur lui. Jonah leva les yeux pour découvrir un avatar familier venant atterrir à ses côtés : un superbe et puissant dragon rouge. Papa.

– Jonah ? Mon fils ? Est-ce que c'est toi ?

Jonah lui sourit.

– C'est moi, papa.

– Tu m'as trouvé. Je savais que tu me trouverais.

– En fait, papa, c'est toi qui m'as trouvé cette fois.

Jonah entendait ses propres paroles avec un délai d'une demi-seconde. C'était étrange.

– J'ai parlé à ta grand-mère, dit son père.

– J'aimerais beaucoup parler avec toi, dit Jonah, vraiment. Mais je suis très occupé en ce moment, et je crois que... Je crois que ça commence tout juste à fonctionner.

– J'ai fait ce que j'ai pu, dit son père.

– Je ne sais pas pourquoi ça fonctionne, dit Jonah. Jamais je n'aurais cru atteindre un nombre suffisant de Téléversés. Mais ça marche. Nous représentons une demande d'énergie trop importante pour les serveurs du Coin sud. Ils commencent à ralentir. Ils... Qu'est-ce que tu viens de dire ?

— J'ai répandu ton histoire, répondit son père. Je ne dis pas que je comprends où tu veux en venir, mais tu es assez vieux maintenant, Jonah. Je te fais confiance. Tu feras la bonne chose.

— Mamie t'a raconté l'histoire ? Je ne croyais pas qu'elle s'en souviendrait. Je ne croyais pas que *tu* t'en souviendrais, du moins pas assez longtemps pour…

— Elle m'a dit que cette histoire était importante pour toi, fiston. Donc, elle est importante pour nous aussi.

— Je ne sais pas quoi te dire, avoua Jonah. Oui. Oui, c'est important. L'histoire…

— Je peux continuer le travail ici, fils.

— Tu crois vraiment ? Certains Téléversés doivent déjà commencer à sortir de leurs méditations. Nous devons raconter l'histoire à d'autres avatars, pour garder la pression sur le…

— Nous continuerons à parler de l'histoire, ta grand-mère et moi, promit son père. Nous continuerons à leur dire de se souvenir.

Jonah hocha la tête.

— Merci, dit-il. Merci, papa. Je pourrais rester… Mais je ne sais pas ce qui se passe dans le vrai monde, avec Sam et les autres. Il faut que j'y retourne. Ils ont peut-être besoin de mon aide.

# 36

Sam s'arc-bouta, s'attendant à être traversée d'un choc électrique mortel.

Mais le choc ne vint pas.

La clôture s'enfonça sous l'impact du véhicule, des fils de fer tendus se cassant dans des bruits secs. Toutefois, elle tenait encore debout. Les moteurs du char à voile forçaient contre la barrière obstinée mais, faute d'adhérence, les roues s'enlisaient dans le sable.

Un deuxième char vint frapper la clôture, puis un troisième, un quatrième et 10 autres encore, et elle céda enfin, ses poteaux s'arrachant du sable. La clôture tomba et les derniers Millénaires plongèrent pour se mettre à couvert.

La seconde clôture se trouvait à une centaine de mètres derrière la première. Le véhicule de Sam avait perdu son élan, mais ce n'était pas le cas du reste de la flotte. Les chars à voile foncèrent sur la seconde clôture, qui s'écrasa sous leurs châssis, et les véhicules poursuivirent leur course, triomphant.

Il n'y avait plus d'obstacle entre les Gardiens et leur objectif. Rien que cinq kilomètres de désert. Ils abandonnèrent les gardes millénaires, les laissant derrière et désorganisés. Seuls quelques-uns d'entre eux avaient assez recouvré leurs esprit pour se remettre sur pieds et avoir l'idée de faire feu sur leurs ennemis avant qu'ils ne disparaissent au loin.

Les autres chars à voile ralentirent pour laisser le véhicule de Sam reprendre la tête.

Elle cria des instructions à son conducteur. Il enfonça à nouveau l'accélérateur. Ils approchaient maintenant de l'imposante formation rouge d'Ayers Rock, mais virèrent brusquement pour en longer le versant sud jusqu'à son extrémité ouest. Ils avaient distancé les gardes millénaires de trois kilomètres et se trouvaient à présent cachés par l'immense roche.

Le temps était venu de passer à la prochaine étape du plan.

Les chars à voile s'arrêtèrent et leurs occupants débarquèrent. Tous sauf un.

Jonah se trouvait encore en métatranse dans son siège. Sam lui envoya un message instantané, puis se tourna vers leur conducteur.

— J'aurais besoin que vous restiez avec lui, dit-elle. S'il n'est pas revenu quand les Millénaires débarqueront...

Le vieil aborigène hocha la tête.

— Je le protégerai, promit-il.

Sam scruta du regard les autres chars à voile. Elle en compta 17 en tout. Ils en avaient perdu deux sous les tirs de roquettes, avant de franchir le périmètre de la première clôture. Dans les circonstances, ç'aurait pu être bien pire.

Les Gardiens savaient ce qu'il leur restait à faire. Ils avaient garé leurs véhicules face à Ayers Rock, et commençaient à calibrer les catapultes montées sur les chars.

Sam regarda avec nervosité la catapulte fixée à leur propre véhicule.

Son conducteur avait sorti un télémètre à laser. Il regarda dans l'œillette et pointa l'appareil sur la montagne, calculant sa distance et sa hauteur en un point précis. Il fit pensivement claquer sa langue en s'agenouillant près de la catapulte qu'il ajusta selon ses mesures.

Sam n'osait pas dire un mot, de crainte de le distraire.

Le moment qu'elle redoutait était finalement arrivé. Elle tira sur les sangles du harnais de son parachute. Ce n'était pas un modèle standard de parachute ; sa voilure moins grande permettrait quand même de ralentir sa chute.

Le conducteur se retourna vers elle.

— C'est prêt, dit-il.

Le cœur de Sam battait la chamade tandis qu'elle montait à l'arrière du char à voile pour se pencher dans le siège de la catapulte. Assise, elle se trouvait inclinée vers l'arrière, de sorte que tout ce qu'elle pouvait voir, c'était le ciel noir, tacheté de plus d'étoiles qu'elle n'en avait jamais vues.

Il restait des ajustements à faire pour tenir compte du poids et de la taille de Sam. Durant ce moment d'attente, elle entendit le déclenchement des premières catapultes. Plusieurs formes humaines filèrent dans l'air au-dessus d'elle. De l'angle où elle se trouvait, Sam ne pouvait pas savoir si ses camarades Gardiens étaient saufs ou non, ni s'ils avaient atterri au bon endroit. Elle entendit des coups de feu venant du sommet d'Ayers Rock, ce qui laissait croire que quelques-uns d'entre eux avaient réussi leur catapultage.

Puis, son conducteur se redressa, lui dit de se préparer au lancement, et la gorge de Sam devint sèche. C'était à son tour.

Sam ne sentit pas le moment où la catapulte la projetait dans les airs.

Tout s'était passé trop vite.

Soudainement, elle volait. La sensation était semblable au vol dans la métasphère – à cette différence près que Sam se savait dans son corps physique, dans le vrai monde. Elle eut l'impression d'avoir laissé son estomac au sol, dans le siège de la catapulte.

Sam devait se répéter que c'*était* vrai, qu'elle n'était pas dans le monde virtuel. Elle n'avait pas ses ailes de licorne ici, et ne pouvait donc pas diriger son vol. Elle était à la merci des forces naturelles telles que la gravité et l'inertie.

Elle ferma les yeux, se mordit les lèvres, se rappelant ce qu'on lui avait dit. Elle devait combattre l'envie de gesticuler, mettre son corps droit, le laisser se relâcher.

Son parachute se déploya automatiquement au moment où l'élan donné par la catapulte se dissipa et où la gravité lui imposa un retour vers le sol. Les calculs de son conducteur frisaient la perfection. Cependant, l'atterrissage de Sam n'en serait pas moins violent – elle s'y attendait, cela dit. Voilà pourquoi elle s'était habillée ce matin en multipliant les couches de vêtements.

Elle eut l'impression fugitive d'apercevoir des combattants se livrant bataille au sommet d'Uluru tandis qu'elle piquait vers le plateau.

Avant de s'en rendre compte, Sam roulait déjà dans la poussière rouge, si loin et si vite qu'elle craignit de ne jamais s'arrêter et de tomber de l'autre côté de la montagne.

Elle fit un dernier roulé-boulé, dérapa, puis s'arrêta brutalement, se retrouvant couchée sur le dos, contusionnée, le souffle coupé.

Mais ce n'était pas le temps de se plaindre. D'ailleurs, Sam sentait à peine la douleur tant elle jubilait d'être arrivée en un seul morceau au sommet de la montagne. Elle se releva, détacha le parachute et dégaina son pistolet.

Sam s'élança pour se joindre à la bataille.

Les Millénaires avaient été pris au dépourvu.

Jamais ils n'auraient imaginé que l'ennemi puisse les assiéger aussi vite. Ils n'étaient pas plus de 9 ou 10 en poste sur le vaste plateau d'Ayers Rock — et leurs ordres immédiats, soupçonna Sam, se résumaient à rendre compte de l'affrontement qui aurait lieu tout en bas de la montagne.

Les Millénaires avaient soudain vu des Gardiens leur tomber dessus, depuis les airs — et, en quelques secondes, ils avaient perdu l'avantage de leur position et du nombre.

Quand Sam arriva, les deux factions échangeaient des tirs. Il y avait très peu d'endroits à couvert là-haut — hormis l'écoutille menant à l'intérieur de la roche — et l'air s'emplissait de balles. Un projectile siffla à l'oreille gauche de Sam, passant assez près pour qu'elle sente la chaleur du métal. Sam était encore vivante, mais ce n'était qu'une question de chance.

Les Gardiens avaient l'avantage du nombre, mais les Millénaires étaient mieux armés. Les Gardiens avaient néanmoins prévu la chose. Pour pallier le handicap, ils s'approchaient de leurs ennemis, les forçant au combat corps-à-corps, mettant à leur plein usage leurs couteaux, leurs lances, leurs bâtons ou n'importe quoi d'autre qu'ils avaient amenés de Woomera.

Une femme millénaire d'un certain âge s'était accroupie derrière l'écoutille relevée, et se tenait prête à tirer. Elle cherchait une cible dans la mêlée toujours plus chaotique. Sam chargea l'ennemie par-derrière, l'envoyant au sol, et elles allèrent toutes deux rouler dans la poussière.

La Millénaire perdit son arme et fit l'erreur de se précipiter pour la reprendre. Sam lui sauta dans le dos, l'attrapa dans une prise d'étranglement. Elle serra jusqu'à ce que le visage de la Millénaire vire au rouge, jusqu'à ce qu'elle se trouve près de perdre conscience.

Sam n'avait pas l'intention de la tuer. C'était tout à fait inutile. Toutefois, son ennemie se raidit dans ses bras, atteinte d'une balle à la poitrine. Le tir venait d'un autre Millénaire : un garçon à la forte carrure qui reculait, l'horreur sur son visage, et lâchait son arme en comprenant qu'il venait de tirer sur sa sœur d'arme. De toute évidence, il avait visé et manqué Sam.

Un moment après, le garçon disparut sous plusieurs Gardiens qui lui sautaient dessus.

La victoire allait sourire aux plus nombreux. Le dernier des Millénaires sortit de la mêlée et se mit à courir vers l'écoutille surélevée. Une salve de balles l'arrêta à mi-course.

Les Gardiens ne comptaient parmi leurs rangs que quatre morts — bien qu'un nombre égal se fût brisé les os dans des atterrissages ratés.

— Uluru ! vint le cri de la jeune aborigène, Kala.

Elle leva son visage peint vers le ciel nocturne, et vida son chargeur au-dessus de sa tête en signe de victoire. Sans attendre l'avis de Sam, elle ordonna aux gens de sa tribu d'aller de l'avant. Ils se laissèrent tomber par l'écoutille, un à un, réclamant la tête d'autres Millénaires.

Sam descendit par l'écoutille, son pied trouvant le premier échelon d'une échelle à l'intérieur. Elle sauta dans un vaste espace ouvert, dont le sol était jonché de matériaux pour l'emballage et de caisses empilées — une sorte d'aire de déchargement.

Elle vit une rangée de trois ascenseurs et pouvait entendre le grincement des engrenages et le crissement de chaînes mal huilées : l'un des ascenseurs était en marche, amenant sans doute des Millénaires en renfort à la surface.

Elle n'eut pas à avertir les autres. Kala les faisait déjà s'aligner — du moins, ceux qui possédaient une arme —, organisant l'embuscade. Les portes de l'ascenseur s'ouvrirent sur six Millénaires. Comme leurs compagnons à la surface, ils furent pris de court en découvrant leurs ennemis aussi près.

Ils n'eurent pas la chance de tirer une seule balle.

Kala s'agenouilla dans la cage d'ascenseur, enfonça un bouton et ressortit vite tandis que les portes se refermaient. L'ascenseur fut secoué, grinça et commença son voyage de retour, transportant ses six passagers morts — un message sanglant à l'intention de ceux qui les avaient envoyés.

Kala poussa un autre cri de guerre, et les aborigènes se joignirent à elle.

Il y avait une cage d'escalier dans le coin de l'aire de déchargement et Kala ouvrit la voie vers les marches – maintenant, rien ne pourrait plus l'arrêter. Sam cria dans leur dos :

– Soyez prudents, s'il vous plaît !

Cette guerre était loin d'être gagnée. Sam douta que l'aborigène l'ait entendue.

Le reste des Gardiens arrivaient par l'écoutille, passant à la course devant Sam, suivant leurs alliés dans les escaliers. Sam se dirigea vers les ascenseurs avec l'intention de les mettre hors d'état de marche.

Mais soudainement l'aire de déchargement se mit à se remplir de gaz.

Il sortait en sifflant de petits orifices dans les murs autour de Sam, teintant l'air d'un vert inquiétant. En prenant une inspiration, elle sentit le gaz, puis sa gorge se mit à brûler. Le gaz lui collait aux yeux, lui arrachait des larmes. Elle partit vers l'échelle, mais il y avait trop de gens qui lui bloquaient le chemin. Ils toussaient, criaient en panique, marchant les uns sur les autres pour atteindre l'air libre et frais.

D'autres Gardiens venaient derrière Sam, revenant des escaliers pour découvrir qu'ils n'iraient nulle part de ce côté non plus. Mais il n'y avait aucun signe de Kala et de ses gens. Ils avaient dû continuer à descendre.

– Couchez-vous ! bafouilla Sam. Tout le monde par terre. Le gaz est plus léger que l'air !

Elle se jeta à plat ventre et chercha un fichu dans les poches de sa combinaison. Elle en trouva un, le plaqua sur sa bouche et sur son nez, respirant à travers le tissu. Il aidait, mais pas beaucoup. Le gaz irritant s'était introduit dans les poumons de Sam. Elle en avait aussi plein la bouche. Son estomac convulsait. À côté d'elle, un homme bronzé aux cheveux blonds avec des cartouchières croisées sur ses abdominaux en sueur était malade sur le plancher.

Derrière Sam, une aborigène perdit prise dans l'échelle d'accès et tomba.

Devant elle, dans le brouillard vert, elle pouvait voir les indicateurs lumineux des trois ascenseurs. Pour deux d'entre eux — les deux cabines qui n'avaient pas servi à renvoyer les cadavres des Millénaires —, le voyant indiquait une remontée rapide.

# 37

Il avait fallu une éternité à Jonah pour voler jusqu'à son halo de sortie. Il se sentait lent sans les ailes de dragon de son père.

Il arriva enfin à destination, apercevant en surbrillance l'anneau doré qui luisait au-dessus de la mer.

Jonah jeta un dernier regard par-dessus son épaule, mais l'île des Téléversés était cachée par le brouillard qui s'était refermé autour d'elle. Il plongea dans son halo de sortie, et son esprit entreprit son retour dans le vrai monde.

Durant ces quelques secondes entre le rêve et la réalité, Jonah crut entendre des coups de feu.

Ce fut pour lui un choc de comprendre que ces sons étaient bel et bien réels.

Les deux ascenseurs tintèrent, presque à l'unisson. Ils arrivaient à l'étage de l'aire de déchargement.

Les autres Gardiens – ceux qui n'avaient pas perdu conscience– avançaient à quatre pattes ou rampaient pour se mettre à l'abri derrière des caisses en bois. Sam prit une dernière respiration, retint son souffle, jeta son fichu et leva son pistolet.

Des Millénaires sortaient en masse de chaque ascenseur. Ils portaient des masques à gaz.

Conscients du sort réservé à ceux qui étaient montés avant eux, les renforts millénaires tiraient déjà. Leurs balles sifflaient dans la salle, ricochaient sur les murs, perçaient des trous dans les caisses.

Les Gardiens avaient un avantage : ils étaient cachés par le brouillard de gaz, mais savaient où les Millénaires se tenaient. Une poignée d'entre eux ripostèrent aux tirs ennemis. Les Millénaires s'éparpillèrent.

Dans sa hâte, un Millénaire trébucha sur Sam, qui, d'instinct, lui asséna un coup dans les chevilles, l'amenant au sol à côté d'elle. Sans perdre une seconde, elle lui arracha son masque à gaz et le plaqua sur sa propre figure, juste le temps d'avaler deux respirations d'air filtré et humide de sueur. Elle laissa alors tomber le masque tandis que le Millénaire se jetait sur elle.

Il tentait de pointer son fusil sur Sam, mais elle s'agrippa au canon et poussa vers le haut. Le Millénaire, qui s'étouffait en respirant le gaz, fit feu au plafond. Dans la lutte qui s'ensuivit, la botte du soldat vint s'écraser sur l'estomac de Sam, qui perdit tout l'air sain qu'elle avait dans ses poumons.

À cet instant, Sam et le Millénaire eurent tous deux la même idée de se jeter sur le masque à gaz.

Sam fut la première à l'atteindre et à le ramasser. En se retournant, elle frappa du coude le visage du Millénaire qui recula d'un pas, s'étouffant, soudain pris d'un violent haut-le-cœur. Quand Sam eut enfin serré les sangles du masque derrière sa tête, le gaz avait eu raison de son adversaire qui gisait maintenant inconscient.

Sam se redressa, son pistolet bien en main. Ses yeux versaient une abondance de larmes. Elle pouvait à peine voir devant elle. Elle se rendit compte trop tard qu'un Millénaire venait par-derrière. Elle fit volte-face pour l'affronter. Le Millénaire abaissa son fusil à double canon et eut un geste d'excuse. Il venait de voir le masque à gaz dans le brouillard, en déduisant que Sam était dans son camp.

Sam devait agir vite, car elle n'aurait pas toujours autant de chance.

Le reste des Gardiens étaient tombés sous les balles, inconscients ou pire encore. Les Millénaires grimpaient à présent par l'échelle d'accès, pourchassant ceux qui s'étaient échappés. Deux soldats commençaient à regarder Sam d'un air suspicieux. Seule, elle ne pourrait pas les affronter.

Elle s'éloigna des Millénaires en reculant, ses mains cherchant dans son dos et trouvant enfin le bouton d'appel de l'ascenseur. Elle l'enfonça.

Tous les Millénaires dans la salle se tournaient maintenant vers Sam, alertés par le bruit des portes qui s'ouvraient. Avant qu'ils ne comprennent ce qui se passait, Sam avait bondi dans l'ascenseur, s'était plaquée contre le mur et martelait du doigt les boutons du panneau de commande.

Les portes se fermaient, trop lentement. Les Millénaires firent feu à travers l'espace rapetissant entre les portes. Sam se blottit dans un coin, se faisant aussi petite que possible tandis que les balles rebondissaient partout dans l'espace confiné. Elle poussa un souffle de soulagement quand les portes se touchèrent enfin. L'ascenseur s'était alors mis à descendre.

Sam n'avait aucun moyen de savoir ce qui l'attendrait quand les portes rouvriraient. Elle ne savait pas combien de

Gardiens avaient réussi à progresser malgré le gaz. Elle ignorait combien de Millénaires étaient postés au pied des marches. Elle savait seulement que la bataille à la surface était perdue.

Les seuls espoirs qu'elle pouvaient encore se permettre se réaliseraient ou seraient déçus au terme de la bataille souterraine, au cœur d'Ayers Rock.

Matthew Granger se trouvait dans la salle de contrôle.

Il regardait des séries de chiffres défiler sur un moniteur. Il tapait simultanément des commandes sur deux tablettes numériques – et, pour la première fois de sa vie, il ne réussissait pas à résoudre les problèmes informatiques. On voyait de la sueur perler sur son front.

Il n'arrivait pas à croire ce qui arrivait. Il n'était même pas sûr de ce qui arrivait – seulement que, pour une raison inconnue, ses serveurs étaient utilisés à leurs pleines capacités.

Il aurait dû y avoir un système secondaire en place, des serveurs de secours. Il y en avait déjà eus, jadis… avant les gouvernements du vrai monde et leurs mesures draconiennes de réduction budgétaire.

Le mieux que Granger pouvait faire pour le moment, c'était d'improviser une série de solutions de contournement programmées afin de réduire au maximum le nombre d'opérations demandées aux systèmes qui menaçaient de flancher. C'était une bataille perdue d'avance. Et les Gardiens qui étaient à ses portes ! Il pouvait entendre les bruits de combats, ses partisans millénaires qui tentaient de repousser l'avance de l'ennemi.

Ils avaient été brillants, Granger devait le leur donner. Quoi que les Gardiens aient fait pour surcharger les serveurs, la demande vidait les réserves d'énergie du Coin sud, mettant ses défenses hors tension. Et les conséquences allaient être désastreuses.

Un quart du monde virtuel était géré d'ici, à partir des serveurs du Coin sud. Et si ces serveurs venaient à tomber en panne, ce quart tout entier de la métasphère serait effacé.

Et si Matthew Granger – le plus grand génie de son temps – ne pouvait pas l'empêcher, s'il ne savait pas prévenir le désastre, alors qui le pourrait ?

Jonah se baissa vivement. Du moins, il essaya de se baisser. Il n'était pas encore en pleine maîtrise de son corps physique. Il se trouvait à l'arrière du cockpit du char à voile. Il se laissa glisser hors de son siège et heurta brutalement le sol, arrachant dans sa chute sa connexion ID.

La première chose que Jonah vit, tandis que sa vision s'éclaircissait, fut la silhouette monolithique d'Ayers Rock contre le brillant ciel étoilé. On avait garé à la hâte les autres chars à voile tout autour, et il n'y avait plus personne, sauf un vieil aborigène accroupi derrière l'un des véhicules. Il avait le dos tourné à Jonah.

Un jeune homme l'attaquait – un Millénaire– avec un pistolet, tirant en restant caché derrière une roche. L'aborigène ne semblait pas armé. En regardant à nouveau, Jonah vit un deuxième Millénaire étendu aux pieds du premier, une lance plantée dans la gorge.

Le Millénaire encore en vie ne prenait aucune chance et restait à couvert. Il attendait d'avoir son adversaire dans sa mire.

Tandis que Jonah regardait la scène, le Millénaire appuya sur la gâchette, mais l'arme s'enraya dans un cliquettement sec. Le soldat disparut derrière la roche, probablement pour désenrayer son arme et la recharger – mais son ennemi attendait cette occasion. L'aborigène passa aussitôt à l'action. Il sauta par-dessus le châssis du char à voile pour disparaître lui aussi. Jonah décida de le suivre, pensant qu'il devait l'aider d'une quelconque façon.

Il entendit un coup de feu.

Il se baissa vite entre deux chars et attendit là.

Une silhouette émergea de derrière la roche. C'était l'aborigène. Jonah voyait son visage peint de lignes blanches et le reconnut sur-le-champ. C'était son conducteur.

– Qu'est-ce... Qu'est-ce que j'ai manqué ? demanda Jonah en se levant debout. Est-ce que le plan...

– Les autres sont au sommet, expliqua le conducteur, hochant la tête en direction de la montagne. Je suis resté derrière pour veiller sur votre corps, pendant que vous rêviez.

– Mais les clôtures... Est-ce que l'idée a fonctionné ? Est-ce que les clôtures sont tombées ?

– Oui, elles sont tombées.

Le conducteur posa le pied sur la poitrine du premier Millénaire. Il prit la lance à deux mains et la retira d'un coup de la gorge du cadavre. Elle était maculée de sang coagulé. Il revint vers son char à voile, et grimpa dans le siège de la catapulte.

– Attendez, dit Jonah. Où allez-vous... Vous ne pouvez pas me laisser ici !

– Vous ne rêvez plus. Vous pouvez vous défendre.

– Et si les Millénaires débarquent ? Je n'ai même pas d'arme. Je ne peux pas…

– C'était les derniers à garder l'entrée, dit le conducteur. Les autres sont en train de grimper Uluru, pour aider leurs alliés au sommet. Et nous devons faire de même pour nos alliés.

Et sur ce, il actionna une manette sur le côté du siège et alla voler dans les airs avant que Jonah n'ait pu protester davantage. Il plia le cou pour suivre la trajectoire en arc du vieil homme, mais ne vit pas, de son point vue, si l'atterrissage avait réussi. Pour autant que Jonah pût en juger, l'homme avait probablement dépassé la montagne, ou était allé s'écraser sur ses parois abruptes.

« Nous devons faire de même pour nos alliés, avait dit le vieil homme. *Nous…* » Comme s'il s'attendait à ce que Jonah le suive. Jonah baissa les yeux vers la catapulte et avala nerveusement sa salive.

Il se sentit alors seul au monde.

L'ascenseur de Sam descendit de quelques étages avant de s'arrêter.

Le pavé tactile mural de l'ascenseur exigeait l'entrée d'un code spécial pour accéder aux étages inférieurs. N'ayant aucun moyen d'aller plus bas, Sam ouvrit les portes pour pénétrer dans une station de travail empoussiérée. Derrière une baie vitrée, elle pouvait voir des rangées de batteries solaires géantes. Elle se trouvait dans la centrale électrique, les installations officielles d'Ayers Rock.

Sam trouva une porte menant à des escaliers.

Une cloison de sécurité avait été à demi abaissée en travers des marches. Sam supposa que le mécanisme avait été stoppé par la panne de courant avant de pouvoir compléter le cloisonnement des escaliers. Elle passa sous la cloison. Des résidus de gaz vert s'accrochaient encore à ses vêtements, et Sam décida de ne pas enlever son masque à gaz. Malgré la précarité de sa situation, Sam ressentait un frisson d'excitation à l'idée d'infiltrer le Coin sud, un endroit dont elle avait rêvé toute sa vie.

Sam pouvait entendre des bruits de lutte qui montaient des escaliers. *C'est bon signe,* se dit-elle à elle-même. Cela signifiait qu'il restait des Gardiens debout, en bas.

En tournant le coin d'un palier de l'escalier, elle vit la violence de ce qui se passait au cœur d'Ayers Rock.

Les Gardiens et les Millénaires s'affrontaient quatre volées de marches plus bas. Les Millénaires, supposa Sam, essayaient de tenir la ligne de front à cet endroit. Ils avaient été dépassés par les événements.

Les Gardiens gagnaient, marchant sur leurs ennemis gisant au sol et forçant ceux encore debout à se retrancher dans ce qui semblait être un vestibule derrière eux.

Un Millénaire se détacha de la mêlée, grimpa deux marches, puis retourna son fusil sur les Gardiens. Sam courut derrière lui et l'envoya s'affaler au sol d'un coup à la nuque. Il tomba entre deux Gardiens, qui le clouèrent aussitôt au sol.

Les Gardiens firent une avancée concertée pour gagner du terrain, et soudain la cage d'escalier fut vide sauf pour ceux tombés au combat. Sam retira son masque et se fraya un chemin entre les corps, vers le vestibule. Après des années de planification, malgré toutes les épreuves, le moment tant attendu était arrivé. *Nous y sommes presque !*

Sam se prit les pieds dans un corps. Elle baissa les yeux et son euphorie la quitta immédiatement. C'était Kala qui gisait là. Les yeux de la jeune aborigène étaient grands ouverts, son regard fixe et aveugle, et elle avait un trou de balle au milieu du front.

– Monsieur, nous ne pouvons plus les repousser. Les Gardiens sont…

– …nous n'avons pas employé le gaz à temps. Ils…

– …se battent encore au sommet de la montagne, mais…

– …trop d'hommes envoyés dehors, monsieur. Nous n'avions pas prévu qu'ils…

– …dégager d'ici. Monsieur Granger, m'avez-vous entendu ? Il faut que nous dégagions d'ici !

Matthew Granger n'écoutait pas.

Il savait à quel point la situation était grave. Il le savait trop bien. Il n'avait nullement besoin d'une cacophonie de voix bien intentionnées pour lui rappeler les faits.

– Je ne peux pas, dit-il calmement. Je ne peux pas partir. Pas maintenant.

Il avait le regard rivé sur son moniteur, ses doigts tapant à toute vitesse sur ses tablettes.

– Monsieur, vous n'avez pas le choix.

Granger reconnut la voix du Néo-Zélandais qui l'avait escorté dans Ayers Rock, une semaine plus tôt. Le mercenaire posa une main sur l'épaule de Granger.

Granger la repoussa sèchement.

– Comment pourriez-vous comprendre ? dit-il brusquement. Mon monde ! Ils détruisent mon monde !

La demande imposée aux serveurs déjà surchargés ne faisait qu'augmenter. Granger en avait retracé l'origine jusqu'à l'île des Téléversés, mais n'en trouvait pas la cause. Il n'arrivait pas à endiguer le mal ni à en empêcher la propagation.

– Les Gardiens seront dans cette pièce dans quelques secondes, dit le mercenaire. S'ils vous trouvent ici, ils...

– Juste une minute de plus.

Granger continuait à taper frénétiquement sur les écrans tactiles.

Le mercenaire attrapa le siège de Granger et le fit tourner pour le regarder en face.

– Vous ne disposez pas d'une minute, monsieur. Les Gardiens sont à l'intérieur, ils avancent. Et, peu importe le problème qui menace la métasphère, vous n'y pouvez...

– Le quart de monde virtuel! Êtes-vous même capable de comprendre les répercussions...

– Vous n'y pourrez rien changer si vous êtes mort!

Granger leva les yeux sur l'imposant personnage devant lui. Le Néo-Zélandais lui renvoyait son regard.

Pour la première fois dans sa vie, Granger fut le premier à cligner des yeux.

– Vous avez raison, dit-il. Je ne peux pas me permettre d'être capturé, peu importe le prix à payer. Je suis le seul homme qui peut arranger ce gâchis.

Le Néo-Zélandais guida Granger hors de la salle de contrôle, retournant vers le corridor de service avec le passage dérobé vers la caverne secrète. Ils entendirent toutefois des coups de feu devant eux, et Granger tourna les talons, partant dans la direction opposée.

– Je connais un meilleur chemin, dit-il.

Le mercenaire marcha derrière Granger, s'assurant que personne ne les suive. Bientôt, dans un coin tranquille, Granger trouva ce qu'il cherchait : un petit monte-charge construit pour hisser les serveurs informatiques, pas des gens, mais assez large pour qu'un seul homme s'y accroupisse.

Les gardiens ne sauraient jamais qu'il s'était trouvé là.

Granger tira sur la porte du monte-charge, la fermant derrière lui, laissant le mercenaire néo-zélandais qui retournait se battre. Le monte-charge fut lancé comme une fusée vers le ciel.

*Ce n'est qu'un revers temporaire,* se dit-il.

Ainsi, Granger avait perdu le Coin sud. Dans l'heure, il n'y aurait *plus* de Coin sud – et ses ennemis devraient porter le blâme de cette tragédie.

Ils avaient causé ce désastre – et Granger s'assurerait que le monde entier le sache. Tout le monde verrait, enfin, les conséquences des vues anarchistes des Gardiens. Ce serait la fin de leur mouvement.

*Oh oui,* pensa-t-il, *cette journée pourrait fort bien en être une bonne, en fin de compte.*

# 38

Au pied d'Ayers Rock, Jonah faisait les cent pas entre deux chars à voile. Il lançait des regards nerveux sur les catapultes à l'arrière des véhicules.

Il se hissa dans le siège de la catapulte du char qui l'avait amené jusqu'à Ayers Rock. Il portait son harnais de parachute. Il avait retendu le ressort et ajusté la catapulte selon sa taille et son poids. Cela dit, il n'était pas certain d'avoir tout fait correctement.

Jonah trouva le levier de déclenchement sur sa gauche, referma les doigts autour du manche.

Il ne pouvait pas se résoudre à l'actionner.

Il s'extirpa du siège de la catapulte. Il pouvait encore entendre des coups de feu au sommet de la roche, bien que moins soutenus maintenant. Qu'est-ce qu'il ferait là-haut de toute manière, sans arme aucune ? N'en avait-il pas déjà assez fait ?

Mais, et si Sam se trouvait en danger ?

Il pourrait grimper la montagne à pied, pensa-t-il. Cela lui prendrait un certain temps, mais au moins il y arriverait en un seul morceau. Ce serait au moins cela de fait.

Il avait pris sa décision. Jonah se mit en marche, s'éloignant des chars à voile pour longer l'immense roche rouge. Il n'avait pas fait deux pas qu'une voix résonna derrière lui :

— Jonah ? Jonah ? Es-tu là ? M'entends-tu ? Réponds, Jonah.

Ce jour aurait dû en être un de célébration.

Les Gardiens avaient repris l'un des Quatre Coins. Sam avait personnellement mené l'assaut de la salle de contrôle. Mais même dans ses pires cauchemars, elle n'aurait jamais imaginé ce qu'elle trouva là.

— Sam ? Est-ce que c'est toi ?

— Jonah ! s'exclama Sam, ayant lancé le programme des communications du système pour syntoniser la fréquence radio des chars à voile. Écoute-moi, je me trouve dans la salle de contrôle, mais nous avons un gros problème ici.

Les voyants lumineux vacillaient dans la salle de contrôle tandis que la panne de courant se généralisait.

— La salle de contrôle ? répéta Jonah. Tu veux dire que…

— Oui, Jonah, nous avons réussi. Il reste quelques Millénaires et on se bat encore dans les corridors, mais ça y est, nous y sommes arrivés. Nous avons gagné. Mais, écoute, ce que tu as fait sur l'île…

— Ça a marché, Sam. Le plan a fonctionné. J'ai convaincu les Téléversés de se souvenir, et ils…

— Je sais que ça a marché, Jonah. En fait, ton plan a trop bien marché. Les serveurs ici sont dans un état plus lamentable que nous l'avions imaginé. Ils tombent en panne !

— En panne ? Mais… S'ils tombent en panne, ça veut dire que…

– Ça signifie qu'un quart de la métasphère est sur le point de s'effondrer. Ça signifie que chaque avatar géré par ce quartier sera perdu. À jamais.

– Qu'est-ce… Qu'est-ce que nous pouvons faire ?

– Il faut que tu y retournes, dit Sam.

– C'est impossible. Ce n'est pas que je ne veux pas, Sam, mais…

– Il faut que tu stoppes les Téléversés, qu'ils cessent de se souvenir, avant qu'ils ne détruisent…

– Ça me tuerait, Sam. La manière dont j'ai pu me rendre à l'île… ça me tuerait si j'essayais une deuxième fois.

– C'est leur seule chance, Jonah. Nous pouvons évacuer les vivants, mais les morts… Les morts ne peuvent pas quitter l'île. Ils sont bloqués là-bas !

– Le mur de brouillard ! s'écria Jonah. La barrière de Granger, c'est la solution. Si tu as accès aux systèmes, peut-être que tu pourrais…

– Je vais voir ce que je peux faire, dit aussitôt Sam avant de couper la communication.

C'était la pagaille la plus complète dans la salle de contrôle. Vingt Gardiens se penchaient sans pouvoir rien faire sur les moniteurs et les tablettes. Vingt autres paniquaient bruyamment. Les gens que Sam avait menés jusqu'ici étaient des combattants, pour la grande majorité. Ce dont Sam avait besoin en ce moment, c'était des programmeurs, des techniciens. Elle avait aussi besoin d'un chef.

Sam avait besoin de son père.

Le moniteur devant elle débitait un flot continu de nombres et de symboles. Le pronostic n'était pas bon. Même si elle pouvait amener Jonah sur l'île des Téléversés, même si Jonah pouvait stopper la demande sur les serveurs, ils ne réussiraient sûrement qu'à retarder l'inévitable.

Le mal était déjà fait.

Après que Sam eut coupé la communication, Jonah resta figé, une seule pensée résonnant dans sa tête : *Tout est de ma faute.*

Il était embarqué dans le char à voile pour utiliser la radio du cockpit. Il en débarquait à présent, et recommençait à marcher de long en large. À chaque fois qu'il passait devant un char, Jonah jetait un œil à l'intérieur, à la radio, comme s'il pouvait forcer l'appareil à lui faire entendre la voix de Sam, qui lui dirait que tout allait bien en fin de compte.

Leur dernier échange remontait à quand ?

Jonah ne savait pas comment contacter Sam à l'intérieur de la montagne, et il ne voulait pas la déranger. Mais il devait savoir ce qui se passait.

Il fouilla les chars à voile jusqu'à trouver un moniteur portatif. Il le brancha dans le terminal de la métasphère. Il entra les coordonnées d'une zone près de l'île.

Sur le moniteur, il vit des avatars désespérés qui volaient au ralenti, leurs démarches saccadées, exactement comme Jonah l'avait expérimenté sur l'île.

Ils étaient paniqués et poussaient des cris de désespoir, frappés de la plus totale incompréhension. Ils ne savaient pas pourquoi tout était aussi lent. Certains avatars s'étaient perdus et criaient à l'aide.

Des messages d'avertissement défilaient sur toutes les surfaces disponibles : sur les murs, le long des rues, dans le ciel même. Ces messages disaient aux avatars de fuir vers un autre quart de la métasphère, ou d'en sortir tout court, selon ce qui était le plus rapide. Sam avait fait du bon travail. C'était elle qui organisait l'évacuation générale.

Les avatars étaient lents et luttaient contre les serveurs en panne qui les trahissaient. Malgré tout, ils atteignaient leurs halos de sortie, du moins plusieurs réussissaient, plongeant ainsi en lieu sûr.

Cependant, Jonah repensait constamment à ce que Sam avait dit : « Les morts ne peuvent pas partir... Ils sont bloqués... »

Il était si fier de lui, s'était cru si brillant de convaincre les Téléversés de surcharger les serveurs du Coin sud. Il avait demandé à son père de répandre la bonne parole... Si seulement il pouvait le contacter et lui dire de tout arrêter !

Jonah tapa les coordonnées de l'île des Téléversés. L'image sur le moniteur changea. À présent, il montrait seulement un immense brouillard gris.

Jonah eut une boule dans la gorge. Il allait perdre sa grand-mère — et son père, encore une fois — et, de cette catastrophe, ce n'était que la partie visible de l'iceberg. Tout le monde connaissait quelqu'un sur l'île. Tout le monde perdrait quelqu'un, si l'île venait à tomber en panne. Tous ces avatars téléversés, tous ceux qui rappelaient aux gens des vies jadis vécues, seraient détruits à tout jamais, et Jonah devrait porter à lui seul le blâme de cette tragédie.

Il frappa le moniteur portatif contre le tableau de bord du char à voile, comme s'il avait pu ainsi chasser la brume grise qui emplissait l'écran. Le coup brisa le moniteur.

Pourquoi Sam ne l'avait-elle pas encore contacté ? Pourquoi n'avait-elle pas désinstallé le programme du brouillard ? Il ne restait plus beaucoup de temps.

— Et pourquoi je vous aiderais ? Sales ordures de Gardiens !

Le prisonnier millénaire restait étendu dans sa couchette, obstiné, regardant le mur. Deux Gardiens vinrent dans le dortoir et le sortirent du lit. L'un d'eux porta le canon de son arme sur la tête du prisonnier, mais Sam lui demanda de l'abaisser.

Le Millénaire s'appelait Warren. C'était un adolescent agité aux cheveux blonds qu'on avait capturé dans la salle de contrôle.

— Tu ne le ferais pas pour aider les Gardiens, dit raisonnablement Sam. Tu aiderais le monde entier. Tu sais que les serveurs tombent en panne. Nous avons besoin…

— Et à qui la faute, selon vous ?

— Ça… Ça n'a plus d'importance. Il nous faut les codes d'accès, pour…

— …abaisser le mur de brouillard autour de l'île. Vous vous répétez. Mais pourquoi devrais-je vous croire ? On dirait que c'est une ruse, pour mettre la main sur…

— Pourquoi je ferais ça ? cria Sam de frustration. Qui voudrait détruire l'île des Téléversés ?

— Comme si les Gardiens se souciaient de la vie humaine ? Vous êtes des terroristes, des meurtriers ! Pour ce que j'en sais, vous complotez probablement pour détruire toute la méta…

— Tu ne connais personne sur l'île ? Ni parents, ni grands-parents, ni frère, ni sœur… pas même un bon ami ?

Warren baissa les yeux et fixa ses chaussures. Sam venait de toucher une corde sensible. Elle alla s'asseoir sur le lit à côté de lui et demanda gentiment :

— Qui est-ce ?

— Mon frère. Il était en phase terminale. Une leucémie. Nous l'avons téléversé juste à temps. C'est pour lui que j'ai joint les rangs des Millénaires… pour le protéger, pour qu'il vive toujours.

— Donc tu sais pourquoi j'ai besoin de ces codes, dit Sam d'une voix suppliante. Qu'est-ce que tu risques en me donnant les codes maintenant ? Peut-être que nous pourrions sauver ton frère, ensemble.

— Mais je ne les ai pas, avoua Warren d'un ton maussade. Je ne connais pas les codes d'accès. Monsieur Granger est le seul à les connaître.

— Alors je t'amène dans la salle de contrôle. Tu dois avoir un moyen de communiquer avec Granger… N'est-ce pas ? Tu pourrais lui demander qu'il abaisse lui-même le mur de brouillard.

Le prisonnier secoua la tête.

— Il ne le fera pas !

— Il doit le faire, insista Sam. Quand il saura ce qui est en jeu…

— Vous pensez qu'il ne le sait pas déjà ?

— Si je comprends bien, tu dis qu'il ne nous aidera pas, fit Sam, en colère. C'est bien ça ? Il préfère voir le Coin sud s'éteindre, et sacrifier toutes ces vies ?

Warren leva les yeux, regardant Sam avec une défiance retrouvée.

— Monsieur Granger a tout fait pour sauver ces vies, dit-il d'une voix rageuse. Il est resté aussi longtemps qu'il l'a pu, plus longtemps même que la prudence le lui conseillait. Si ce n'avait pas été de vous, sales Gardiens…

— Attends, fit Sam. Tu dis qu'il était…

— Matthew Granger est l'homme le plus intelligent du monde, mais même lui ne pouvait pas empêcher la panne des serveurs, cette panne dont vous êtes les seuls responsables. Quel espoir croyez-vous qu'il nous reste encore ?

— Granger était ici ? cria Sam.

Warren ferma la bouche, clignant nerveusement des yeux tandis qu'il saisissait qu'il en avait trop dit.

— Matthew Granger était juste ici ? répéta Sam. Dans ces installations ?

Jonah n'en pouvait plus d'attendre.

Il n'avait pas encore eu de nouvelles de Sam. *Et s'il y avait eu d'autres problèmes ?* pensa-t-il. *Si la situation avait mal tourné ?*

Si c'était le cas, tout reposait sur ses épaules. Jonah devait faire quelque chose, régler le problème qu'il avait lui-même créé — mais comment faire ?

*Et si je le refaisais, si je remontais à bord de la barge mortuaire ?* se dit-il. Ce serait un geste désespéré, mais Jonah était désespéré. *Je pourrais traverser le mur de brouillard, comme je l'ai fait la dernière fois... Mais avec un seul avatar dans mon cerveau, ça me tuerait !*

Le sacrifice permettrait de sauver l'île. De sauver les morts.

Non, il devait y avoir un autre moyen.

Jonah fourra profondément les mains dans ses poches, sa tête pleine à craquer d'idées. Sa main gauche effleura quelque chose de froid et de métallique. Il ne savait pas ce que c'était.

Puis il se rappela.

Le sang de Jonah ne fit qu'un tour tandis qu'il tirait de sa poche intérieure le pont Chang. Il l'examina à la lumière de la lune.

*L'appareil doit jeter un pont entre la métasphère et un nouveau monde virtuel.* C'est ce que M. Chang avait dit à propos de son invention. Et quoi d'autre ? Il avait parlé de la puissance accrue du traitement de l'information dans son nouveau monde. Et n'était-ce pas exactement ce dont les Téléversés avaient besoin ?

Jonah détenait-il depuis le début le dispositif qui pouvait les sauver ?

Il se rappela les instructions de M. Chang : « Le pont Chang doit être physiquement connecté aux serveurs de n'importe lequel des Quatre Coins. Une fois cette connexion opérante, le reste se fait automatiquement. »

Jonah devait se rendre à l'intérieur d'Ayers Rock.

Il courut vers le char à voile dans lequel il avait fait le voyage, celui dont la catapulte était réglée en fonction de son gabarit. Il sauta dans le siège de la catapulte et n'hésita pas cette fois.

Il actionna le levier de déclenchement.

# 39

Jonah croyait qu'il avait peut-être hurlé en se catapultant dans les airs. Il n'en était pas certain. Tout son sortant de sa bouche aurait été emporté par le vent cinglant avant de se rendre à ses oreilles.

En voyant le conducteur se catapulter, Jonah s'était dit que cela n'avait pas l'air compliqué. L'aborigène lui avait semblé en parfaite maîtrise de son corps, comme s'il volait. Mais Jonah comprenait maintenant que ce n'était pas comme voler, pas du tout même.

Jonah n'avait plus la maîtrise de ses membres, ni de ses bras, ni de ses jambes. Ils gesticulaient en tous sens, empirant sa situation déjà critique. Il pouvait voir sous lui le plateau au sommet de la montagne.

Jonah avait trop pris d'altitude, il arrivait trop vite. Il n'avait pas la moindre chance de survivre à l'atterrissage.

Le monte-charge avait transporté Granger jusqu'à l'aire de déchargement. Là, il avait pris un deltaplane de secours avant de grimper l'échelle d'accès. Quatre immenses séries de panneaux solaires occupaient le plateau d'Uluru. Granger regarda sous les panneaux, entre leurs supports d'acier, et balaya du regard l'étendue plane sous les collecteurs de rayons solaires.

Il ne vit personne sur le plateau, du moins personne debout. Toutefois, il ne pouvait pas prendre de chance. Certains corps gisant dans le sable pouvaient encore s'accrocher à la vie, et donneraient certainement l'alarme en le voyant.

Granger se pencha sous une rangée de panneaux solaires. En s'accroupissant, il s'avança dans les pâles rayons de lune et passa le harnais du planeur sur ses épaules.

Une ombre vint sur lui. Granger regarda en haut, vit une forme sombre dans le ciel entre les panneaux translucides et la lune. *Un vol de cacatoès,* pensa-t-il d'emblée.

Mais, non, cette forme approchait… Elle dégringolait vers lui…

Granger se jeta sur le côté tandis que les panneaux solaires explosaient vers l'intérieur.

Il n'avait pas réagi assez vite. Quelque chose de mou, de chaud et de lourd le heurta. *Un corps,* constata-t-il. *Un corps humain*. Granger eut le souffle coupé et se retrouva écrasé sous ce poids tombé du ciel.

Il leva les mains pour se protéger la tête de la pluie de verre brisé qui tombait partout autour.

Jonah avait tout fait pour mettre ses pieds sous lui. Mais il n'avait réussi qu'à se lancer dans une vrille folle. Juste avant l'impact, il s'était mis en boule.

Il avait eu de la chance. Plutôt que de frapper la surface extrêmement dure de la roche, Jonah avait traversé les fragiles plaques des panneaux solaires. Il aurait quand même dû frapper la roche sous les panneaux de verre, mais quelque chose avait amorti sa chute.

Il remua chacun de ses membres, bougea les orteils et les doigts. Il avait mal partout, une douleur cuisante, mais il ne s'était apparemment rien cassé. Il espérait qu'il en allait de même pour le dispositif du pont Chang qu'il avait dans la poche.

Jonah entendit gémir et bondit sur ses pieds.

— Est-ce que ça va ? demanda-t-il, alarmé.

Le « coussin » qui avait amorti sa chute était en vie, replié sur lui-même, en douleur, portant une main devant son visage pour le cacher. Tandis que l'homme se levait, cependant, Jonah vit un reflet de lune sur ses jambes métalliques.

— Oh, non, souffla Jonah. C'est… C'est *vous*, n'est-ce pas ?

Matthew Granger soupira. La célébrité n'avait pas que des bons côtés.

Il ôta sa main de devant son visage pour regarder de plus près le garçon qui lui était tombé dessus. *Les Gardiens les recrutent très jeunes par les temps qui courent*, pensa-t-il.

Le garçon avait l'air de rien : trop maigre pour poser la moindre menace physique.

Il attaqua tandis que le garçon était encore figé de surprise. Il l'empoigna par les bras, lui fit faire demi-tour, plaquant une main sur sa bouche et le forçant à tomber à genoux.

— Ne m'oblige pas à te faire mal, siffla Granger à l'oreille du gamin. Je veux seulement partir d'ici. Tu fais un seul bruit, et je te brise le cou !

Jonah entendit des bruits de pas. Deux séries de pas distincts. Puis, une voix, la voix d'un homme qui appelait :

— Il y a quelqu'un ?

L'homme avait l'accent des aborigènes.

Autrement dit, c'était des Gardiens qui venaient par-là. Ils avaient sûrement vu Jonah plonger vers les panneaux solaires. Il aurait voulu leur crier qu'il était là, mais la menace de Granger résonnait encore à ses oreilles.

Il entendit les Gardiens échanger quelques mots tout bas. Jonah pria pour qu'ils continuent à le chercher. Son cœur sembla s'arrêter quand, au contraire, ils s'éloignèrent. Jonah les entendit descendre les échelons de métal de l'écoutille d'accès.

— Très bien, chuchota Granger. Maintenant, tout ce que tu as à faire, c'est de te tenir tranquille encore quelques secondes, et nous ne serons plus un boulet l'un pour l'autre.

Granger relâcha Jonah, qui vit pour la première fois le deltaplane de secours dans le dos de son ravisseur. Il s'éloignait maintenant de Jonah en marchant, ses pieds de métal écrasant le verre brisé qui jonchait le sol. Il était à quelques pas de fuir les lieux sur les ailes de son deltaplane — et la première idée de Jonah fut de le laisser partir.

*Un autre coup de chance,* pensa-t-il en constatant qu'il était encore en vie. Granger avait tenté de le tuer tellement de fois… et maintenant que Jonah était à sa merci, Granger ne l'avait même pas reconnu.

Mais soudain, un autre sentiment saisit Jonah à la poitrine : c'était une colère qui le chauffait à blanc.

Pourquoi Granger aurait-il la chance de s'enfuir ? Pourquoi devrait-il s'envoler vers la liberté, pour livrer d'autres batailles, s'en sortir sans trop de dommages, quand tant de gens avaient connu un sort horrible ?

Granger approchait du bord de la montagne. Quelques secondes de plus et il disparaîtrait.

Non, pas si Jonah pouvait l'empêcher.

Granger se retourna. Le garçon venait en courant comme un dératé vers lui, une boule hurlante de furie.

Il plaqua Granger en s'agrippant à ses jambes artificielles, et pour une deuxième fois, les deux hommes roulèrent dans un amas de membres enchevêtrés.

Granger n'était pas le genre d'homme habitué à se battre avec les poings, mais il était plus gros, plus lourd que son adversaire. Il gagna bientôt l'avantage. Il réussit à se retrouver par-dessus le garçon, posa un genou de titane sur son torse et lui épingla les bras à terre.

— Écoute, gamin, dit-il, c'était sérieux ce que je disais. Laisse-moi partir, personne n'a à mourir…

— Non !

Le garçon se débattait vigoureusement. C'était comme de vouloir maîtriser une pieuvre.

— Mais qu'est-ce que tu as, à la fin ? Qu'est-ce qui fait qu'un gamin comme toi s'engage avec un groupe terroriste comme les Gardiens ? Pourquoi aurais-tu même l'idée…

— Vous ! cracha le garçon. J'ai joint les Gardiens à cause de vous, pour me venger de vous. Je… Je vous vénérais avant. Mais vous m'avez tout pris. Mon père. Ma maison. *Vous avez tué ma mère* !

Jonah s'était battu jusqu'à ses dernières forces.

Son emportement contre Granger lui avait coûté beaucoup. La poussée d'adrénaline n'avait plus d'effet, le laissant en sueur et tremblotant.

Granger lâcha les bras de Jonah et se releva. Étrangement, il ne fit aucun mouvement vers le bord de la montagne. Il baissa plutôt les yeux sur Jonah, sourcils froncés, et Jonah se demanda pourquoi il ne l'achevait pas séance tenante. Jonah se releva péniblement pour s'asseoir. Il s'adossa contre une poutre de métal, respirant fort, ravalant ses larmes.

— Je suis désolé, dit Granger.

L'excuse démonta complètement Jonah.

— Quoi ?

— J'ai dit que j'étais désolé. Pour ta mère.

— Vous ne la connaissiez même pas !

— Non, mais je sais par ailleurs que mon désir de bâtir un meilleur monde peut parfois causer des souffrances aux gens. J'aimerais tellement qu'il en soit autrement, mais…

— Ce n'est pas le cas !

— Je suis sincère, dit Granger, je n'ai jamais voulu de cette guerre entre les Gardiens et les Millénaires.

— Ma mère n'avait rien à voir avec les Gardiens, dit Jonah. Elle était juste… une personne sur votre chemin. Vous ne savez même pas son nom !

— Dis-moi son nom, demanda Granger.

Et Jonah sut qu'il ne devait pas le lui dire, qu'il devait garder sa bouche fermée, mais c'était impossible. Sa colère, sa tristesse, il fallait qu'il les exprime, pour s'en libérer. Jonah voulait que Granger sache, qu'il comprenne ce qu'il avait fait.

— Elle s'appelait Miriam, dit-il. Ma mère était Miriam Delacroix.

Maintenant, c'était au tour de Granger d'avoir l'air stupéfait.

— Delacroix ? répéta-t-il. Tu veux dire que… Tu es le fils de Jason ? Est-ce que tu es venu ici avec lui ? Est-ce que Jason est ici ?

Jonah secoua la tête.

— Mon père est mort, dit-il. Il est mort il y a trois ans.

Granger se contentait à présent de fixer Jonah du regard, un très long regard.

Puis il fit la dernière chose à laquelle Jonah se serait attendu de sa part.

Granger renversa la tête et se mit à rire.

# 40

Jonah jeta un regard mauvais à Granger.

— Je ne vois pas ce qu'il y a de drôle, dit-il.

Granger s'essuya les yeux du revers de sa manche.

— Un enfant, dit-il. Depuis le début, je pourchasse un *enfant* aux quatre coins du globe ?

— Je ne suis pas un enfant, dit Jonah.

— Non, dit Granger, bien sûr que tu n'en es pas un. Un enfant n'aurait jamais pu se rendre aussi loin. Tu as assimilé l'avatar de ton père, n'est-ce pas ?

Une douce brise vint jouer autour des épaules de Jonah. Le monde était silencieux sauf pour sa propre respiration et la voix de Matthew Granger. Ils étaient tout à fait seuls là-haut, au sommet d'Ayers Rock, sous les panneaux solaires brisés.

— Mais tu n'as pas qu'assimilé son avatar, dit Granger. Sinon comment aurais-tu trouvé cet endroit, le Coin sud. Pour ce faire, il fallait absolument que tu accèdes aux connaissances de Jason.

Jonah ne disait rien. Il était nerveux et épuisé, et commençait à craindre d'en avoir trop dit.

— Donc, reprit Granger, c'était toi qui portais l'avatar de ton père dans l'Icare, avec la Tour de la Cité de Londres comme LVM. C'était toi qui as rencontré les Gardiens à Dover.

— Je leur ai tout dit, mentit Jonah. Les Gardiens savent où tous les Quatre Coins se trouvent, alors me tuer ne servirait à rien.

— Je n'ai pas l'intention de te tuer, Jonah, dit Granger. C'est Jonah, n'est-ce pas ? Le petit Jonah Delacroix… Jason parlait souvent de toi. Il était si fier de son fils.

— Ne parlez pas de lui comme ça, dit brusquement Jonah. Comme si vous étiez son ami.

— Autant que je sache, dit Granger, nous *étions* amis.

— Mon père travaillait pour vous, c'est tout, et seulement parce que…

— Parce que les Gardiens le lui avaient demandé. Oui, Jonah, je suis au courant de cette histoire. À l'époque, cependant, ton père jouait bien son rôle. Peut-être trop bien, en fait.

— Qu'est-ce que vous voulez dire ?

— Jason a été mon pilote durant presque 10 ans, expliqua Granger. Je lui faisais confiance — il fallait que je lui fasse confiance — et, crois-moi, Jonah, ma confiance ne se mérite pas facilement.

— Et alors ?

— Alors, j'ai fait mon enquête sur ton père, une enquête fort exhaustive.

— Ouais, j'imagine.

— J'ai envoyé des agents dans cette nouvelle boutique de cadeaux qu'il avait acquise, et à l'Icare… et même, à l'occasion, dans le foyer familial. Durant 10 ans, Jason n'a pas fait un pas sans que je n'en sois informé.

— Il a quand même réussi à vous berner.

— Oui, dit Granger. Oui, Jonah, il m'a trompé. Jason nous a trompés tous les deux. La nouvelle a dû te causer un grand choc, quand tu as appris la vérité sur ton père.

— Je ne vois pas où vous voulez…

— J'avais aussi des agents dans ton école. Et tu n'as toi-même jamais laissé trahir le moindre indice quant aux sympathies secrètes de ton père. Ta loyauté envers moi était même, je dirais… très inspirante.

— Ça… c'était parce que…

— Ça va, Jonah, dit Granger en souriant. Je comprends.

— Mon père n'aurait jamais… Je sais qu'il ne m'aurait jamais menti sauf si…

— Je te crois, dit Granger. S'il y a une chose que je sais de ton père, une chose dont je suis encore convaincu aujourd'hui, c'est qu'il était un homme bon. Il agissait selon sa conscience et au nom de ce qu'il y a de bien en ce monde.

Jonah ne pouvait pas croire qu'il avait cette conversation. L'homme devant lui était celui qui avait tué sa mère, et qui avait essayé, à plusieurs reprises, de le tuer, lui.

Depuis la mort de sa mère, il s'était souvent imaginé en train de confronter son meurtrier. Dans sa tête, la rencontre ne se passait jamais ainsi. Dans l'idée que s'en faisait Jonah, Granger était un monstre délirant et vociférant, imbu de lui-même et impénitent. Pas du tout calme comme il se montrait maintenant devant lui.

Aucunement réfléchi. Pas raisonnable du tout. Et pas aussi… *persuasif…*

Jonah aurait été plus à l'aise devant le monstre qu'il s'était imaginé.

— Ton père m'a sauvé la vie, dit Granger. Le savais-tu ?

Jonah secoua la tête.

— C'était le jour… ce terrible jour. Nous venions d'atterrir à Heathrow. Je marchais sur le tarmac. Jason m'a hélé, me demandant de revenir dans l'avion. Il disait avoir besoin que j'appose ma signature à une demande de dossiers. Nous avons été projetés dans les airs par la première déflagration.

— Il était avec vous quand…

— Jason est entré en courant dans l'aéroport, continua Granger. Il y avait des gens piégés à l'intérieur et il n'a pas hésité une seconde. J'aurais aimé avoir son courage.

— Moi, j'aurais préféré qu'il soit *moins* courageux, dit Jonah en parlant entre ses dents serrées.

— Je comprends que tu me détestes, vraiment, je te comprends, dit Granger. Je connaissais ta mère. J'ai rencontré plusieurs fois Miriam. Je l'aimais bien. Puis-je te demander comment elle…

— La Tour de la Cité, répondit Jonah. Elle travaillait à la Tour de la Cité.

Granger hocha gravement la tête.

— Je l'ignorais. Et même si j'avais su… Tu vois, Jonah, comme ton père, je croyais faire mon devoir. Ma conscience sera à jamais marquée par cette faute.

Jonah détourna la tête, se mordant les lèvres. Il ne voulait pas entendre d'excuses.

— Ce que je ne m'explique pas, reprit Granger, c'est ton alliance avec les Gardiens. Après tout, c'est eux qui ont fait sauter les aéroports ce jour-là. C'est eux qu'il faut blâmer pour la mort de Jason.

— Pas ceux avec qui je travaille, dit Jonah.

— Est-ce vraiment ce qu'ils t'ont dit ?

— C'est la vérité.

— Je suppose que c'est l'avantage d'un groupe sans chef. Personne ne peut vraiment être tenu responsable. On peut toujours refiler sa responsabilité au suivant.

— Ils se battent pour ce en quoi ils croient, dit Jonah.

— Ne le faisons-nous pas tous ? répliqua Granger. Mais dis-moi, Jonah... Tu as passé quelque temps avec la cellule des Gardiens d'Axel Kavanaugh ?

— Je suppose qu'on peut dire ça.

— Peux-tu honnêtement me dire que tu n'as aucune réserve à propos de leurs méthodes ?

Jonah repensa à GuerreVert et aux pirates russes. Il pensa à M. Chang.

— La métasphère devrait être gratuite, dit-il, et les Gardiens s'assureront qu'elle le soit.

Mais ses paroles ne semblaient pas convaincantes, même à ses propres oreilles.

— Et tu vas te battre pour cette cause ? demanda Granger.

— Oui.

— Tu risqueras ta vie pour la défendre ?

— Je le ferai.

— Tu tueras aussi ?

La gorge de Jonah se noua d'un coup.

— Tu n'as peut-être pas toi-même fait feu, dit Granger, mais des gens sont morts ici ce soir — des Gardiens et des Millénaires — et tu as joué un rôle dans ces événements malheureux.

— Nous... Nous devions faire quelque chose, balbutia Jonah. Il fallait vous arrêter... vous empêcher de reprendre la métasphère.

— Et tu y as réellement cru ? demanda Granger. Tu crois que le monde virtuel n'a besoin d'aucune règle, d'aucune direction, qu'il doit être libre de tout pouvoir d'influence ? Tu crois que c'est mal d'insuffler à ce monde une vision d'avenir ?

— La métasphère n'a pas besoin de vous. Vous voulez seulement… taxer les gens et leur dire quoi faire.

— Tu as vu le vrai monde, Jonah, dit Granger. Tu as vu ce qui arrive quand les structures et les institutions nous abandonnent. Les gens perdent espoir. Et quand ça arrive, tout se déglingue, le monde s'enlise et glisse. Est-ce vraiment ce que tu veux pour la métasphère ?

— Je… Je n'ai…

— J'ai bâti la métasphère pour tous ceux d'entre nous qui n'ont plus foi dans le vrai monde. Ma métasphère est un monde où tous les espoirs sont à nouveau permis. Et je pense, et au fond de toi je sais que tu es d'accord avec moi, Jonah, que ce que j'ai construit mérite qu'on se batte pour le préserver.

— Est-ce que ça justifie même les meurtres ? chuchota Jonah.

— Fais attention à qui tu juges, Jonah. De bien des manières, nous nous ressemblons, toi et moi. Nous avons tous deux souffert la terrible perte de nos parents. Nous savons tous deux nous montrer résolus et tenaces, décidés à atteindre nos objectifs, et même impitoyables quand nous devons l'être. Je te demande seulement de réfléchir à certains choix que tu as faits. Je veux que tu sois convaincu que chaque mort aujourd'hui en a vraiment valu la peine.

Il y eut un long silence gênant.

Matthew Granger se leva en regardant Jonah. Jonah restait assis, le dos contre la poutre d'acier froide et dure, le regard fixé sur ses mains.

Granger bougea le premier. Il commença à marcher vers le bord de la montagne, et Jonah se leva brusquement, une faible plainte aux lèvres.

— Je ne peux pas rester ici plus longtemps, dit Granger. Et tu le sais très bien, Jonah.

— Je ne peux pas... Je ne vous laisserai pas fuir. Je... Je vais crier, pour appeler les autres.

— Si c'est ce que tu veux. Mais penses-y bien, Jonah. Tu sais qu'ils me tueront s'ils me trouvent. Les Gardiens me tueront.

Jonah voulait crier.

— Et alors tu aurais ma mort aussi sur la conscience, Jonah, continua Granger. Pose-toi la question : n'avons-nous pas tous les deux vu assez de sang versé pour une seule journée ?

Jonah s'était cru libéré de ses doutes après la discussion avec son père. Il était certain de l'équipe dans laquelle il campait. Mais maintenant, il était plus confus que jamais.

Jonah avait besoin de temps pour réfléchir, mais le choix qu'il avait présentement à faire ne lui laissait pas ce temps. Il devait soit laisser aller son pire ennemi, soit se rendre responsable de sa mort — parce que Granger avait raison de dire que les Gardiens le tueraient si l'occasion se présentait. Peut-être pas Sam, mais les autres...

— Tu sais, dit Granger, il y a une chose que je serais curieux de savoir.

— Qu'est-ce que c'est ? demanda Jonah.

— Quand Jason m'a sauvé la vie, commença Granger, ce jour-là à Heathrow... Est-ce qu'il savait ce qu'il faisait? Est-ce qu'il savait que les bombes allaient exploser?

— Non, dit Jonah. Il n'aurait pas pu...

— Bien évidemment, il n'aurait jamais été impliqué dans l'attentat, dit Granger. Mais quand les plastiqueurs m'ont pris pour cible, ils ont aussi mis la vie de Jason en danger. Ton père devait être extrêmement important pour les Gardiens. Sûrement qu'ils auraient eu l'idée de l'avertir de leurs plans, non?

— Vous dites que... Vous pensez...

— Je ne sais vraiment pas quoi en penser, dit Granger. Est-ce seulement par chance que Jason m'a rappelé vers l'avion quand il l'a fait?

— Mais pourquoi... pourquoi vous aurait-il...

— ...sauvé la vie? Je te l'ai dit, Jonah, Jason a été mon pilote durant très longtemps. Je lui faisais confiance. Je croyais que nous étions amis. Et, peut-être...

— Non.

— Peut-être qu'il s'est découvert les mêmes sentiments pour...

— *Non*!

— Ton père est mort, dit Granger, en sauvant les victimes d'un attentat perpétré par les Gardiens. Et me sauver, moi, c'est loin d'être l'acte d'un partisan loyal, ne crois-tu pas? Il m'apparaît probable que, ce jour-là, quand les bombes ont explosé... Jason Delacroix a repensé à *ses* choix.

Jonah entendait des voix, dans la direction de l'écoutille d'accès.

— Et maintenant, dit Granger, il faut vraiment que j'y aille. Mais nous nous reverrons un jour, Jonah. Et jusqu'à ce jour, je veux que tu penses à ceci, que tu y réfléchisses sérieusement. Je veux que tu penses à rejoindre mon mouvement.

– Quoi ? Vous voulez que je...

– Tu as l'étoffe d'un Millénaire, Jonah. Celle d'un chef. Nous ferions une excellente équipe, toi et moi. Nous pourrions sauver le monde ensemble !

Et sur ce, Matthew Granger se retourna et disparut, se glissant dans le labyrinthe des poutres d'acier qui soutenaient les panneaux solaires, comme une ombre fugitive, laissant Jonah seul dans un tourbillon de pensées contradictoires.

Il ne fut pas seul très longtemps.

Sam le trouva. Elle vint en courant vers lui, deux Gardiens trimbalant des fusils sur ses talons.

– Jonah ? Jonah, c'est toi ? Je rêve ou tu parlais à quelqu'un, juste là ? J'ai cru entendre...

– Il était ici, dit tout doucement Jonah.

– Qui ça ? demanda Sam. Qui était là ?

Jonah la regarda seulement. Sam fronça les sourcils. Puis, ses yeux s'écarquillèrent.

– Matthew Granger ! cria-t-elle.

Les deux autres Gardiens étaient déjà prêts à tirer partout. Ils sortirent en courant de sous les panneaux solaires pour se rendre au bord de la montagne. Jonah entendit quelques coups de feu. Puis, un premier Gardien revint en secouant la tête.

– Nous arrivons trop tard, rapporta-t-il. Granger avait un planeur de secours. Il est déjà hors de portée. Nous n'avons pas pu le descendre.

Sam se retourna vers Jonah.

— Pourquoi tu n'as rien dit? Pourquoi tu n'as pas crié à l'aide en nous entendant venir?

Jonah haussa les épaules. Il n'avait réellement pas de réponses à ces questions.

— Est-ce que Granger te retenait en otage? demanda Sam. Est-ce qu'il t'a menacé? Bien sûr que oui. J'aurais dû le savoir, dit-elle dans un soupir. Granger était notre dernier espoir. Nous avions besoin des codes d'accès pour abaisser le mur de brouillard autour de l'île. Sans ces codes...

Jonah tressauta tandis que les paroles de Sam lui rappelaient ce qu'il était venu faire au sommet de la montagne. Il avait tellement été pris par sa conversation avec Granger, cette rencontre l'avait tant laissé confus qu'il avait oublié pourquoi il était là. Il plongea la main dans sa poche et en tira le pont Chang.

— J'ai une autre idée, dit-il.

Il restait à espérer que ce n'était pas déjà trop tard.

# 41

La tension à l'intérieur de la salle de contrôle était à son comble.

Jonah marchait de long en large, jouant anxieusement avec ses mains. Personne ne parlait plus depuis plusieurs minutes. De toute manière, que restait-il à dire ? Tout ce qu'on pouvait faire, c'était attendre et espérer.

Le pont Chang avait été plutôt facile à installer, comme M. Chang l'avait promis. Jonah avait ouvert le panneau avant d'un serveur et tout simplement branché le dispositif dans un port disponible. Immédiatement, les lumières DEL à l'avant du boîtier s'étaient mises à clignoter en séquences.

Assise devant le moniteur de l'ordinateur, Sam faisait rapport de l'avancement du programme.

– La construction du pont est en cours… J'entre à nouveau les coordonnées d'accès…

Sam avait des réticences quant à la solution de Jonah. Elle lui avait rappelé ce qu'Axel avait dit, à Shanghai : « Il faudra me passer sur le corps avant que je n'accepte d'installer ce machin. » Jonah l'avait quand même persuadée. Ils n'avaient pas d'autre choix. C'était leur seul espoir de sauver les Téléversés. Après le sauvetage, ils auraient tout le temps de s'inquiéter des conséquences.

— C'est fait, annonça Sam. Le pont est complété !

— Alors, qu'est-ce qui se passe ensuite ? demanda Jonah.

— J'aimerais bien le savoir, dit Sam. Chose certaine, le pont Chang a pénétré le mur de brouillard. Il s'est construit dans le ciel au-dessus de l'île.

— Donc, on peut dire que les Téléversés ont une voie d'évacuation, dit Jonah que la nouvelle soulageait.

Sam fit oui de la tête.

— J'espère seulement qu'ils vont le voir.

— Nous perdons une autre série de serveurs ! cria quelqu'un à l'autre bout de la salle.

Les Gardiens s'attroupèrent tout autour. Sur l'écran, ils avaient une vue aérienne du quart de la métasphère. Son Coin sud. Sous leurs yeux, à la consternation de Jonah et de tous les Gardiens, les lumières d'une zone tout entière vacillèrent puis s'éteignirent.

Une tache grise se répandait à travers le monde virtuel. Jonah se souvint alors de l'attaque des recycleurs sur l'Icare et sur la boutique de cadeaux familiale, et il sut ce qu'était cette tache grise. C'était la destruction. C'était le vide, le néant.

— Est-ce que vous pensez que… souffla quelqu'un. Est-ce que vous pensez qu'ils s'en sont tous sortis ?

— Ils avaient le temps de le faire, dit Sam. Nous leur avons envoyé suffisamment d'avertissements. Je ne m'inquiète pas tant des vivants. Ils savent s'occuper d'eux-mêmes. Mais les morts…

— Il faut absolument garder l'île des Téléversés en fonction, s'accorda pour dire un autre Gardien.

— Aussi longtemps que possible, dit Sam. Toute autre tâche doit être sacrifiée. Nous devons donner aux Téléversés du temps pour trouver le pont et sortir de là.

Jonah s'éloigna des autres. Il était harassé par un terrible pressentiment. Il alla s'asseoir devant un moniteur, ramena la tablette numérique vers lui. Il entra les coordonnées de l'île des Téléversés, celles de la plage où sa grand-mère aimait flâner. Il ne vit qu'un brouillard gris, comme la fois d'avant. Cela dit, il s'y attendait.

Mais à la grande stupéfaction de Jonah, le brouillard se dissipa. Seulement une seconde — mais, une seconde durant laquelle Jonah vit du ciel bleu, le jaune du sable et des arbres verdoyants.

Il se releva d'un bond.

— Le mur de brouillard ! cria-t-il. C'est ça ! Le mur de brouillard est généré par les mêmes serveurs, ceux qui flanchent ! Peut-être que nous pourrons le traverser ! Sam...

— Jonah, je ne sais pas... dit-elle en se hâtant de venir examiner le moniteur de Jonah qui était redevenu tout gris. Même si c'était possible... Jonah, tu ne penses quand même pas y retourner.

— Il faut que je le fasse ! Tu l'as toi-même dit, Sam. Tu sais comment les Téléversés peuvent être confus.

Sam hocha la tête.

— Bien sûr, mais...

— Et ils ont tellement l'habitude de vivre sur l'île... Ils ne penseront même pas à la quitter. C'est dans leur programmation. Nous leur avons peut-être offert une voie de sortie, Sam, mais je ne pense pas qu'ils l'utiliseront. Pas à moins que nous leur disions, que nous leur montrions la voie...

— Jonah, non ! Le système pourrait s'effondrer à tout moment. Et si tu te trouves à l'intérieur quand ça arrivera…

— C'est la seule façon, Sam.

— Mais c'est du suicide !

— Il faut que quelqu'un le fasse, dit Jonah. Et ce devrait être moi. J'ai causé le problème. Et d'ailleurs, j'ai trompé la mort une fois déjà, ne l'oublions pas.

Sam regarda longtemps Jonah avant d'enfin hocher la tête en soupirant.

— O.K., dit-elle. Je suppose que je ne te ferai pas changer d'idée. Mais tu ne le feras pas tout seul. Non, ne discute pas, Jonah, nous n'avons pas le temps de toute façon. J'ai pris ma décision, moi aussi. Je t'accompagne sur l'île.

Ils apparurent dans le ciel, à quelques battements d'ailes de l'île.

Sam eut une réaction de surprise en apercevant l'humatar de Jonah. Elle le voyait pour la première fois ; elle l'avait toujours connu sous la forme du dragon. Cela dit, elle aurait difficilement pu le prendre pour quelqu'un d'autre. L'humatar ressemblait beaucoup trop au Jonah qu'elle connaissait dans le vrai monde.

Il voulut se lancer dans des explications, mais Sam fit un geste de ses sabots qui voulait dire que cela pouvait attendre. Elle se mit à battre des ailes vers l'île, et Jonah la suivit dans son vol.

Le brouillard gris et froid enveloppa Jonah comme les fois précédentes. Il perdit presque de vue Sam, malgré qu'elle fût à quelques mètres devant lui. Ils n'allaient pas y arriver, pensa-t-il. La barrière conservait une trop grande intégrité. Et, en effet, un instant plus tard, Sam et lui sortirent du brouillard pour découvrir que l'île se trouvait derrière eux.

Jonah se répandit en injures, frustré de ce nouvel échec, mais Sam posa un sabot sur son épaule pour le calmer. Elle suggéra qu'ils attendent que la barrière perde en force.

Jonah entendit un grondement menaçant, comme le tonnerre, et la mer sous eux trembla.

Le brouillard se scinda en un point, et soudain l'île apparut droit devant eux, baignée de soleil.

– Maintenant ! cria Sam, et ils plongèrent ensemble vers le rivage.

Ils se mirent bientôt à bouger au ralenti, tous leurs mouvements étant affectés par la panne des serveurs. Jonah crut qu'ils n'allaient pas y arriver. À tout instant, il s'attendait à ce que le brouillard se referme et les expulse une fois de plus.

C'est donc transporté de joie qu'il toucha le sol, soulevant une vague de sable sous ses pieds. La plage était bondée comme toujours. Des milliers d'avatars se massaient là, inconscients du péril auquel ils faisaient face. Certains reconnurent Jonah et vinrent autour de lui.

– Es-tu le petit humatar qui a une histoire à raconter ? lui demandèrent-ils. Es-tu le garçon qui peut nous aider à nous souvenir ?

– Non, dit Jonah. Euh, oui, je veux dire. Oui, je le suis, mais... Vous devez arrêter de vous souvenir maintenant. S'il vous plaît. Écoutez-moi. Vous êtes en danger.

Sam tira sur la manche de Jonah. Elle flottait à côté de lui, levant les yeux au ciel. Jonah suivit son regard et en eut le souffle coupé.

Il y avait une fenêtre de lumière dans le ciel.

Cette lumière était d'une pureté éclatante, d'une blancheur éblouissante. Jonah dut se protéger les yeux pour ne pas être aveuglé. Il pouvait voir à contre-jour la silhouette de centaines d'avatars. Ils flottaient autour de la lumière, leurs regards attirés comme des papillons de nuit autour d'une flamme. *C'est donc ça le pont Chang*, pensa-t-il. En effet, c'était sous cette forme qu'il apparaissait dans le monde virtuel.

— Tu avais raison, Jonah, dit Sam. Le pont suscite la curiosité des Téléversés, mais ils ne le traversent pas.

— Écoutez, dit Jonah aux avatars qui se pressaient autour de lui. Vous tous, écoutez-moi, s'il vous plaît. Vous devez quitter l'île. Vous devez...

— Quitter?

Cela commença comme un murmure, se répandant dans la foule.

— Quitter l'île?

— Comment pouvons-nous...

— ...je ne me rappelle pas la dernière fois où j'ai...

— ...jamais je n'ai entendu pareille...

Les avatars téléversés se regardaient les uns les autres, incrédules, haussant les épaules. Certains d'entre eux s'éloignaient déjà, secouant la tête.

Jonah éleva la voix, désespéré de leur faire entendre raison.

— Je sais que vous êtes confus, dit-il. Certains parmi vous vivent ici depuis très longtemps. Mais je sais aussi que des souvenirs vous sont revenus... des souvenirs parlant d'autres endroits, d'autres mondes que celui-ci.

Il avait réussi à susciter l'attention de certains avatars.

— Vous savez quoi, dit un porc-épic violet. Je ne me rappelle plus quand je suis arrivé ici. J'ai vraiment perdu le fil du temps. C'est étrange, n'est-ce pas ?

— Étrange en effet, s'accorda pour dire un orbe bleu.

— Mais ce furent de merveilleuses vacances, je dois dire, pépia un canari jaune.

Jonah entendit un autre tremblement, et cette fois il sentit sous ses pieds les secousses qui traversaient l'île. Le ciel s'était obscurci autour du cercle de lumière blanche, et il y eut un vent froid sur l'île. Les Téléversés furent déconcertés par ce changement soudain de température. Maugréant, ils se mirent à entrer lentement dans les terres pour s'y abriter.

Ils semblaient avoir tout oublié de Jonah.

— La vérité, se lança Sam, c'est que vous ne pouvez pas rester ici. Vous voyez ce qui arrive, n'est-ce pas ? Les tremblements de terre et les orages. Ils ne feront qu'empirer !

— Je sais que vous avez vécu de très belles choses ici, ajouta Jonah. C'est un merveilleux été que vous avez passé sur l'île. Mais l'été est terminé à présent. C'est le temps de partir, de...

Il allait dire « rentrer à la maison ». Il s'arrêta avant. C'était le dernier endroit où ces avatars pouvaient aller.

— Voyez-vous la lumière, tout là-haut ? demanda Sam. Il y a un tout nouveau monde qui vous attend de l'autre côté de cette lumière. Un monde plus vaste et plus beau. Laissez-nous vous y amener !

Elle s'envola, invitant les Téléversés à la suivre. Une poignée d'avatars s'élevèrent avec elle dans les airs, mais non sans hésitation. En effet, ils jetaient des regards à leurs compagnons restés au sol, et certains renonçaient même à suivre

Sam, retournant vers l'île. Jonah crut que tous les avatars feraient de même, mais soudain il y eut une secousse sismique, et la terre trembla plus fort cette fois ; même que les eaux de la mer reculèrent avant de revenir s'écraser sur le rivage en une grande vague. La déferlante alla mouiller le sable jusqu'aux pieds de Jonah.

Une fissure étroite se forma et vint craqueler la plage. Une fissure sans fond et grise.

Les Téléversés étaient plus que déconcertés à présent. Plusieurs d'entre eux allèrent flotter dans le ciel, croyant qu'il était plus sûr d'être en hauteur.

— C'est bien, cria Jonah, tirant avantage de l'incertitude généralisée, suivez Sam. Allez vers la lumière !

Lentement, douloureusement lentement, leur plan commençait à fonctionner. Les avatars des Téléversés commençaient à leur obéir. Sam réunit la plus grosse volée possible, puis elle mena les avatars vers le pont Chang. Jonah suivait derrière, pourchassant les traînards. Et, tandis qu'ils volaient, une chose merveilleuse se produisit. De plus en plus d'avatars téléversés se dirigèrent vers eux, venant grossir leurs rangs.

Jonah entendit certains d'entre eux échanger ces mots :

— Qu'est-ce qui se passe ? se demandaient-ils.

— Où allons-nous ?

Mais aucun d'entre eux n'avait de réponse à ces questions. Tout le monde suivait simplement l'avatar devant, se laissant simplement amener dans le mouvement de masse.

Sam atteignait présentement le pont Chang. Jonah ne pouvait pas la regarder sans être ébloui par le cercle de lumière derrière elle. Elle flottait dans cette lumière, et faisait entrer les Téléversés. Durant un moment, Jonah craignit que les avatars refusent d'y entrer. Mais, un à un, ils furent avalés par la lumière, et disparurent. Et plus il y avait d'avatars qui allaient vers la lumière, plus les autres Téléversés semblaient pressés de les suivre.

Il en venait de partout maintenant : des plages, des forêts, des vallées, comme des millions de limailles de fer attirées par un puissant aimant. Cela fonctionnait. Pour la toute première fois, les Téléversés quittaient leur île.

Mais il y avait encore deux personnes que Jonah devait sauver.

# 42

Jonah retrouva l'avatar de son père à l'intérieur des terres, dans la forêt, près de l'endroit où ils s'étaient laissés.

— Tu m'as trouvé, dit Jason Delacroix. Je savais que tu me trouverais.

— Que fais-tu encore ici, papa ?

— C'est tellement bon de te voir, mon fils.

— Il faut que nous te sortions d'ici. L'île s'effondre sur elle-même et…

— J'ai fait ce que j'ai pu. J'ai parlé à tout le monde de ton histoire.

— Je sais, dit Jonah. Je sais que tu l'as fait, papa. Et tu as très bien fait. Mais il faut t'arrêter maintenant. Je veux que tu suives les autres et que tu quittes l'île.

— Je leur ai dit de se souvenir.

— Je sais. S'il te plaît. Papa…

— Mais les tremblements de terre… Ça devient difficile de se concentrer avec tous ces tremblements de terre. J'essaye de me souvenir… Il y a une chose qu'il fallait que je te dise.

— Et j'ai beaucoup de questions à te poser, moi aussi, mais tout ça devra attendre.

Le ciel était devenu noir comme du charbon. L'île s'était mise à trembler sans jamais s'arrêter. Des lignes de faille grises s'ouvraient partout, désintégrant la terre où elles s'entrecroisaient. Jonah devait faire attention de ne pas les toucher, au cas où elles auraient le même effet destructeur sur lui. Il vit un arbre commencer à se dépixéliser tout près de lui et il sauta pour s'en éloigner.

Sam arriva en volant derrière lui. Elle aperçut le dragon rouge à quelques pas devant eux.

— Tu l'as trouvé, dit-elle. Je suis contente. Mais, Jonah…

— Je sais, dit Jonah. Papa, il y a quelque chose que tu dois faire pour moi. Une autre faveur.

— Bien sûr, fiston. Si je peux aider.

— Tu vois cette lumière blanche dans le ciel ? Je veux que tu voles vers la lumière, papa. Comme les autres. Suis les autres avatars.

— Je ne peux pas rester avec toi, Jonah ?

— Je te retrouverai, papa. C'est promis. Je te rejoindrai de l'autre côté, là où il n'y a pas de danger et où nous pourrons être ensemble.

— Comme dans le bon vieux temps, dit Jason Delacroix.

— Comme dans le bon vieux temps, répéta Jonah, souhaitant que ce soit vrai, espérant qu'il ne mourrait pas avant.

Il savait que la relation avec son père ne serait pas comme avant. Mais cette version de son père, cet avatar téléversé confus, c'était mieux que de ne pas avoir de père du tout.

— Maintenant, pars. Vole !

Jason déploya ses ailes de dragon et s'envola vers la lumière. Vers le pont. Jonah le regardait partir, mais Sam lui tira sur le bras avec les dents.

— Il faut y aller nous aussi, dit-elle.

— Pas encore, répliqua Sam. Il faut que je trouve mamie.

— Nous n'avons pas le temps !

Mais Jonah volait déjà tête baissée dans la forêt, vers le rivage, vers cette partie de l'île qu'il connaissait le mieux : la plage de sa grand-mère.

— Elle est sûrement déjà partie, insista Sam qui le talonnait de près. Presque tout le monde est parti.

— Mais si elle était restée ? Si elle était confuse ? Si mamie cherchait encore des gens pour les aider à se souvenir, comme mon père ? Si...

La plage était tout près. Jonah pouvait entendre la mer, léchant le rivage, mais les sons avaient quelque chose d'étrange. Ils jouaient en boucle, se rendit compte Jonah, se répétant à l'infini. Il sortit d'entre deux arbres et s'arrêta net.

Il n'y avait *plus* de mer, et plus de rivage. Il n'y avait rien du tout devant Jonah. Rien que du néant. Et Jonah avait failli voler droit dedans.

Sam cria son nom. Elle plaqua Jonah, le poussant avec sa corne. Une autre section de l'île s'effritait sous eux, et tout autour. Le vide venait aussi de prendre une grande bouchée dans la forêt. Jonah vit les pixels gris se répandre le long de son bras, et il cria de panique... Heureusement, son terminal, là-bas dans le Coin sud, opéra aussitôt le rafraîchissement de son avatar. Il l'échappait belle, cette fois.

— Il faut y aller, dit Sam et Jonah lui obéit sans discuter.

Ils s'élevèrent droit dans le ciel. L'air était glacial à présent. Le soleil avait disparu. Sans la brillante lumière blanche de l'ouverture du pont Chang, ils auraient été perdus.

Jonah regarda d'un air hébété l'île des Téléversés qui sombrait dans la mer. En quelques secondes, il n'en resta plus une trace, à peine quelques rides témoignant de l'endroit où elle s'était dressée hors des eaux. Puis, la mer elle-même commença à se désintégrer.

Jonah repéra quelques derniers avatars fuyant la destruction, s'élevant vers la lumière. Il plissa les yeux pour discerner davantage leurs formes, espérant voir un éléphant parmi eux.

Sam lui donna un coup de corne et l'entraîna plus haut dans le ciel.

Ils volèrent aussi vite que possible. Jonah n'avait jamais autant regretté le dragon rouge et ses puissantes ailes. Sam était plus rapide, mais elle ralentissait pour lui, inquiète de le laisser derrière.

La couleur grise s'étendait dans le ciel obscur, comme des nuages de tempête qui s'amoncèlent, sauf que ces nuages étaient dénudés de toute texture, de toute profondeur. C'était des nuages de néant, et ils s'approchaient rapidement autour de Jonah et de Sam.

Les mouvements de Sam étaient devenus très lents et saccadés. Elle tourna la tête vers Jonah et, dans un décalage, laissa l'image gelée de son profil derrière son visage de face. Sa voix était déphasée et traînante :

— Nous n'allooooons pas y arrrri-ver-ver-ver-ver !

Il y avait des particules grises dans la robe blanche de Sam, des mouchetures de néant dans sa crinière rouge.

Jonah essaya de lui crier : « Laisse-moi. Sauve ta peau ! » Mais tout ce qui sortit de sa bouche fut la première syllabe, répétée encore et encore. C'était trop tard, de toute manière.

Ils pouvaient voir les lumières en piqûre d'épingle de leur halo de sortie, flottant au loin, en plein ciel, trop loin. Ils regardèrent avec horreur tandis que les nuages gris les enveloppaient.

Ils échangèrent un regard plein de désespoir. Leurs halos de sortie, leur billet de retour vers le vrai monde, avaient disparu. Ils étaient piégés ici à présent, emprisonnés dans ce quart perdu de la métasphère. À moins que...

Jonah commanda l'ouverture de son espace de rangement virtuel. Il fallut une éternité avant d'avoir une réponse, mais enfin le programme s'exécuta. Jonah fouilla frénétiquement à l'intérieur, cherchant un item en particulier : la statuette de chat de M. Peng. Elle s'était refermée, et Jonah s'efforça de se rappeler comment l'ouvrir. Ses doigts trouvèrent de petites plaques à pression dans le cou du chat ainsi qu'au niveau des épaules, et il tâta et poussa jusqu'à ce que les deux profils s'ouvrent brusquement.

Sam regarda Jonah d'un air interrogateur. Jonah essaya d'expliquer, tenta de dire à Sam qu'il fallait tenir la statuette avec lui, mais il ne pouvait plus du tout parler. Il prit l'un de ses sabots et le tira — dans une lenteur exaspérante — vers le bouton dans le cou du chat. Il pria que le dispositif fonctionne pour deux.

Il plaça sa main par-dessus le sabot de Sam, et ils enfoncèrent le bouton ensemble.

Ils venaient d'apparaître dans le temple en montagne.

Jonah prit une grande respiration, ferma les yeux et surmonta la vague de nausée qu'il anticipait et qui vint assurément. Il fallut à Sam un peu plus de temps pour reprendre ses esprits, et Jonah en profita pour examiner leurs avatars, s'assurant qu'ils étaient intacts.

— Où sommes-nous ? demanda Sam.

— Je ne sais pas exactement, dit Jonah. C'est ici que j'ai rencontré monsieur Chang.

— Oh, fit Sam, que l'endroit semblait rendre mal à l'aise.

— C'était la seule façon de nous en sortir…

— Je sais, dit Sam en lui souriant. C'était un très bon raisonnement, Jonah. Tu nous as sauvé la vie.

— Tu as vu ? dit Jonah. Nos halos de sortie…

— Oui, j'ai vu. Il va falloir transmettre un message à la salle de contrôle d'Ayers Rock. Quelqu'un là-bas devra pirater nos terminaux pour générer de nouveaux halos de sortie. Mais, Jonah ?

— Oui ?

— Il n'y a pas de porte, dit Sam qui commençait à paniquer. Aucun moyen de sortir d'ici.

Jonah hocha la tête.

— Derrière la tapisserie, juste là.

— D'accord. Je m'inquiétais.

— Toi, t'inquiéter ? dit Jonah en riant. La fille qui a affronté les Millénaires, la fille qui les a vaincus ?

Sam marcha vers la tapisserie, mais Jonah resta en arrière.

— Tu aimerais attendre monsieur Chang ? devina Sam.

— Je pense que nous devrions au moins lui expliquer ce que nous faisons dans son temple.

— Comment l'as-tu contacté la dernière fois ?

— Je ne l'ai pas fait, dit Jonah. Il a simplement… Je crois que la statuette l'informe quand quelqu'un vient ici.

Il regarda derrière le rideau de bambou par lequel le dragon lové de M. Chang était apparu la première fois. Il n'y avait personne.

– Peut-être qu'il est occupé, dit Jonah.

– C'est possible, acquiesça Sam. Ou peut-être…

– Quoi ? Peut-être que quoi ?

– Nous avons fait ce que monsieur Chang demandait de nous. Nous avons installé son appareil dans le Coin sud. Maintenant, il y a un pont permanent entre la métasphère et le nouveau monde virtuel de sa création, la Changsphère. Peut-être que monsieur Chang n'a plus besoin de nous.

Jonah ne trouva rien à ajouter. Il était fatigué de deviner les motifs des gens, de chercher à savoir qui mentait et qui était digne de confiance.

Il jeta un dernier regard sur le temple de la montagne, puis se trouva soudain content que M. Chang ne vienne pas. Jonah se retourna ensuite et, en soupirant, il suivit Sam derrière la tapisserie et loin de cet endroit perdu.

# 43

C'était la plus grande nouvelle des dernières années :

« UN QUART DE LA MÉTASPHÈRE PERDU.
DES CENTAINES D'AVATARS PORTÉS DISPARUS,
ET VRAISEMBLABLEMENT SUPPRIMÉS.
MATTHEW GRANGER BLÂME LES GARDIENS
POUR L'EFFONDREMENT DE LA MÉTASPHÈRE. »

Granger était d'ailleurs de toutes les émissions d'actualité, s'assurant que sa version des faits soit connue de l'auditoire le plus large possible.

Une histoire différente émergea, celle de M. Chang — par la bouche de ses porte-parole, puisque le jeune entrepreneur restait à l'arrière-scène, comme à son habitude.

Le point de vue de la société Chang sur l'effondrement de la métasphère élevait la catastrophe en preuve qu'il était pure folie de laisser à un seul homme un si grand pouvoir. Selon cette version, c'était l'orgueil démesuré de Matthew Granger qui avait mené un quart de la métasphère au désastre. La société Chang se réclamait le mérite d'avoir sauvé les Téléversés, et invitait le monde entier à se joindre à la toute nouvelle Changsphère, plus efficace encore que la métasphère.

Granger était furieux, bien entendu. Il accusa M. Chang d'avoir volé son système propriétaire, et de vouloir rien de moins que le pouvoir absolu pour lui seul.

Pendant ce temps, les cas signalés de morts ne cessaient d'arriver. Heureusement, le nombre de victimes était bas, grâce aux avertissements d'évacuation que Sam avait émis pour les zones affectées. Néanmoins, beaucoup de gens avaient perdu beaucoup de métadollars dans l'effondrement. Et ceux-là réclamaient réparation, que quelqu'un les compense, qui que ce soit.

Par ailleurs, on entendait des gens dire qu'ils avaient peur de retourner dans la métasphère. Et si d'autres serveurs tombaient en panne, demandaient-ils ? S'il n'y avait aucun avertissement la prochaine fois ?

Plusieurs décidèrent de profiter de l'offre de la société Chang. Ils déplacèrent leur famille, leur entreprise et leur vie entière en ligne sur la Changsphère.

À la limite de la métasphère programmée — sa limite telle que récemment redécoupée —, il y avait un grand vide à fendre l'âme. Cependant, au cœur de ce néant, visible à des kilomètres à la ronde, une fenêtre de pure lumière blanche brillait. En nombre toujours croissant, les avatars volaient au-dessus du vide et allaient vers cette lumière. Ils espéraient pouvoir refaire leur vie dans un nouveau monde plus sûr et plus sécuritaire. Et la Changsphère était prête à les accommoder.

Jonah suivait ces événements sur un moniteur dans son dortoir, à l'intérieur d'Ayers Rock. Il lui arrivait de se pincer pour s'assurer qu'il ne rêvait pas.

Tout le monde parlait de ce qu'il avait fait. Oh, bien sûr, on ne mentionnait jamais son nom et personne ne savait à quoi il ressemblait.

Mais Jonah savait. Il savait le rôle qu'il avait joué dans les récents événements.

Lorsqu'il avait assimilé l'avatar de son père, quelques semaines auparavant, dans la cave de la boutique de cadeaux, Jonah n'avait aucune idée de l'aventure dans laquelle il s'embarquait.

Il n'était alors qu'un adolescent comme les autres, vivant dans un vulgaire stationnement de bus de la commune de Clapham. Et il n'avait qu'un souhait dans la vie : essayer de survivre. Armé de ce seul souhait, il avait pourtant changé le monde.

C'était un sentiment très étrange.

Trois jours après la prise du Coin sud, tandis qu'on travaillait à nettoyer Uluru, Sam avait reçu un tuyau de la part d'un Gardien. Sans hésiter, Jonah avait accepté de l'accompagner dans la métasphère. Ils étaient apparus dans un champ de foire virtuel.

La foire offrait aux visiteurs la copie virtuelle des plus grandes montagnes russes du monde. Le concept semblait un peu vieux jeu pour Jonah, lui qui était habitué à de plus grands frissons. Cela dit, les manèges étaient populaires auprès des plus vieilles générations.

Au bout d'un long quai, à côté d'un stand à barbe à papa, Sam et Jonah aperçurent deux avatars qu'ils connaissaient bien : un griffon et un cheval de race clydesdale.

— Les voilà ! s'exclama Sam.

Axel et Bradbury flottaient là, sans but, sans aucun souci au monde, leurs regards perdus vers le large. Sam courut vers son père et jeta ses pattes avant autour de lui. Il la regarda comme si elle était invisible.

— Papa, c'est moi, Sam, dit-elle, et Jonah sentait des larmes derrière sa voix tremblante. Nous vous avons trouvés.

Ils guidèrent les avatars déconnectés loin du quai. Axel et Bradbury les suivirent sans rechigner, mais Jonah et Sam devaient garder un œil sur eux, les empêcher d'oublier où ils étaient et de s'éclipser une fois de plus.

Ils volèrent toute la journée, Sam tirant son père et Jonah poussant Bradbury. Durant le voyage, Jonah fut pris de fatigue — une fatigue mentale — et s'inquiéta en pensant que son corps physique n'avait pas mangé. Cependant, Sam ne voulut rien entendre quand il proposa une pause.

Finalement, ils approchèrent de la ville virtuelle de Néo Tokyo, là où Axel et Bradbury étaient entrés dans la métasphère trois jours plus tôt.

Jonah et Sam balayèrent du regard les cieux au-dessus des néons de la ville jusqu'à apercevoir la lueur de deux halos de sortie. Axel et Bradbury pouvaient à présent revenir dans le vrai monde. Sam amena son père vers son halo.

— Je t'en prie, réveille-toi, papa, dit-elle en lui posant un baiser sur le front pour ensuite le pousser à travers l'anneau de lumière. Le halo l'avala, puis disparut. Jonah donna ensuite une grande poussée à Bradbury qui alla droit à travers son halo, laissant Sam et Jonah à flotter ensemble dans le ciel, à attendre des nouvelles du vrai monde.

— Merci, Jonah, dit-elle.

— Pourquoi tu me remercies ? demanda Jonah, qui avait l'impression d'avoir fait ce que quiconque aurait fait pour un ami.

— Pour n'avoir jamais abandonné. Jamais.

Les nouvelles vinrent enfin sous la forme d'une fenêtre adressée à Sam. Jonah ne pouvait pas lire le message privé, mais vit par ailleurs la réaction de Sam qui le lisait. Il passa les bras autour du cou de la licorne et la serra fort. La licorne, elle, pleurait de soulagement.

— Ils vont bien ! s'exclama-t-elle, retrouvant sa contenance. Le capitaine Teng dit qu'ils se sont réveillés dans le dortoir il y a quelques minutes, confus et affamés, mais sans aucune lésion au cerveau.

Jonah était ravi pour elle. Ces dernières journées avaient été particulièrement pénibles pour Sam, son fardeau, insupportable. Maintenant, elle souriait à nouveau. Le sourire de Sam lui avait manqué.

— Ils partent de Sydney en char à voile, dit Sam, et devraient être avec nous dans deux jours.

Elle se pencha en avant et, avant que Jonah ne puisse réagir, Sam posait un baiser sur sa joue. Il eut l'impression que son humatar rougissait.

Axel et Bradbury n'étaient pas les seuls Gardiens en route vers Ayers Rock.

Les partisans de la cause arrivèrent par petits groupes tout au long des jours suivants, venant de partout en Australie et parfois même d'ailleurs dans le monde. Certains d'entre eux étaient des combattants, désireux de s'engager dans la défense du Coin sud contre toute action armée des Millénaires. Mais il y eut également des techniciens et des ingénieurs, qui entreprirent dès leur arrivée de réparer les serveurs endommagés.

Axel et Bradbury débarquèrent tel que prévu le soir du deuxième jour. Sam courut sur le sable rouge pour accueillir son père, lequel sauta de son char à voile pour courir à sa rencontre. Axel leva Sam dans ses bras et la fit tourner dans les airs.

— Je suis désolé de m'être perdu, petite, dit-il.

— Mais nous t'avons retrouvé, dit Sam.

Axel était comme un enfant à Noël, trop excité pour rester en place. Il insista pour qu'on lui fasse visiter les installations à l'intérieur d'Uluru et aussi pour entendre trois à quatre fois l'histoire de sa capture.

— Le Coin sud, se répétait-il constamment à lui-même avec un grand sourire aux lèvres. Je suis à l'intérieur du Coin sud. Je n'y crois pas !

Il alla même jusqu'à ébouriffer les cheveux de Jonah en disant :

— Et tout ça grâce à notre arme secrète que voilà. Le petit garçon de Jason. Qui l'eut cru ?

Jonah ne voulait pas de cet honneur. Les paroles de Granger résonnaient encore dans sa tête et lui jouaient sur la conscience : « Je te demande seulement de réfléchir à certains choix que tu as faits... Nous ferions une excellente équipe, toi et moi. »

— C'est Sam qui a mené l'attaque, marmonna-t-il.

— Et quel formidable travail elle a fait ! dit Axel, en faisant un clin d'œil en direction de sa fille. Bien joué, petite. C'est bien la fille à son père !

Bradbury était moins expansif dans ses félicitations. Il rappela à Axel que tout ne s'était pas déroulé selon le plan. Granger possédait encore trois des Quatre Coins.

– Et qu'est-ce qui s'est vraiment passé sur l'île ? demanda-t-il qu'on lui explique, son ton défiant. Et pourquoi a-t-on finalement installé le pont Chang ?

Bradbury accueillit les réponses qu'on lui offrait d'un air mauvais, et Jonah sentit que l'ingénieur le blâmait personnellement pour tout ce qui avait mal tourné.

Axel, toutefois, n'allait pas se laisser décourager pour si peu.

– Ainsi, monsieur Chang a son monde, tout nouveau, tout beau, dit-il. Qu'est-ce que ça peut bien faire ? La Changsphère est peut-être la coqueluche du moment, mais les gens vont se rendre compte que c'est du pareil au même.

– Peut-être, dit Bradbury, peu convaincu.

– C'est évident, dit Axel. Quand ils auront le choix entre une nouvelle dictature et une métasphère libre et gratuite…

– Nous sommes loin d'y être, lui rappela Sam.

– Nous avons fait un quart du chemin, et nous avons encore notre fameuse arme secrète, dit Axel en se tournant vers Jonah pour lui donner une tape dans le dos. Qu'est-ce que tu en penses, mon garçon ? Tu nous as trouvé un des Quatre Coins. Te sens-tu prêt à trouver les trois autres ?

Ils programmèrent le redémarrage complet du Coin sud le matin suivant.

La salle de contrôle était pleine de Gardiens, tous absorbés devant les rangées de moniteurs qui montraient des écrans vides. Au signe d'un hochement de tête d'Axel, Sam entra la séquence de commandes, et Jonah ressentit à travers le plancher les vibrations des serveurs qui redémarraient sous terre.

Cinq secondes passèrent, puis dix et soudain les moniteurs se mirent à s'allumer un par un.

Tout d'abord, on ne vit que des lignes blanches, vacillantes sur l'arrière-plan gris, mais ensuite ces lignes blanches se croisèrent et commencèrent à former le squelette de formes diverses, et ces formes s'emplirent de couleurs et enfin de textures.

Bientôt, Jonah put admirer des villes, des forêts, des océans et des déserts, et ses oreilles bourdonnèrent des cris de joie de ses alliés Gardiens.

On n'avait pas été en mesure de tout réchapper. Certaines données stockées sur les disques durs avaient été corrompues. Quand même, environ 98 % des infrastructures perdues du Coin sud avaient pu être restaurées — et elles étaient désormais en sécurité, hors de la mainmise de Granger.

Le regard de Jonah s'attarda sur un écran en particulier, sur l'image familière de l'île des Téléversés. Avec le soleil jetant ses rayons sur l'île et la mer léchant ses rivages, elle avait l'air du paradis qu'elle avait toujours été. Mais l'île était vide, désormais.

Dans le ciel au-dessus de l'île, la lumière blanche filtrait encore de l'ouverture de la Changsphère. Bradbury pensait pouvoir refermer la fenêtre en se servant du dispositif de M. Chang, mais Axel l'en dissuada.

— Je n'aime pas ça plus que toi, dit-il à Bradbury, mais pour le moment le pont Chang n'est pas seulement une porte de sortie de la métasphère, c'est aussi un chemin de retour. Nous devons laisser le pont ouvert.

Axel avait ramené un souvenir de Sydney : une bouteille de vin mousseux. Jonah ne voulait pas penser à toute la fortune qu'il avait sûrement dû débourser pour mettre la main sur un tel produit. Axel distribua les gobelets en carton dans la salle, et versa un trait de vin dans ceux-ci jusqu'à ce que la bouteille donne sa dernière goutte. Puis il leva son verre en proposant un toast.

— Aux Gardiens, dit Axel. À la victoire. À la liberté !

— *À la liberté* ! dirent en chœur tous les Gardiens.

Jonah n'apprécia pas son vin. Il avait un arrière-goût amer, et les bulles lui montaient dans le nez. De toute manière, il n'était pas certain d'avoir une bonne raison de célébrer.

Il avait aidé les Gardiens à reprendre le Coin sud. Sans lui, ils le chercheraient encore.

Ce faisant, il avait causé le plus grand désastre que la métasphère ait jamais connu. Il avait presque annihilé les Téléversés, et était resté sans rien faire tandis que bon nombre de gens mouraient dans le vrai monde.

Il avait perdu sa maison, et sa mère.

Et ce n'était que le commencement de la guerre pour la métasphère.

« Je te demande seulement de réfléchir à certains choix que tu as faits. »

Granger s'était montré si sûr de lui, convaincu d'avoir raison. Il avait plaidé son cas sans verser dans l'émotivité, avec une logique froide et implacable. Et, face à ces arguments logiques, Jonah s'était découvert incapable d'argumenter, et encore moins de les contrer. D'ailleurs, il ne le pouvait toujours pas.

Ce que Granger avait dit — à propos de la métasphère ayant besoin de structure, d'organisation et de vision — résonnait avec ce que Jonah avait cru toute sa vie, ou presque. Cela dit, Jonah croyait aussi en la liberté. Il croyait en Sam et en Axel, et en les principes qu'ils défendaient.

Oui, Jonah Delacroix avait changé le monde.

Il aurait seulement aimé savoir s'il l'avait changé pour le meilleur ou pour le pire.

# ÉPILOGUE

Au sommet d'une montagne de la Changsphère, une réunion familiale avait lieu.

Tout là-haut, l'air était froid, vif et pur. La vue était spectaculaire, offrant tant de couleurs et de textures. Des rivières coulaient au creux des vallées entre les montagnes, leurs flots s'écoulant vers les flèches scintillantes des grandes villes à l'horizon. L'éléphant déplia sa longue trompe et barrit de joie.

Le dragon rouge embrassa l'éléphant sur son front ridé. Puis il enveloppa dans ses ailes le tout petit humatar avec les taches de rousseur et la touffe de cheveux noirs, et l'humatar se mit à rire en disant au dragon et à l'éléphant combien il les aimait.

Ils ne remarquaient pas les nuages d'orage qui s'annonçaient dans le ciel.

Les trois avatars ne se doutaient pas qu'ils étaient observés, suivis, par un oiseau de proie, une crécerelle appelée Joshua.

Volant derrière un nuage gris et menaçant, la crécerelle les regardait avec ses yeux perçants, son regard avide, son cœur brûlant d'une faim sans nom. La faim de vivre.

La crécerelle ressentait la vie qui les habitait, et se mit à se souvenir… se souvenir d'événements qui avaient eu lieu avant la naissance de l'île.

L'avatar se rappela le médecin penché au-dessus de son lit, son visage si sombre, et se souvint de l'odeur de la salle des malades. Puis un autre bâtiment : austère de l'extérieur mais douillet à l'intérieur, avec des divans en cuir et une musique qui jouait, une musique d'orgue. Il avait fallu signer quelques documents, de ceux que l'on signe en apposant le pouce, et ensuite… ensuite, il s'était allongé dans l'un des divans et s'était connecté… la douleur dans ses os disparaissant aussitôt.

Joshua se rappela un voyage en mer qu'il avait fait en solitaire, et se souvint comment il trouvait injuste que cette journée soit venue aussi vite, qu'il n'ait pas eu la chance de trouver quelqu'un avec qui la partager.

Il voulait davantage de la vie, et répugnait à cette demi-existence qu'il avait vécue.

*Et c'est justement ce que l'humatar peut m'apporter,* se dit Joshua. Ce jeune être possédait ce qui avait été cruellement refusé à la crécerelle, comme à tous ceux qui avaient résidé sur l'île des Téléversés.

L'humatar était *vivant.* Et la crécerelle voulait – non, Joshua avait *faim* de – cette vie.

Et elle allait la lui prendre.

***Procure-toi le prochain livre des aventures palpitantes de Métawars !***

# MÉTAWARS

Les morts se lèvent

***Tourne la page et lis le premier chapitre en avant-première...***

# 1

Jonah Delacroix aimait voler.

Il étendit les bras et joignit les pieds. Il décrivit une grande courbe pour aller survoler la nouvelle et tentaculaire ville digitale de Changhai. Le vent chaud qui lui caressait le visage était virtuel, mais les papillons qu'il avait à l'estomac étaient bien réels.

Dans les rues animées sous lui, des édifices se pixélisaient, se mettaient soudainement à exister et d'innombrables avatars venaient peupler ce jeune et brave nouveau monde. Derrière chaque avatar, il y avait une vraie personne. Son cerveau, connecté en interface directe avec Internet, générait une représentation numérique de cet utilisateur.

Jonah vivait la plupart du temps dans le monde virtuel appelé la métasphère. En cela, il n'était pas différent de la plupart des gens. En fait, rares étaient ceux qui n'avaient pas adopté le mode de vie « méta ».

Mais depuis peu, la métasphère avait de la compétition, un monde rival.

C'est dans ce nouveau monde en pleine expansion que Jonah volait en ce moment, un univers virtuel qu'on appelait la Changsphère. Et ce monde attirait de plus en plus d'avatars de la métasphère avec ses graphiques en haute définition, ses serveurs ultra-rapides et son vent de fraîcheur, son optimisme contagieux. Pour Jonah, la métasphère — avec ses riches graphiques en 3D et son rendu réaliste de tous les cinq sens — avait toujours semblé plus réelle que le vrai monde qui tombait en ruine. À l'intérieur de la Changsphère, cependant, tout semblait encore plus beau, plus clair, plus net.

Ce qui plaisait à Jonah dans le monde virtuel, c'était l'immense diversité d'avatars qu'on y rencontrait. Ces avatars prenaient toutes les formes et toutes les tailles, parfois familières mais aussi souvent impensables. Tandis qu'il volait, il vit un chat monté sur le dos d'un éléphant. Dans les rues de la ville sous lui, il aperçut un chimpanzé vendant des applications à un rapace, et un requin se baladant sur deux jambes. Il remarqua aussi deux triangles translucides (le premier isocèle et le second équilatéral) qui palpitaient en se querellant, et un colvert paradant avec ses trois canetons à la file indienne.

En regardant tous ces gens numériques, Jonah eut une pensée troublante. Dans ce nouveau monde, il était impossible de discerner les avatars des vivants et les avatars des morts.

Dans la métasphère des premiers temps, certains utilisateurs choisissaient de se téléverser, un processus où tous leurs souvenirs étaient numérisés et stockés dans leur avatar. Ils continuaient ainsi à vivre dans le monde virtuel, dans un état d'allègre ignorance, confinés à un endroit précis du monde virtuel : l'île des Téléversés. Le processus de téléversement tuait l'utilisateur, ce qui signifiait que tous les avatars téléversés s'étaient suicidés pour survivre virtuellement.

Mais par ce sacrifice, ils devenaient immortels. Immortels, oui, mais pas indestructibles.

Les parcs de serveurs qui stockaient leurs mémoires avaient récemment connu la plus grande panne de l'histoire, mais de justesse, Jonah avait sauvé des millions d'avatars téléversés en les guidant vers la lumière du nouveau monde de la Changsphère, là où ils «vivaient» désormais parmi les vivants. Selon Jonah, c'était un miracle que les morts puissent revenir à la vie – à la vie numérique, en tout cas.

Jonah avait ouvert le portail entre les mondes deux mois auparavant. À voir Changhai grandir aujourd'hui, il était difficile de croire que, quelques semaines auparavant, elle n'était qu'une grille numérique vide et zonée pour le développement. En fait, ce monde tout entier venait à peine de naître.

Jonah n'était pas seul dans le ciel. Il croisa dans son vol une étoile argent à cinq branches qu'il salua en hochant la tête :

– Bonjour.

– C'est certainement une bonne journée, répondit l'étoile.

Jonah vit brièvement le reflet de son avatar à la surface de l'étoile. Il avait la même apparence que dans le vrai monde ; il était plutôt maigre avec une touffe rebelle de cheveux noirs. Mais ce qui frappa Jonah, ce fut l'aspect réaliste que son avatar avait. La qualité des graphiques dans ce monde était incroyable. En se voyant à la surface de l'étoile, Jonah avait eu l'impression de se regarder dans un miroir du vrai monde. L'illusion était parfaite.

Des milliers de nouveaux avatars arrivaient à chaque jour pour s'installer à Changhai. Ils achetaient des lots de terrains virtuels, construisaient des maisons et des commerces, et déménageaient toute leur vie en ligne vers ce nouveau monde. Jonah partageait l'optimisme de ces pionniers d'un nouvel âge. Et pour Jonah, la Changsphère représentait davantage qu'un nouveau monde à explorer. C'était surtout le seul endroit où son père était encore vivant.

Cela dit, tous n'étaient pas heureux de l'avènement de la Changsphère.

Sous Jonah, une manifestation s'organisait dans Changhai Square. Il vola haut au-dessus de la place pour voir ce qui causait une telle agitation. Comment peut-on être malheureux dans un endroit pareil ? songea-t-il.

Il y avait une centaine d'avatars réunis et leurs voix furieuses s'élevaient jusqu'à lui:

– Boycottons la Changsphère !

– Ne soutenons pas les terroristes !

– Rendez-nous le Coin sud!

Jonah sentit la colère monter en lui. Ils ne savent pas de quoi ils parlent! pensa-t-il. Une partie de lui voulait descendre parmi les manifestants pour leur faire entendre raison, mais, à 100 contre 1, il y avait peu de chance que sa voix fût entendue. Du reste, il avait mieux à faire. Il était en route pour voir son père téléversé.

– Rendez-nous le Coin sud ! Dites non aux terroristes!

David Foster souriait à l'intérieur. Tout allait comme il le voulait.

Il avait commencé en réunissant autour de lui quelques Millénaires endurcis – des gens de son camp –, mais ce rassemblement éclair qu'il avait annoncé sur Internet était devenu viral et avait attiré une foule de participants. C'était au-delà de ses attentes.